İZMİR SUİKASTI

İddianame ve Paşaların Savunması

EMRE YAYINLARI®

Yayın No: 31

İzmir Suikastı
İddiananem ve Paşaların Savunması

Yazarı: **Kazım Karabekir**

Yayın Danışmanı	:	Abdullah Şahin
Yayın Editörü	:	Burak Fazıl Çabuk
Redaksiyon	:	Ferit Sami Gül
Bilgisayar Uygulama	:	Emre Ajans
Kapak Tasarımı	:	Ebru Grafik
Baskı-Cilt	:	Kilim Matbaacılık Ltd. Şti. Litros Yolu Fatih Sanayi Sitesi no: 12/204 Topkapı İstanbul (0212) 612 95 59

1. Baskı Kasım 1994
2. baskı Mayıs 2005

ISBN: 975-7369-33-0

EMRE YAYINLARI®
Hocapaşa Mah. Dervişler Sok. No. 7 Sirkeci/İSTANBUL
Tel: (0212) 519 71 55-56
Fax: (0212) 528 71 12
www.emreyayinlari.com
e-mail: emreyayinlari@emreyayinlari.com

Kazım Karabekir

İZMİR SUİKASTI

İddianame ve Paşaların Savunması

Yayına Hazırlayan

Sümer Kılıç

İÇİNDEKİLER

KARANLIKTA KALAN BİR OLAY: İZMİR SUİKASTI

Yurdumuzu sinsi planları için vahşice işgal eden düşmanlarımız denize döküldüğünde ve vatanın topraklarından dışarı atıldığında "Kurtuluş Savaşı" kazanılmış ve yeni bir devletin temelleri atılmıştı: "Türkiye Cumhuriyeti Devleti"

Bu, altı yüz yıllık Osmanlı İmparatorluğu'nun yıkılışı ve rejim değişikliği anlamına geliyordu.

Ülke "Cumhuriyet" ile yönetilmeye başlandı ve "Demokrasi"yle halkın kendi kendisini idare etmesi hedef olarak belirlendi. Kurulan bir parlamentoyla ülkenin yeni rejimi "Cumhuriyet"ti. Fakat yeni rejimin kurulması kolay olmadı ve birçok zorlukla karşılaşıldı. Cumhuriyet'in ilanıyla yapılan devrimler, toplum tarafından yıllardır benimsenen çoğu toplumsal değerlerin değişmesi anlamına da geliyordu. Türkiye Cumhuriyeti devletinin kalkınması için bütün bunların gerekli olduğu söyleniyordu. Bu gereklilik rejim halka tanıtılmaya ve kabul ettirilmeye çalışılırken getirdiği zorluklarla birçok sıkıntının yaşanmasına neden oldu. Toplumsal tepkiler de bununla beraber daha Cumhuriyet'in ilk yıllarında ortaya çıkmaya başladı. Bu da devlet kademesinde, devlet yetkililerinin bazı zorlamaların uygulamasına neden oldu ve "İstiklal Mahkemeleri" açıldı.

Mahkemelerin açılmasıyla birlikte birçok dava toplumun nabzını tuttu ve o döneme damgalarını vurdu. Bu olaylardan biri de günümüzde bil tartışmaları devam eden "İzmir Suikastı" girişimidir. Bu tartışmalı konu hakkında çok değişik görüşler öne sürüldü, ama ne yazık ki elimizde dişe dokunur kaynaklar, belgeler ve konuyu detaylarıyla açığa kavuşturacak bilgiler mevcut değildir. Bu konudaki mahkeme zabıtları da arşivlerin tozlu raflarında yatmaktadır... Bu çalışmayla tartışmaları hep süren bir konuya yeni bir açılım da getirilmiş olacaktır.

İdam Edilenlerden Bazılarının Son Sözleri

Rasim Bey:
"Kader, ne diyelim... Vatan sağolsun!"

Rüştü Paşa
"Bu cezayı haketmedim. Masumum. Bir gün elbet gerçekler anlaşılacaktır. Gerçekler açığa çıktığı zaman ruhum şâd olur.
"İnsan son dakikasında hiç yalan söyler mi?
"Vallâhi İzmir Suikastı'ndan haberim yoktu."

Abidin Bey:
"Söyleyeceklerimin hepsini söyledim ama anlatamadım. Şimdi ne isterseniz yapın. Kuvvet sizde."

İZMİR İSTİKLÂL MAHKEMESİ ÂDİL MİYDİ? DEĞİL MİYDİ?

Önemli bir bilgi olması münasebetiyle çalışmamıza 21 Eylül 1956 yılında yayınlanan Haftalık Yakın Tarih Mecmuası DÜN ve BUGÜN'ün 44. sayısından aldığımız bölümü aynen vererek başlıyoruz. En azından bu meselenin sadece bugün değil dünde tartışıldığını, tüm açıklığıyla ortaya koyması bakımından önemli buluyoruz. Şimdi bu satırları okuyalım...

İzmir suikastı teşebbüsü davasını ele alan İstiklâl Mahkemesi'nin kararlarında göze çarpacak derecede isabetsizlikler olduğu, daha ilk günlerde çeşitli iddialarla, yorumlara yol açmış bulunurken, son defa bu mahkeme kararile idam edilmiş olanlardan bazılarının ruhlarına mevlût okutulması münasebetiyle tazelenen bu meselenin, bugün ortaya attığı soru kısaca şudur: Bu İstiklâl Mahkemesi verdiği hükümlerin hepsinde âdil mi idi, değil mi idi?

Bu hususta günün birinde son ve kat'î cevabı verecek olan, şüphe yok ki; her türlü şahsî endişe ve hislerden sıyrılmış, yürekleri sadece vatandaşın şeref, namus ve haysiyetini koruma maksadile. Adâleti olânca vuzuhile yerine getirme aşkile titreyen her bakımdan yetkililer olacaktır.

Ancak; bir taraftan, baba, kardeş ve eşler gibi yakinlerinin bu mahkemenin, en hafif tâbirile (hatalı kararile alınlarına vatan hainliğini damgası vurularak idam edilmiş olduklarını) iddia ile gerek onları gerek kendilerini bu çok ağır töhmet ve lekeden kurtarmak için, aradan otuz yıl gibi uzun bir zamanın geçişi dolayısiyle bu (günün birinin artık geldiğini ileri sürenlerin seslerini yükseltişleri bir taraftan da hatâlı olduğu söylenen kararlarda imzası bulunanlardan birinin hâlâ hatâyı kabul etmiyerek kararın isabetli ve âdil olduğunda mütemadiyen ısrar edişi karşısında umumî efkârın da sabrı tükendiği ve artık durumun aydınlatılması zamanı geldiği kanaatinde olduğu görülüyor.

Bu durum karşısında; ötedenberi bu mahkemenin çeşitli sebeplerle ve bilhassa âzalarından bazılarının son derece hislerine ve şahsî temayüllerine mağlup olarak isabetsiz kararlar vermek suretiyle pek bariz adâletsizliklere düştüklerini iddia edenlerden biri olarak bizim de; artık meseleyi ehemmiyetle ele almalarını temenni ettiğimiz yetkililere şimdiden gücümüz yettiği kadar yardım maksadile bu aydınlatma işinde üstümüze düşen bir vazife bulunduğunu kabul ediyoruz.

Evet biz yıllardanberi, bu İstiklâl Mahkemesinin kurusunun yanında, pervasızca yaşları da yatkığını iddia edip durmaktayız.

Bu iddiamızı tevsik eden deliller, şahitler ve vesikalar hadsiz hesapsızdır ve birbirinden kuvvetlidir. Ancak hepsini sıralamaya yerimiz müsait olmadığı gibi, esasen birkaçı bile adâletsizliği, ayan beyan göstermeğe kifayet edecek mahiyette olduğundan onları ortaya koymakla iktifa edeceğiz:

Delilleri Sayıyoruz

1— Bu mahkeme eski Başvekil Rauf Beyi (Orbay) gizli heyetin bütün meş'um teşebbüslerine vakıf olduğuna kanaat getirdiğini beyanla aynen şu kararla on yıl ağır hapse mahkum etmişti: «Suikast ve takbibi hükûmet hadiselerine hangi noktadan itibaren muttalî olduğu henüz layıkile aydınlatılamamış ise de bu teşebbüslerin Ankara sahasına tamamen vasıf bulunduğu halde millet ve memleket için felâketi mucip olacak facianın vukuunu ve tekerrürünü önlemek için hükumeti haberdar etmek en iptidaî bir kanunî vazife, bir vatanî farize ve nihayet bir insanî vecibe olduğu halde bunu yapmadığı gibi keyfiyetten haberdar olan arkadaşlarının hükumeti ikazlarını men'e çalışmış olduğu birçok ifadeler ve itiraflarla sübut mertebesine vasıl olmuştur.»

Yani Rauf Bey Ankara'da suikast yapılacağını bildiği halde hükumete haber vermediği için suçlu sayılıyordu. Halbuki Rauf Bey sadece Ankara'da suikast yapılacağını Erzincan Mebusu Sabit Beyden duymuş, duyar duymaz da, «kalk, kardeşin suikast yapacakmış... bu felâkettir.. derhal mani ol!.» diye uykusundan uyandırdığı Ziya Hurşid'in ağabeysi Ordu Mebusu Faik Beyi harekete geçirerek yola çıkarmış ve yolda rastgeldikleri Ziya Hurşid'in (Kat'iyet böyle bir şey yoktur. İnanmazsanız hükumete haber verin!..) tarzındaki inkâr ve te'minatına rağmen onu hemen Ankara'dan def edip uzaklaştırdıktan sonra bizzat Faik Bey'in diğer şüpheliler nezdinde yaptığı soruşturmalardan da (böyle bir şey olmadığı) kanaatini doğuracak netice alınışı üzerine, arkadaşlarile birlikte (işin bir dedikodudan ibaret olduğu) hükmüne varışları neticesinde, ortada hükümeti haberdar edecek bir mesele mevcut olmadığı hükmüne varmışlardı. Binaenaleyh ortada bir suç yoktu.

Nitekim Sabit Bey de, aynı hükme vararak hükumeti haberdar etmiyenler arasında bulunduğu halde aynı mahkeme onu suçlu saymamış, hatta üstelik ayni mahkeme müddeiumumîsi Sabit Beyi (doğrudan doğruya Ankara'daki suikast işinin önünü alan yegane âmil olarak telakki ve kendisini tebrik) etmiş. Mahkemede (vaki cürümlerde bir günah ortaklığı anlaşılamadığından ittifakla beraatine) karar vermişti.

Yani Sabit Bey şüphelenerek Rauf Bey vasıtasiye Ziya Hurşiti Ankara'dan uzaklaştırıp hükûmeti haberdar etmeden- suikastın önünü aldığı için tebrike layık görülerek beraat ettirildiği halde mahiyeti itibarile ayni şeyi - hatta pürtelaş koşup Faik Beyi yatağından kaldırarak bir dakika bile geçirmeden yola çıkarıp Ziya Hurşidi def'e, sevketmek suretile daha fazlasını yapan- Rauf Bey on seneye mahkum ediliyor.

Tek bahane de: «Hükumete haber vermesi lazımdı vermemiştir.»

İyi amma, Sabit Bey de, haber vermemiştir.

Aynı kararnamede, haber vermeyen birini, hatta da birçoklarını tamamen suçsuz say, Rauf Bey'e gelince on yıl kürek gibi en ağır cezaya çarp... ve buna (adâlet) de!

Dahası var: Buna göğsünü gere gere kemail azmet ve gururla (adâlet) diyen bir mahkeme reisi pek kısa bir zaman sonra mensup olduğu hükumet ve partinin hem de resmen ve alenen (Hayır adâlet değildir!) deyişi karşısında, kendini savunacak tek kelime bulamadığından başka adâletsizliğine kurban etmek istediği masum şahsiyetin (Rauf Orbay'ın) -hem de riyaseticumhur sarayında ve Reisicumhurla, seçkin bir kalabalık huzurunda- tarif edilemiyecek derecede ağır muamelesine maruz kaldığı zaman da kızarıp bozarmaktan başka bir şey yapamamış, sesini bile çıkaramamıştı.

Bu da Peşin Karar

2- Bu mahkemenin Reisi; daha birçok şahitlerin dinlenmesini, birçok dosyaların ve vesikaların incelenmesini gerektiren duruşmalar sona ermeden ve hatta müddeiumumînin iddianamesi ve maznunların son savunmaları dinlenmeden çok, pek çok -haftalarca- evvel Cavit Bey'i idama mahkum ettiklerini kendi evinde ziyaretine giden Bektaşi Hüseyin Bey'in refikası Sara Hanıma açıkça söylemekten çekinmemiştir.

İfade tazı ise bu peşin kararın sade kendisince değil mahkeme heyetince verilmiş olduğunu belirtecek serahattedir. Yani (idam edeceğim) değil (edeceğiz) buyurmuştur.

Hangi mahkeme henüz muhakemesi hitam bulmamış -hatta azılı bir katil hakkında- böylesine peşin bir karar verir de (âdilim) diyebilir?

Şüphe Şüphe!.

3- Bu mahkeme müddeiumumîsinin âdeta sonraki bulabildiği delillerle güç halle suçlandırabildiği maznunlardan bazıları meyanında İstanbul Mebusu Canbolat Beyle, Erzurum Mebusu Rüştü Paşa'nın küreğe konulmalarını istemiş olmasına karşı, bunlardan İsmail Canbolat Bey son müdafaasında:

— Daima kanuna hürmetle riayet etmiş, gayri meşru teşebbüslere girişmekten çekinmiş bir adamım. Esasen son senelerde riyasete karşı bir bezginlik duyuyordum. Bu suikast işile katiyen bir alâkam yoktur...

Rüştü Paşa da:

— Bunca senedir nefsimi memlekete vakfettim. Başka hiçbir şey düşünmedim. Bu meselede hiçbir kabahatım yok. Talih... Suitalih beni bu adamlarla arkadaş etti. Etmez olsaydı... Adımın bu işe karışması bu yüzdendir.

Masumum. Vicdanınıza, adaletinize, insafınıza sığınıyorum.» demiş ve her ikisinin de doğru söylediklerini —bütün muhakeme safhalarını takip edenlerce kabul edilmiş ve bu sebeple müddeiumumînin istediği kürek cezası bile çok görülmüş olduğu halde bunlar da mahkemece hiçbir esaslı ve ikna edici müsbet delile dayanılmadan sadece (Hükûmeti devirmeğe karar verdikleri ve bu suretle nasıl bir âkıbete maruz kalacağı tahmin ve tasavvur edilemeyen vatanın idaresini ne bahasına olursa olsun ele geçirmek istemekle) suçlandırılarak idama mahkum edilip, astırmışlardır.

En Yeni Şehadet

4— Bu mahkeme tıpkı İsmail Canbolat ve Rüştü Paşa hatta daha bazıları gibi, Kâzım Karabekir, Ali Fuat, Refet ve Cafer Tayyar Paşaları da (suikast yapılacağını biliyorlardı) ve (Terakkiperver Fırkası liderleri olarak suikasçılarla birliktiler) gibi uydurma sebep ve bahanelerle bir punduna getirip idam ettirmek azminde idi. Biz mahkemenin bu başlı başına zalimce bir adaletsizlik örneği teşkil edecek inyet ve peşin kararını senelerce evvel inanılır kaynaklardan duyarak açıklamış ve ancak Başvekil İsmet Paşa'nın Cumhurreisi Mustafa Kemal Paşa'yı da bu caniyane kararlardan haberdar ederek müştereken araya girişlerile önleyebildikleri de yazmıştık.

Şimdi, son günlerde bu iddiamızı esaslı bir şekilde tevsik eden, kıymetli bir şehadet ve delil daha bulmuş oluyoruz ki, o da Emekli Orgeneral Fahrettin Altay'ın 12 Eylül 1956 tarihli (Dünya) gazetesinde çıkan şu hâtırasıdır:

«Atatürk'e suikast teşebbüslerinin muhâkamesi İzmir'de görülürken ordu müfettişi bulunuyordum. Muhâkemenin sonlarında bir gün öğleden sonra İzmir Kordon Boyundaki Atatürk'ün evinin önünden geçerken, bu saatlerde kendilerinin istirahat itiyadında olduklarını bildiğimden maiyetlerinden birine şöyle bir görüşmek maksadile eve girdim. İçeri girer girmez sol taraftaki odanın kapısı açık ve ortada bir masanın başında kendilerini İsmet Paşa ile karşı karşıya oturur gördüm. Bir sürpriz te'siri yapan bu hal beni şaşırttı. Müsaadesiz girişten sıkıldım ve selam vererek geçmek istedim.

— Gel Paşa!

Diye elile de işaret ederek beni çağırdı. Hemen odaya girdim ve tekrar selamladım.

— Otur!. Emirlerile oturdum. Her ikisinin hal ve tavırlarında derin bir hüzün beliriyordu. Derhal bana hitaben:

— Ali Bey bizim Paşaları da asacak!» dediler. Ve fikirlerimi sorar tarzda bana baktılar. Bu sözler de bana ikinci sürpriz oldu. Bir an mütereddit durakladım. İsmet Paşa başını eğmiş yere bakıyor ve sanki bakışile bir tesir yapmış olmamak ister gibi bulunuyordu. Benim durakladığımı gören Atatürk:

— Ne dersin!

Buyurdular. Derhal kendimi toparladım ve artık düşüncemi açıkça söylemek mecburiyetinde olduğumu hissederek dedim ki;

— Paşa Hazretleri, siz her şeyi bizlerden iyi düşünür ve bizlerden çok iyi yaparsınız. Bu suali bendenize tevcih etmekle anlıyorum ki lütufkâr kararınızı vermişsiniz!

Rahmetli gülümseyerek:

— Ne demek istediğinizi anlamıyorum amma sonrasından emin miyiz?

Benim «Siz Paşaların idamlarını istemiş olsanız bana sorar mı idiniz?» demek istediğimi o yüksek zekâ derhal anlamış ve bu suale cevabı vermemişti.

O vakit İsmet Paşa başını kaldırdı. Şu mealde cevabı o verdi:

— Emin olabilirsiniz Paşa Hazretleri.. Siz var oldukça hükümetimiz daima kuvvetli olacaktır. Bütün millet size perestiş ediyor. Bu nankörlüğe teşebbüs edenler mahdut birkaç sanıktan ibarettir. Ceza da bu hudut dahilinde kalırsa adâletiniz bütün millet bir kat daha size bağlayacaktır.»

Atatürk de: «— Pekâlâ, bakalım Ali Beyle bir daha görüşelim..» buyurarak ayağa kalktılar.

Ertesi gün muhakeme kararını ilan etti.»

Sayın Fahrettin Altay'ın bu hatırası burada bitiyor. Fakat bu kısacık lâkim ifade ettiği hakikat itibariyle çok geniş ve büyük manayı haiz olan beyanat, bize, bu mahkemenin adaletsizliğini sarahatta belirten yeni bir vesika vermiş olmuyor mu?

Demek ki, yaptırmak istenen adaletsizliği duyar duymaz, bütün bir hassasiyetle harekete geçen Büyük Gazi, derhal müdahale edip Ali Beyi yola getirmek suretile önlemeye vakit bulamamış olsalarmış; Kâzım Karabekir Paşa da Ali Fuat Paşa da Refet Paşa da Cafer Tayyar Paşa da, —İnsanın tüyleri ürperiyor, dili varmıyor— Ali Beyle kafadar arkadaşlarının elile alınlarına vurulacak kapkara vatan haini damgasile asılıp bir çukura atılacak ve bunada «adâlet» denecekti...

Hayır... Bu mahkeme, asla adil değildi!

Bütün deliller bir tarafa yalnız, Büyük Gazinin duya bildiği için şe'ri müdahelesile önlediği bu adaletsizliği ile, mahkemenin diğer kararlarının mahiyeti hakkında bir fikir vermeğe fazlasile kafidir.

TERAKKİPERVER CUMHURİYET FIRKASININ KURULMASI

İzmir Suikastına gelmeden önce, suikast öncesi olayları kısaca bir gözden geçirmemiz gerekiyor.

Cumhuriyetin ilanından sonra Mustafa Kemal ve arkadaşları birbiri ardına inkılap hareketlerine başlayacaklardı. Saltanatın ve arkasından Halifeliğin kaldırılması "laik" devletin temellerini atma amacını taşıyan iki önemli gelişmeydi. Camilerde okunan hutbeler bile 7 Mart 1924'ten itibaren "Cumhuriyet hükûmeti" adına okunuyordu.

Bununla da kalınmıyor 8 Nisan 1924'te Şeriat Mahkemeleri tamamen kaldırılıyor, Türk milletinin geçmişle bağı birbir kopartılıyordu...

Mustafa Kemal gerçekleştirilen bütün değişikliklere karşı önemli bir "muhalif" cephe oluşmaya başlamıştı.

Bu cephede yer alan kişiler, yapılan bu değişikliklere razı olmuyorlar, onaylamıyorlardı...

Özellikle anayasanın *ikinci* ve *yirmialtıncı* maddelerinin değiştirilmek istenmesi onları muhalefette olmaya adeta zorluyordu. Çünkü bu insanlar "Türkiye Cumhuriyetinin Dini İslamdır" ibaresinin anayasada kalmasını istiyorlardı...

Peki kimdi bu insanlar?

Bu kişilerin başında Kâzım Karabekir Paşa geliyordu...

Ülkemize çok büyük hizmetleri geçmiş olan bu büyük komutan o dönemde yapılanları onaylamıyor, "inkılap" adı altında geçmişimizle, inanç değerlerimizle olan bağımızın önce zayıflatılmak, sonra da kopartılmak istendiğine inanıyordu... Muhalif Cephe'nin önemli isimleri şunlardı: *Ali Fuat Paşa, Refet Paşa, Cevat Paşa, Cafer Tayyar Paşa, Rauf Orbay Bey...*

Bu Paşaların Mustafa Kemal'den istedikleri şey şuydu:

"Mustafa Kemal Paşa bir Cumhurbaşkanı olarak partiler üstü konumda olsun ve tarafsız davransın. Ömrünün sonuna kadarda bu görevde kalsın."

Evet istenen şey bu kadar basitti...

Ama Mustafa Kemal Paşa bu tarafsızlık istemlerine Paşalar gibi yaklaşmıyor, onların anladığı şekilde anlamıyordu tarafsızlığı...

Bakın bu konuda ne diyor:

— "Bunda şüphe yoktur ama iş Cumhuriyet'in ilanı ile bitmemiştir. Medeniyet alemine katılmak için daha bazı inkılaplar yapılması gerekmektedir. Bunun için de geçici bir süre muhalif bir cephe yaratılmaması gerekir..."

Yani Mustafa Kemal, muhalif Paşalardan açıkça "destek" istemektedir...

Yapılan inkılaplara köstek olmamaları, muhalefet etmemeleri istenmekte, destek olmasalar bile seslerini yükseltmemeleri arzulanmaktadır...

Mustafa Kemal'in bu noktada çekindiği birşey vardı ki, kendisi bunu "Paşalar Komplosu" olarak değerlendiriyordu... O da, Paşaların askeri görevlerini bırakarak, meclise dönmeleri aktif, siyasete katılmaları idi...

Mustafa Kemal, açıkça bu ihtimalden çekiniyordu, çünkü işleri o zaman çok güçleşecekti... Mustafa Kemal'in kendisi bu konuyu bizzat Nutuk'unda da ele almış ve bu endişesini dile getirmiştir.

Aradan kısa bir süre geçince, Mustafa Kemal'in korktuğu başına geldi ve 20 Ekim 1924'te Kâzım Karabekir Paşa askeri görevinden istifa ederek meclis'e döndü...

Karabekir Paşa'nın istifasını diğer Paşaların istifaları izledi...

Artık mecliste dev bir muhalif cephe vardı...

Paşaların meclise dönmesinden tedirgin olan Mustafa Kemal Paşa, inkılap hareketlerine "rahat bir ortamda," devam edemeyeceği endişesi taşıyordu...

Paşaların meclise dönmesinden sonra mecliste bir hareketlilik başgösterdi. Hüseyin Rauf Orbay Bey, Halk Partisindeki görevinden istifa etti.

Arkasından tam on tane Milletvekili Halk Parti-si'nden istifa etti. Bu beklenmedik istifalar herkesi şaşırttı...

Bir gün sonra Erzurum milletvekili Ziyaeddin Efendi'nin de istifa etmesi şaşkınlığı daha da artırdı. İstifaların hepsinin gerekçesi aynıydı: "Halk Partisi kuruluş ilkelerinden ayrılmış, tamamen farklı bir mecraya girmişti..."

Meclisteki bu hareketlilik, kısa süre sonra yepyeni bir partinin doğmasıyla daha da pekişecekti.

17 Kasım 1924'te başkanlığını Kâzım Karabekir'in

yaptığı Terakkiperver Cumhuriyet Fırkası resmen kuruldu. Bu partinin farklı bir yanı vardi, çünkü "din adına" ortaya çıktığını söylüyor, "İslami" bir kimliğe sahip olduğunu açıklıyordu...

Dini yönü ağır basın Terakkiperver Cumhuriyet Fırkası'na basının tepkisi tam da beklenilen gibiydi. Vakit Gazetesi 18 Teşrinisani 1340 tarihinde "Biz saltanat, hilafet, medreseler, şer'iyye ve evkaf gibi dine ait unsurları öldürmüşken, şimdi bu hareketle yeniden öldükten sonra dirilmeye mi gidiliyor?" diye yazıyordu...

İşte tam da Vakit Gazetesi'nin altını çizdiği "dine ait şeylerin" öldürülmemesi için kuruluyordu Terakkiperver Cumhuriyet Partisi...

Vakit Gazetesi, hiç saklamıyor, "dine ait şeyler öldürülmüşken" diyor. Asırlarca İslam ile yaşamış bir millet, işte bakın bir-iki yılda dininden kopartılmak isteniyor, buna karşı çıkan insanlar da yaftalanmak isteniyordu...

Kâzım Karabekir Paşa'nın önderliğinde kurulan Terakkiperver Fırkası, daha kurulalı üç gün olmuştu ki, sürpriz bir gelişme oldu ve İsmet İnönü istifa etti...

Başvekil İnönü, istifa gerekçesi olarak da sağlık nedenini gösterdi.

İnönü'nün istifasından sonra harekete geçen Atatürk, gizli bir toplantı yaptı ve parti üyelerini uyardı.

Neye karşı mı uyardı?

Elbette "dinsel gericiliğe" karşı...

Atatürk'e göre Terakkiperver çatısı altında toplanan gericiler bir "karşı devrim" tehlikesi taşıyorlardı.

Halk Partisi'nden birkaç milletvekili, konuyu büyütmenin anlamsız olduğunu söyleyince Atatürk'ün verdiği cevap ilginçtir:

— "Benim burnuma barut ve kan kokusu geliyor. Dilerim ben yanılmış olurum..."

Mustafa Kemal Paşa'nın Terakkiperver Cumhuriyet Partisi'ne karşı olan tutumunu gelin Nutuk'tan izleyelim:

"(Cumhuriyet) kelimesini telaffuzdan dahi içtinap edenlerin, Cumhuriyeti doğduğu gün, boğmak isteyenlerin, teşkil ettikleri fırkaya (Cumhuriyet) ve hem de (Terakkiperver Cumhuriyet) ünvanını vermeleri, nasıl ciddi ve ne dereceye kadar samimi telakki olunabilir?

Rauf Bey ve arkadaşlarının teşkil ettikleri fırka, muhafazakâr ünvanı altında meydana çıksaydı, belki manası olurdu. Fakat, bizden daha ziyade Cumhuriyetçi ve bizden daha ziyade Terakkiperver olduklarını iddiaya kalkışmaları, bittabi doğru değildi.

"Fırka efkâr ve itikadat-ı diniyeye hürmetkârdır" düsturunu bayrak olarak eline alan zevattan, hüsn-i niyete intizar olunabilir miydi? Bu bayrak, asırlardan beri, cahil ve mutaassıpları, hurafeperestleri iğfal ederek hususî maksatlar teminine kalkışmış olanların taşıdıkları bayrak değil miydi? Türk milleti, asırlardan beri, nihayetsiz felâketlere, içinden çıkabilmek için, büyük fedakârlıklar istilzam eden, mülevves bataklıklara, hep bu bayrak gösterilerek sevkolunmamış mıydı?

Cumhuriyetçi ve Terakkiperver olduklarını zannettirmek isteyenlerin; aynı bayrakla ortaya atılmaları, dinî taassubu galeyana getirerek, milleti, cumhuriyetin, terakki ve teceddüdün tamamen aleyhine teşvik etmek değil miydi? Yeni fırka, efkâr ve itikadat-ı diniyeye hürmetkârlık perdesi altında; biz hilâfeti tekrar isteriz; biz yeni kanunlar istemeyiz bizce mecelle kâfidir; medreseler, tekkeler, cahil softalar, şeyhler, müritler, biz sizi himaye edeceğiz; bizimle beraber olunuz. Çünkü Mustafa Kemal'in fırkası hilâfeti lağvetti. İslâmiyeti rahnedar ediyor. Sizi gavur yapacak, size şapka giydirecektir diye bağırmıyor muydu? Yeni fırkanın kullandığı formül bu,irticakârane feryatlarla dolu değildir denilebilir mi?

Bakınız Efendiler, bu formül taraftarlarından birinin daha çok evvel (10 Mart 1923 tarihinde) maslup Cebranlı Kürt Halit Bey'e yazdığı mektuptaki şu cümlelere: "Alem-i İslâmın ebediyen kalması icabeden esasatına hücum" ediyorlar. "Bu husustaki teşrihatınızı arkadaşlara da okudum. Hepsinde tezyid-i gayreti mucip oldu." "Garba temessül etmek, tarihimizi, medeniyetimizi kaybeylemek"i zaruri kılar. "...Hilafet müessesesini yıkmak, lâdinî bir hükümet tesisini düşünmek, hep istikbal-i İslâmı tehdit edecek âmilleri vücude getirmekten başka bir netice veremez."

Efendiler, vakayi ve hadisat dahi izhar ve ispat etti ki, "Terakkiperver Cumhuriyet Fırkası" programı en hain dimağların mahsulüdür, bu fırka, memlekette suikastçilerin, mürtecilerin tahassungâhı, ümid-i istinadı oldu; haricî düşmanların, yeni Türk Devleti'ni, taze Türk Cumhuriyetini mahvetmeğe matuf planlarının suhulet-i tatbikatına hizmete çalıştı. Tarih; (mürettep, umumî, irticaî) olan Şark İsyanı esbabını, tetkik ve taharrî ettiği zaman, onun mühim ve bariz sebepleri meyanında "Terakkiperver Cumhuriyet Fırkası"nın dinî mevaidini ve Şarka gönderdikleri kâtib-i mes'ullerinin teşkilât ve tahrikâtını bulacaktır.

Hatırat defterini (nafile ve teheccüt namazlarının) sevabından bahis hadislerle dolduran, bu katib-i mes'ul, Şark vilayetlerimizde tahrikat-ı diniyede bulunurken, fırkasının programını tatbik etmiyor muydu? Masum halka, beş vakit namazdan maada, geceleri de fazla namaz kılmağı vaiz ve nasihat etmek, belki de ömründe namaz kılmamış olan bir politikacı tarafından vaki olursa, bu hareketin hedefi anlaşılmaz olur mu?

Efendiler, yaptığımız inkılâbın vüs'at ve azameti karşısında, eski hurafat ve müessesatın birer birer sukutunu gören mutaassıp ve irticakâr anasır, "efkâr ve itikadat-ı diniyeye hürmetkâr" olduğunu ilan eden bir fırkaya ve bahusus bu fırkanın içinde isimleri şöhret bulmuş zevata dört el ile sarılmaz mı? Yeni fırka yapan zevat bu hakikati müdrik değil midirler? O halde, ellerine aldıkları, din bayrağı ile millet ve memleketi nereye götürmek istiyorlardı? Böyle bir suale verilmesi lazımgelen cevap da, hüsn-i niyet, gaflet, kayıtsızlık gibi sözler; memleketi terakkiye isal edeceğim diye ortaya atılan bir fırka rüesası için mazeret teşkil edemez!

Efendiler, yeni fırka, unvan ittihaz ettiği "terakki" ve "cumhuriyet" namlarının zıdd-ı tamlariyle inkişaf etmiştir. Bu fırkanın rüesası, hakikaten mürtecilere ümit ve kuvvet vermiştir. Buna misal olarak arzedeyim; Ergani'de, usatın valiliğini kabul eden maslup Kadri, Şeyh Said'e yazdığı bir mektupta: "Millet Meclisi'nde, Kâzım Karabekir Paşa'nın fırkası, ahkâm-ı şer'iyeye riayetkâr ve dindardır. Bize muzaheret edeceklerine şüphe etmem. Hatta Şeyh Eyup nezdinde bulunan kâtib-i mes'ulleri, fırkanın nizamnamesini getirmiştir.." diyor. Şeyh Eyup de, muhakemesi sırasında: "Dini kurtaracak yegane fırkanın, Kâzım Karabekir Paşa'nın teşkil ettiği, fırka olup, ahkâm-ı şer'iyeye riayet edileceğinin fırka nizamnamesinde ilân edildiğini söylemiştir."

Efendiler, "terakkiperver" ve "cumhuriyet" kelimelerini kullanarak, bize ve münevveran-ı millete karşı din bayrağını gizlemek tedbirinde bulunanlar, memlekette umumî irtica ve isyan yapmak için dahil ve hariçte, tertipler ve teşvikler yapmakla meşgul olanların mevcudiyetinden bihaber farzolunabilirler mi? Yeni fırkaya dahil olanların, tekmil azası mevzu-i bahs olmasa bile, dinî mevaidi, muvaffakiyet için, müessir âmil kabul eden ve buna dair formülü nizamnamelerine ithal eden kimseler, memlekete müteveccih şahıslarımıza müteveccih suikastlerden bihaber kabul edilemezler!

İsyanın vukuundan aylarca mukaddem, memleketin şurasında burasında, yapılan hafi içtimalardan ve "Cemiyet-i Hafiye-i İslâmiye" teşkilâtından, İstanbul'da Nakşibendi meşayihinin yaptığı içtimada, ihzar edilecek kıyama muzaharet vaadedildiğinden ve nihayet milli hudutlarımızın haricinde bulunup, Şark İsyanını tahrik edenlerin beyannamelerinde Kâzım Karabekir Paşa'nın fırkasından ümit ile bahsolunduğundan haberdar olmadıklarını farzedelim. Fakat, Fethi Bey Hükümeti zamanında, bizzat Fethi Bey vasıtasiyle, kendilerine, fırkalarının muzır ve isyan ve irticaa müşeveik vaz'ı ve mahiyetinde olduğu bildirildiği zaman olsun, hakikati mütalea ve müşahede etmeleri lazım gelmez miydi? Hükumetin ve benim, pek halisane olarak bu ihtaratımızdan sonra olsun hakikati anlamaları ve ona göre hareket eylemeleri icap ederdi. Onlar, bilakis, bu defa da "efkâr ve itikadat-ı diniyeye riayetkârız" klişesini, büsbütün aksi manada tefsire kalkıştılar. Güya malum formül ile, nazarlarında, her dinin ve her din salikinin efkâr ve itikadatına riayetkâr olduğunu ifade etmek... Geniş hürriyetperver olduklarını anlatmak istiyorlarmış.. Efendiler, bu tarz-ı harekete dürüst, samimi denemez!

Politika âleminde, birçok oyunlar görülür. Fakat mukaddes bir mefkûrenin, tecellisi olan cumhuriyet-i idareye, asrî harekete karşı cehil ve taassup ve her nevi husumet ayağa kaldığı zaman bilhassa terakkiperver ve cumhuriyetçi olanların yeri, hakikî terakki ve cumhuriyetçi olanların yanıdır; yoksa mürtecilerin ümit ve faaliyet menbaı olan saf değil...

Ne oldu efendiler! Hükumet ve Meclis, fevkalâde tedbirler almağa lüzum gördü. Takrir-i Sükûn Kanununu çıkardı. İstiklâl Mahkemelerini faaliyete geçirdi. Ordunun sekiz dokuz seferber fırkasını, uzun müddet tedibata hasretti. "Terakkiperver Cumhuriyet Fırkası denilen muzır teşekkül-i siyasiyi seddetti (kapattı).

Netice bittabi cumhuriyetin muvaffakiyetiyle tecelli etti. Âsiler imha edildi. Fakat, cumhuriyet düşmanları, büyük komplonun safahatı hitam bulunduğunu kabul etmediler. Namerdane, son teşebbüse giriştiler. Bu teşebbüs İzmir Suikastı suretinde tezahür etti. Cumhuriyet mahkemelerinin kahhar perçesi, bu defa da, cumhuriyetçi, suikasçilerin elinden kurtarmağa muvaffak oldu."

Mustafa Kemal'in Terakkiperver Cumhuriyet Fırkasına karşı olan tutumunun nedenini anlamak için Fırka'nın programına bakmak yeterli olacaktır.

Program adeta, Halk Hartisi uygulamalarına "reddiye" niteliği taşımaktadır... Özellikle "Partimiz, efkar ve itikad-ı diniyeye hürmetkârdır" maddesi, Mustafa Kemal ve arkadaşlarında irticayı artırmak endişesi uyandırıyordu. İşte, Terakkiperver fırkanın" çoğu kişiyi endişeye sevkeden" programından birkaç madde:

Madde: 1- Türkiye Devleti halkın hakimiyetine müstenid bir Cumhuriyettir.

Madde: 2- Hürriyetperverlik ve Demokrasi fırkanın meslek-i esasisidir.

Madde: 3- Kanunların yapılmasında halkın ihtiyacı, menafii, tamayülâtı ve adalet prensipleri hakim olacaktır.

Madde: 4- Umumi hürriyet ve özgürlüklere, partimiz şiddetle taraftardır.

Madde: 5- Teşkilat-ı Esasiyç (Anayasa) milletten açıkça izin alınmadan ve millete başvurulmadan değiştiremiyecektir.

Madde: 6- Partimiz efkâr ve itikad-ı diniyeye hürmetkârdır.

Madde: 7- "Hiçbir kimse kanunun emretmediği şeyi yapmaya zorlanamaz ve yasaklamadığı şeyi de yapmamaya zorlanamaz" prensibi idarede bil itifak bir prensib olacaktır.

Madde: 12- Cumhurbaşkanı seçilen zatın, milletvekilliği sıfatı hemen zail olur.

Madde: 24- Memurların tayin, atama ve azl'lerini, nakil ve tebeddüllerini, terfi ve tenzillerini keyfi işlemlerden arındıracak kanunlar behemehal vaz' edilecektir.

Madde: 27- Fuhşun, içki ve kumarın intişar ve yerleşmesine mani olacak ve sinema, tiyatro vesair eğlence yerlerinde ve basın yayın da ahlâk ve adab-ı umumiyeyi ihlal ve ifsada meydan vermiyecek ahlâm hemen vaz' olunacaktır.

Madde: 50- Evladı memlekete, hayatı boyunca faydalı amelleri öğretecek ve onların özel hayatında faziletli kimseler olmasını sağlayacak milli ve manevi terbiye verilecektir.

Madde: 53- Şehid evlatlarının devletçe eğitim ve öğretimleri sağlanacaktır.

Madde: 54- Öksüz yurtları, kimsesiz çocukları sefalete düşmekten koruyacaktır.

Terakkiperver Cumhuriyet Fırkası'nın programına konulan "kanunların yapılması halkın ihtiyacı ve menfaati doğrultusunda olacaktır" maddesi Halk Partililer tarafından "devrimlerin önüne taş konulmak isteniyor" şeklinde yorumlanıyordu...

"Cumhurbaşkanı seçilen kişinin milletvekilliği düşer" maddesi ise Mustafa Kemal'i yönetim dışında tutmak istiyorlar" şeklinde değerlendiriliyordu...

Velhasıl, Halk Partisi mensupları ve Mustafa Kemal, Kâzım Karabekir ve arkadaşları olan bir grup Paşanın kurduğu Terakkiperver Cumhuriyet Fırkası'ndan hiç memnun olmamışlar, onları yaptıkları icraatlara engel olmaya çalışan insanlar olarak görmeye başlamışlardı...

Herşey ne güzel tıkır tıkır işletilirken; devrimler yapılırken, halka danışmadan, ona sormadan istenildiği gibi halk adına hareket edilirken, Terakkiperver Fırkası da nereden çıkmıştı şimdi?..

Herkes rahatsız olmuştu bu durumdan...

Hele hele Kâzım Karabekir, Rauf Orbay, Ali Fuat gibi Paşaların bu Fırka içinde yer alması, onların halk tarafından çok sevilmesi, saygı duyulması endişe ve tedirginlikleri daha da artırıyordu...

Bu noktaların altını çizdikten sonra Terakkiperver Cumhuriyet Fırkası konusunu burada bitirelim ve İzmir Suikastına giden yolda önemli bir kilometre taşı olan "Şeyh Sait İsyanı"na bir bakalım...

Kâzım Karabekir Paşa'nın öncülüğünde kurulan Terakkiperver Cumhuriyet Fırkası'nın amacını, kuruluş nedenini ve ardından başgösteren Şeyh Sait İsyanının çıkış nedenlerini, gerekçelerini anlamadan "İzmir Suikastı"nı çözemeyiz, kavrayamayız...

Onun için İzmir Suikastı öncesinde meydana gelen olayları çok iyi bilmeliyiz, sağduyulu olarak tahlil etmeliyiz...

Terakkiperver Cumhuriyet Fırkası'na karşı olan tutumları, tavırları iyi anlamalıyız..

Fırkadan ve fırkanın kurucularından "kurtulmak" isteyenlerin "neleri", "nasıl kullandığını da iyi görmeliyiz...

ŞEYH SAİD AYAKLANMASI VE ARKASINDA YATAN GERÇEKLER

Şeyh Said ayaklanması, Doğu'da başgösteren ayaklanmalardan fakl bir özellik arzeder. Çünkü diğer ayaklanmaların kökeninde yağma ve derebeylik gibi nedenler yatarken, Şeyh Said isyanının kökeninde şeriat düzenine sahip çıkmak isteği vardır.

Amaç, hilafeti ve saltanatı yeniden tesis etmektir.

Şeyh Said isyanı, cumhuriyetin ilkelerine karşıdır, "dini değerlerin" ortadan kaldırılmasını engellemek ve onları yeniden hayata getirmek amacı taşır...

Kimileri her ne kadar Şeyh Said isyanının arkasında "Bağımsız Kürdistan" amaçları arasalar da bu doğru değildir. Şeyh Said'in açtığı bayrak hilafet ve şeriat bayrağı idi, Bağımsız Kürdistan bayrağı değil...

Ama, Şeyh Said'in ayaklanma amacını hedefinden şaşırtmak isteyenler "Bağımsız Kürdistan" gibi bir gerekçe ortaya atarak onu ve arkadaşlarını "Türkiye'yi bölmeye çalışıyor" imiş gibi göstermeye gayret ettiler.

Devrimler halka rağmen yapılırken birden bire Doğu'dan böyle bir isyanın başgöstermesi hükûmeti ve Mustafa Kemal'i telaşlandırmıştı.

Şeyh Said isyanı dalga dalga yayılıyordu. Hilafetin ve Saltanatın kaldırılmasına isyan eden, "şeriatsız yaşanmaz!" diyen Şeyh Said ve arkadaşlarının direnmesi Diyarbakır, Bitlis, Elazığ, Hınıs, ve Palu bölgelerine kadar uzanmıştı...

Hemen Bakanlar Kurulu Mustafa Kemal başkanlığında toplandı ve bölgede "sıkıyönetim" kararı aldı. İsyan hızla ilerliyordu ve başka illere sıçrama ihtimali vardı.

Bu arada hükûmette bir Başbakan değişimi yaşandı.

Fethi Okyar istifa etti, yerine İsmet İnönü yeni bir kabine kurarak yönetimi ele aldı. Atatürk, "yumuşak ve ılımlı" politikasını benimsemediği Fethi Okyar'ın istifa etmesine sevinmişti, ancak İsmet İnönü'nün sertlik yanlısı politikalarıyla bu direnişlerin "üstesinden" gelinebilirdi!

4 Mart 1925'te kabinesini kuran İsmet İnönü, Mustafa Kemal'i hayal kırıklığına uğratmadı ve hemen sert önlemler almaya başladı...

Tabii alınan bu önlemleri "sert" diye ifade etmek çok hafif kalır; bu önlemlerin ne hukukla, ne adaletle, ne de insafla bir ilgisi vardır. Tamamen baskıya, zora, şiddete dayalı kararlardır...

Bu kararların başında "Takrir-i Sükun" kanunu gelir.

Laikliğe karşı hareketlerin başını "ezmeye" yönelik Takrir-i Sükun kanunu, ileride nice insanların canını yakacak, nicelerini ipte sallandıracaktır!

Takrir-i Sükun Kanunu'nun birinci maddesi aynen şöyledir:

— "Madde: 1- İrtica ve isyana ve memleketin ictimai nizamını, huzur ve sükununu, emniyet ve asayişini ihlale sebeb bilumum teşkilat ve tahrikat ve teşvikat ve teşebbüsat ve neşriyat hükümet ve reisicumhurun tasdiki ile mer'i olunur. İşbu fiillere katılanlar İstiklâl Mahkemesine verilirler."

Takrir-i Sükun kanunuyla yetinmeyen İsmet İnönü, irticaya(!) karşı mücadele etmek için "Hıyanet-i Vataniyye Kanunu'nun birinci maddesini de dinin siyasete alet edilmesini engelleyen bir hükümle değiştiriyor ve şu hale getiriyordu:

— "Madde: 1- Dini veya dince mukaddes sayılan şeyleri, siyasi gayelere esas veya alet ittihaz ederek cemiyetlerin teşkili yasaklanmıştır. Bu çeşit cemiyet ve dernekleri teşkil edenler veya bu cemiyet ve derneklere dahil olanlar "vatan haini" addolunur. Dini veya dince mukaddes sayılan şeyleri, siyasete alet ederek, devletin temel nizamını tebdil ve tağyir veya devlet emniyetini ihlal veya dini dince mukaddes sayılan şeyleri alet ittihaz ederek her ne surette olursa olsun, ahali arasına fesat veya nifak bırakanlar; gerek ferdi, gerek topluca sözlü veya yazılı veyahut fiili bir şekilde veya nutuk iradı ve neşriyat icrası ile bu çeşit harekette bulunanlar kezalik "vatan haini" sayılacaklardır."

Hükûmet, Şeyh Said isyanını bastırmak için dört bir koldan harekete geçmişti...

Takrir-i Sükun Kanunu, Hıyanet-i Vataniyye Kanunu, İstiklâl Mahkemeleri ve Sıkıyönetim Mahkemeleri ile bölgeyi dört bir koldan baskı altına alan hükumet, "şeriat isteyen" insanlardan bunun "hesabını" sormak istiyordu.

İsmet Paşa kabinesinin yürürlüğe koyduğu bu baskıcı önlemler Mecliste sert taştırmalara neden oldu.

Terakkiperver Cumhuriyet Fırkası Başkanı Kâzım Karabekir Paşa bu kararları şöyle eleştirdi: "Memleketin her yerinde alınan sert tedbirlerle nice masum insan mazlum duruma düşürülecektir. Hatta, bütün hak ve hürriyetleri kısıtlayan, basını susturan bu kanunlarla Meclis kürsüsünden söylenenler bile halka ulaştırılmayacaktır. Böylece halk egemenliğinin esası yıkılacaktır. Çıkarılan Takrir-i Sükun Kanunu Cumhuriyet için asla şeref sayılamaz!..."

İstiklâl Mahkemeleri için ise Karabekir Paşa şu eleştiriyi getirir:

— "İstiklâl Harbimiz zamanında yapılmış ve yapılması gereken mahkemelerdi. Binaenaleyh bunların şimdi tarihe karıştırılması lazım. Asıl Meclis için bunu yapmak bir şereftir. Eğer İsmet Paşa, İstiklâl Mahkemelerini ıslahat için kullanıyorsa, yakında pek ziyade yanıldığını anlayacaktır."

Mecliste bu kanunlara sert muhalefetler oldu ama daha önceden herşey planlanıp programlandığı için kanunların çıkması kolay oldu, hiçbir zorlukla karşılaşılmadı...

İdareyi ele geçiren ve yedeğine de Meclisten çıkardığı baskıcı, sert kanunları alan İsmet İnönü, birbiri ardına "yasaklar ve susturma dönemini" başlattı.

Sebilürreşat ve Tevhid-i Efkâr gazeteleri hemen kapatıldı.

Gerekçe olarak da "zararlı ve yıkıcı" yayında bulunmaları gösterildi. Bu iki gazetenin ortak özelliği ise İslâmî bir kimliğe sahip olmalarıydı. İsmet İnönü zihniyeti, İslâmî anlayışı ülkeyi "yıkan ve zarar veren" bir anlayış olarak görüyordu!

Bütün ülkede başlayan baskı ve şiddet kasırgasından kısa süre sonra Terakkiperver Cumhuriyet Fırkası da nasibini alacaktı.

Terakkiperver Fırkasını kapatmak için gerekçe lazımdı ama hükûmet bunu bulmakta gecikmeyecekti. Şeyh Said direnmesini dolaylı olarak desteklemek suçuyla yargılananlar arasında Terakkiperver Cumhuriyet Fırkası'nın Urfa Katib-i Mesulü emekli Yarbay Fethi Bey de vardı.

Şark İstiklâl Mahkemesinde yapılan yargılanmalarda Fethi Bey'in Şeyh Said direnmesine destek verdiği ve direnmenin Tarakkiperver Cumhuriyet Fırkası'yla bir ilişkisi ortaya çıkartılamadı, belgelenemedi.

Ama bu yapılamasa bile yine de Fethi Bey İstiklâl Mahkemesi tarafından 5 yıl hapis cezasına çarptırıldı. Bununla da yetinilmedi, asıl amaç Terakkiperver Fırka-sı'na darbe vurmak olduğu için İstiklâl Mahkemesi görev bölgesi içindeki bütün Terakkiperver Cumhuriyet Fırkası şubelerini kapattı.

Artık görev tamamdı!

Fethi Bey'in Şeyh Said isyanıyla ilişkili olduğu iddia edilmiş ve sonunda fatura TPCF'na çıkartılmıştı...

İnönü Hükümeti, TPCF'nın programındaki dini unsurları bir türlü kabullenemiyordu!

Bu fırka mutlaka kapatılmalı, faaliyetlerine son verilmeliydi...

Şeyh Said isyanından başka da uygun bir zemin bulunamazdı bunun için...

TPCF'nın İstanbul şubesi üyesi Salih Başo ve arkadaşları "dini siyasete alet etmek" iddiasıyla bir süre Ankara İstiklâl Mahkemesinde yargılandılar... "Dini siyasete alet etmenin" ölçüsü neydi bilinmiyordu ama işte İstiklâl Mahkemesi böyle bir gerekçeyle insanları yargılıyor ve haklarında hüküm veriyordu!

Salih Başo ve arkadaşlarına 5 ila 15 yıl arasında değişen hapis cezası verildi.

Sıra asıl amaca geldi, bu hapis cezaları işin çerez kısmıydı çünkü...

TPCF'nın İstanbul şubesi de bu yargılanmalardan sonra kapatıldı.

İsmet İnönü hükümeti, Kâzım Karabekir Paşa ve arkadaşlarının kurduğu Terakkiperver Cumhuriyet Fırkası'nın üzerine üzerine geliyordu, baskı ve şiddetle fırkayı çalışamaz hale getirmek istiyordu...

Nitekim bu amaçlarına 3 Haziran 1925 günü ulaşacaklar, Takrir-i Sükun kanununa dayanarak TPCF'nı kapatacaklardı!...

Fırkanın kapatılmasından 25 gün sonra ise Şeyh Said ve 46 arkadaşı İstiklâl Mahkemeleri tarafından ipe gönderilecеklerdi...

10 Mayıs 1925 tarihinde yargılanmak üzere İstiklâl Mahkemesine gönderilen Şeyh Said tam 50 gün boyunca muhakeme edildi.

İddia edildiği gibi Şeyh Said'in ne ülkeyi bölme gibi bir amacı vardı ne de bağımsız bir Kürdistan kurmayı hedefliyordu...

İstiklâl Mahkemesinde söylediği şu sözler, onun gerçek amacını da açığa çıkartıyor:

— "Diyarbakır ve Elazığ gibi illeri kurtarabilseydim, kapatılan medreseleri açıp, diğerlerinin açılması için de hükümete baskı yapacaktım. Bizim fıkıh kitaplarımızda vardır; İmam ve nakibi şeriatı uygulamazsa ayaklanma şer'an vacib olur. Biz hükümete şeriattan vazgeçmemelerini hatırlatacaktık." Asılmadan önce son sözü sorulan Şeyh Said'in yazdığı şu iki satır bile onun amacını çok iyi özetleyen tarihi bir belgedir:

— "Bu sehbada asılmama asla değer vermem

Yeterki mücadelem ve savaşım Allah ve Din uğrunda olsun..."

Şeyh Said isyanında altı çizilmesi gerken çok önemli noktalar var...

Mustafa Kemal ve arkadaşları başlattıkları devrimleri yarı yolda bırakacak, onların önüne taş koyacak, halka rağmen hareket etmelerini engelleyecek kişiler olarak Terakkiperver Cumhuriyet Fırkası etrafında toplanan insanları gördüler...

Onların varlığından adeta rahatsızlık duydular...

Özellikle Kâzım Karabekir Paşa'nın nüfuzu, halk tarafından sevilmesi, takdir edilmesi Mustafa Kemal'i rahatsız etti.

Mustafa Kemal'in bu rahatsızlığını giderme görevi ise İsmet İnönü'ye verildi.

Fethi Bey'in Başbakanlıktan istifa edip yerine İsmet Paşa'nın gelmesi elbette kendiliğinden gelişen bir olay değildir!

İsmet Paşa özellikle Şeyh Said isyanı döneminde Başvekilliğe getirilmiş ve isyan bahane edilerek TPCF"nın kapatılması sağlanmıştır.

Tamamen İslami kaygılarla başlayan bir direnme, kasıtlı olarak hükümet tarafından başka yönlere çekilmiş, değişik amaçlar taşıdığı ileri sürülmüş ve bu bahaneyle inananlara İstiklâl Mahkemeleri aracılığıyla zulmedilmiştir!

Şeyh Said isyanı, bir "tasfiye" ve "temizlik" harekatı için atlama taşı olarak kullanılmıştır...

Ne yazık ki Şeyh Said isyanını kendi çıkarları için

kullananlar, Şeyh Said ve arkadaşlarını ipe göndermekten de çekinmemişlerdir...

İzmir Suikastının gelişimi ve sonucu da Şeyh Said olayının "kullanılış" biçimi gözönüne alınarak değerlendirilmelidir...

Şeyh Said direnmesini, inanan insanları tasfiye etmek, ipe göndermek için kullananlar, İzmir Suikastını da bu amaçla tezgahlamış olamazlar mı?

İşte üzerinde düşünülmesi, cevap aranması gereken asıl soru budur!...

Kâzım Karabekir Paşa'da bu konuda, Şeyh Said İsyanının başladığı günlerdeki gelişmeleri Ankara Hükûmetine raporlarla bildirdiğini, ancka hükûmetin bu konuda kayıtsız kaldığını söylüyor ve ilave ediyor "Ankara Hükûmeti sonradan anladık ki bu olayları tâ başından biliyormuş ama fırkalarını kapatmak için bir bahane olarak kullanmak maksadıyla bu olaya başından müdahale edilmemiş!."

İBRET VEREN TUTUKLAMALAR VE SORGUSUZ SUÇLAMALAR...

- "Gaziyi öldürmek için İzmir'e üç kişi geldi. Biri eski Lazistan Milletvekili Ziya Hurşit, diğeri Laz İsmail ve arkadaşı Gürcü Yusuf... Dün akşam Karşıyaka'da, İdris Efe'nin bahçesinde bir toplantı yapıldı. Bu toplantıda verdikleri karar, Gaffarzâde otelinin sokağı başında, Kemeraltı caddesi dönemecinde karşılıklı olarak Yusuf, İsmail ve Ziya Hurşit yolu tutacaklar, ateş edecekler ve bombaları da arabaya atacaklar. Sonra kargaşalıktan yararlanarak, Gaffarzâde otelinin ilersinde bekleyecek olan otomobille sahile inecekler, oradan da bir kayıkla kaçacaklar..."

Bu satırlar, Mustafa Kemal Paşa'ya düzenleneceği iddia edilen "suiast"ın tarih kitaplarında yer alan senaryosu...

Bu satırları anlatan kişi, motorcu Giritli Şevki'den başkası değildir elbette...

Sözkonusu suikastta, suikastçıları motoruyla bekleyecek olan Giritli Şevki, nedense o anda "korkuya" kapılır ve gelir İzmir polisine olan-biteni anlatır...

İzmir Suiastını anlatan kaynaklarda Giritli Şevki'nin suikast olayını İzmir polis müdürlüğü siyasi bölüm başkanı Mehmet Ali Bey'e anlattığı belirtiliyor. Mehmet Ali Bey ise Giritli Şevki'nin söylediklerinden yola çıkarak suikast yapacağı iddia edilen kişileri nasıl yakaladığını şöyle anlatıyor:

"Doğru Ragıp Paşa oteline gittim, otel katibini kaldırdım. Otelde yatanların kimliklerini incelemek istediğimi ileri sürerek birinci kattaki bir-iki odaya baktıktan sonra asıl Laz İsmail ile Gürcü Yusuf'un yattıkları üst kattaki odaya vardık. Kapıyı hafifçe yokladım. kilitli idi. Katibe:

— Sen kapıyı vur, ismini ver, seni tanıyıp kapıyı açarlar, dedim. Kapı vurulunca, biri "kim o?" dedi ve ardından kapı kilidinin açıldığını hissettim.

Hemen tokmağı çevirerek kapıyı ittim. Biriyle karşılaştık. O zaman şahsen tanımıyordum tabii... Meğer Laz İsmail imiş!... Kolundan tutup hızla çekerek arkamdakilere verdim. İki arkadaş da bir hamlede Yusuf'un yattığı karyolaya koştular. Cibinliği ile beraber üzerine yığıldılar. Neye uğradığını anlayıncaya kadar toparlayıp aldılar. Bunları güvenlik altına alıp bavullarını da çıkardıktan sonra ayrı ayrı daireye gönderdim. Oradan Gaffarzâde oteline gittim. Açtırdık. Doğru Ziya Hurşit'in odasına çıktık. Odanın koridora bakan perceresi açıktı. Memurlardan birini hemen pencereden içeri soktum. kapıyı açtırdım. Onu da cibinliğiyle beraber üstüne çıkmak suretiyle kıpırdamasına imkan vermeden bastırdık.

— Ne oluyoruz? Nedir, Ne var? deyişlerine,

— Telaş etme! Birşey yok... diyorum.

Cibinliği başından çektim. Yalnız kafası cibinlikten sıyrıldı. Elleri herhangi bir harekette bulunmasına imkan vermeyecek şekilde hala cibinlik içinde ve sımsıkı tutulmuştu... Hemen yastığının altına baktım. Tabancasını aldım. Cibinliği de üstünden çektim. Eğildi. Ellerini bağladık. Hâlâ:

— Ne var? Nedir bu? Ne oluyoruz? deyip duruyordu.

Aldık doğru idareye götürdük."

İzmir polisi, suikasta adı karıştığı iddia edilen diğer kişileri de bu tür yöntemlerle yakalıyor.

Yani ortada somut bir belge ve bilgi yok!

Sadece motorcu olan Giritli Şevki'nin söylediği şeyler var. Ne kadar güvenilir olduğu şüpheli olan bu beyana dayanılarak gecenin bir yarısı insanlar otelden polis baskınıyla, palas pandıras yakalanıp "merkeze" götürülüyorlar!

Suçları, Gaziye suikast tertip etmek!...

Üzerlerinde silah bulunması suikast yapacaklarına dair "delil" olarak gösteriliyor. Oysa o zamanda hemen herkes silah taşıyordu; tutuklanan kişilerden bir kısmı da milletvekili, silah taşımaları gayet normal.. Her silah taşıyanı geceyarısı polis baskınıyla tutuklayıp merkeze getirecek olsanız herhalde ülkenin yarısını "gaziye suikast tertip ettiği iddiasıyla" tutuklamanız gerekecektir!..

Burada şu noktanın altını çizmek istiyoruz: İzmir Suikastı olayında suikastçıları tutuklayacak sağlam deliller elde yoktu... Bir motorcunun ifadesine dayanılarak hareket edildi. İzmir valisi Kazım Paşa'nın, Mustafa Kemal'in huzurunda "tutuklananları hiç sorguladınız mı" sorusuna verdiği cevap gerçekten ilginçtir:

— "Paşam sorgulamaya gerek yok. Bombaları, ta bancalarıyla hazırlanmış bir durumda yakalanmış olmaları bize yeterli kanaati vermiştir. Aslında, bir itirazları da yok. Susuşlarıyla suçlarını itiraf etmiş durumdadırlar..."

Dedik ya, tutuklananların üzerlerinden tabanca çıkması, Vali'ye suikast için yeterli "ipucunu" veriyor...

"Bombalara" gelince...

İzmir Polis Müdürü suikast iddiasıyla tutukladığı kişileri nasıl bastığını anlatırken sadece silahtan sözediyor.

Ama nedense İzmir valisi, Mustafa Kemal'in huzuruna çıkınca ortaya bir de "bomba" sözünü atıyor.

Acaba neden?

Ortada olmayan bombalar, Vali, Mustafa Kemal'in huzuruna çıkınca neden birden bire ortayere çıkıveriyor?

Mustafa Kemal "tutukladığınız kişileri neden hiç sorgulamadınız?" diye sorunca panikleyen vali, ellerinde hiçbir somut delil olmadığını bildiğinden, sırf orada rezil olmamak için mi "bomba" lafını ortaya atıyor?..

Bu sorular cevapsızdır...

Mustafa Kemal Paşa, İzmir Valisi ile polisinin suikast iddiasıyla tutuklayıp gözlem altına aldığı Laz İsmail, Ziya Hurşid ve Gürcü Yusuf ile görüşmek istedi.

Polis Müdürü Mehmet Ali Bey hemen tutukluları getirdi.

Mustafa Kemal'in karşısına ilk çıkan Laz İsmail oldu. Odada Polis Müdürü de vardı. Polis Müdürünün anlattıklarına göre Mustafa Kemal Laz İsmail'e sordu:

— Burada ne arıyorsun sen?

— Ticaret için geldim efendim...

— Ne ticareti? Birçok şeyler var ortada... Söyle bakayım?

— Ben hiçbirşey bilmiyorum.

— Nasıl bilmezsin?

— Vallahi bilmiyorum...

Laz İsmail, "bilmiyorum" diyordu da başka şey demiyordu...

Ne suikast ile bir ilişkisi vardı ne de böyle bir olaydan haberi... İzmir'de sadece ticaret için bulunuyordu. Gece otelinden polis baskınıyla alınmış ve işte buraya getirilmişti.

Mustafa Kemal'in karşısında Laz İsmail'in hiçbirşeyden haberi olmadığını söylemesi polis müdürünü telaşlandırmıştı. Ya şimdi Gazi, yahu "benim hiçbir şeyden haberim yok" diyen adamı ne diye karşıma getirdiniz? derse ne diyecekti...

Ya kızarsa, sinirlenirse?

Polis Müdürü hemen devreye girdi ve Mustafa Kemal'e dönerek,

— Efendim bana biraz izin verin, bir de ben konuşayım dedi...

Laz İsmail'i odadan çıkardı ve diğer odada konuştu...

Ne mi konuştu?

İşte onu bilmiyoruz?

Ama Polis Müdürünün Laz İsmail ile konuştuktan sonra Laz İsmail'in suikastle ilgisinin olduğunu söylemesi ve Ziya Hurşit ile Gürcü Yusuf'un da isimlerini vermesi bize "nelerin konuşulduğu" hakkında bazı ipuçları veriyor...

Polis Müdürü, "şunları şunları söylersen, şu isimleri suçlarsan seni Gazi'ye affettiririm. Serbest bırakırım..." demiş olamaz mı? Gerçek dışı ifade karşılığında bir yığın vaadde bulunmuş olamaz mı?

Bunları bugün bilmiyoruz... Ama Mustafa Kemal'in karşısına ilk çıkartıldığında suikastla ilgisinin olmadığını söyleyen Laz İsmail'in polis müdürüyle konuştuktan sonra ifadesini değiştirmesi enteresandır ve beraberinde pekçok kuşkuyu da getirmektedir...

Hiçbir delile dayanmaksızın yapılan tutuklamalar "komplo" ihtimalini akla getirdiği gibi, polis müdürü ile valinin böyle bir olayı kullanarak Mustafa Kemal'e yaranmak istemeleri de gözden uzak tutulmamalıdır.

Neresinden bakarsanız bakın, suikast iddiasıyla tutuklanan kişilerin "tutuklanış nedenleri ve" "tutuklanış biçimleri" hukuka ve insafa aykırıdır. Ne gariptir ki suikast iddiasıyla tutuklanan kişilerin sorgulanmasına bile gerek duyulmamıştır...

Üzerlerinde silah bulunması, Mustafa Kemal'e suikast için yeterli görülmüştür!

Herhalde dünyanın en garip suikast iddiasıyla tutuklanması 1926 yılında İzmir'de olmuştur...

İSTİKLÂL MAHKEMESİ DEVREDE; TPCF ÜYELERİ TEKER TEKER TOPLANIYOR

Mustafa Kemal'e suikast yapacakları Giritli bir motorcu tarafından yapılan bir ihbarla belirlenen(!) kişiler için Ankara'dan özel olarak hazırlanmış bir İstiklâl Mahkemesi acilen yola çıkartıldı...

Böyle bir fiile herhalde normal mahkemeler bakamazdı!

Bu olay İstiklâl mahkemelerinin kapsamına giriyordu...

Ama ne yargılamalar, ne soruşturmalar, ne ibret verici olaylar!..

Zaten kitabımızın büyük bir kısmını İstiklâl Mahkemelerindeki bu yargılamalar ve yaşanan skandal boyutundaki olaylar oluşturacak.

İzmir Suikastı ile ilgili elimizde yeterli belgeler ve bilgiler yok.

Çünkü arşivler kapalı...İzmir Suikastını soruşturan İstiklâl Mahkemesi zabıtları hâlâ bizlere kapalı... Bunlar açılmıyor.

Mahkeme heyeti suikastçı iddiasıyla suçlanan kişilere neler sordu?

Onlar bu sorulara ne cevaplar verdiler?

Bunların hepsi zabıtlarda var. Ama işte, bir türlü sivilleşemediğimiz ve hâlâ devletin halkından gizleme ihtiyacı duyduğu birtakım şeyler olduğu için, bu bilgilere ulaşamıyoruz...

Ancak elimizde İstiklâl Mahkemesinin zabıtlarından döneminbasınına yansıyan ve suçlanan kişilerin anılarından elde ettiğimiz bilgiler var.

Onlardan hareketle İzmir Suikastını sorgulayacak, yapılan yanlışlara işaret etmeye çalışacağız...

Önce İstiklâl Mahkemesinin suikast iddiasıyla yargıladığı kişilere bakalım:

– Ziya Hurşit (Lazistan Eski Milletvekili)

– Laz İsmail

– Gürcü Yusuf

– Sarı Efe Edip

– Miralay Arif (Eskişehir Milletvekili)

– Şükrü Bey (İzmit Milletvekili, Eski Maarif Nazırı)

– Abidin (Saruhan Milletvekili)

– Rasim (Emekli Albay)

– Cavit Bey (Maliye Eski Bakanı)

– Çopur Hilmi (Emekli Teğmen)

– Abdülkadir Bey (Ankara Valisi)

– İsmail Canbolat

– Kara Kemal

Bu isimlerin tek bir ortak özellikleri var: Hemen hepsi bir süre önce kapatılan Terakkiperver Cumhuriyet Fırkası üyeleri...

İzmir'de üç kişi suikast iddiasıyla yakalandı:

Ziya Hurşit, Laz İsmail ve Gürcü Yusuf...

Eğer yargılanmaları gerekiyorsa sadece bu üçünün yargılanması gerekiyordu. Ama amaç suikast iddiasıyla tutuklanan bu insanları yargılamak değildi... Amaç bağcıyı dövmekti, üzüm yemek değil...

Muhalif olduğu için kapatılan Terakkiperver Cumhuriyet Fırkasının üyelerinden hala tedirgin olunuyor, onlardan korkuluyor ve bir vesileyle ortadan kaldırılmak isteniyorlardı...

İşte bu "fırsat" İzmir Suikastı iddiasıyla ortaya çıktı...

"Gazi'ye suikast yapacaklar" diye bir iddia ortaya attılar, üç kişiyi gece otel baskınıyla ele geçirdiler, ortada "bomba" falan yokken bomba yalanını söylediler, ilk ifadelerinde olayla ilişkilerinin olmadığını söyleyen kişilere baskıyla gerçek dışı beyanda bulunmaya zorladılar...

Sonunda da Türkiye'nin dört biryanına dağılmış TPCF'nın eski üyeleri birbir toparlandılar...

Hepsi İzmir'e getirildi ve İstiklâl Mahkemesinin karşısına çıkartıldı...

Bu arada yaşanan çok ilginç bir olayı da aktaralım sizlere...

Başbakan İsmet İnönü, İzmir Suikastı iddiasıyla başlatılan tutuklamaları görünce telaşlanır. Çünkü tutuklanan insanların hemen hepsi Terakkiperver Cumhuriyet Fırkası'nın eski üyeleridir...

Üstelik tutuklananlar arasında Kâzım Karabekir, Ali Fuat Cebesoy ve Cafer Tayyar gibi yıllarca silah arkadaşlığı ettiği ve olayla uzaktan yakından ilgilerinin olmadığını bildiği kişiler de vardı.

İstiklâl Mahkemesi'nin bu hatasını düzeltmek için Başbakan İsmet İnönü hemen devreye girer ve mahkeme heyetine tutuklanan Paşaların serbest bırakılmasını talep eder...

Ve bu arada dünyanın hiçbir yerinde rastlanamayacak bir olay yaşanır.

Paşaların haksız yere tutuklandıklarını belirten Türkiye Cumhuriyeti'nin Başbakanı, İstiklâl Mahkemesi tarafından tutuklanmak istenir!

Evet, yanlış okumadınız. İsmet İnönü, "Kazım Karabelir ve arkadaşları haksız yere tutuklandılar" dediği için İstiklâl Mahkemesi tarafından tutuklanmak istendi!..

İşte İstiklâl Mahkemesi böyle bir mahkemeydi. Ne hukuk tanıyordu ne de başka birşey!..

Ülkenin Başbakanını bile tutuklama yetkisini kendinde buluyordu.

Başbakanın suçu ise bir haksızlığı düzeltmek istemesiydi!

İstiklâl Mahkemesinin haksızlığı düzeltmek, doğru karar vermek gibi bir derdi yoktu ki... Tek derdi, hazırlanan senaryoda kendisine verilen rolü en iyi şekilde oynamaktı. Buna engel olacak kişileri de gözünü kırpmadan harcayabilirdi. Bu Başbakan bile olsa...

Tutuklanan kişiler, milletvekili idiler aynı zamanda.

Yani dokunulmazlıkları vardı. Meclis bu dokunulmazlıkları kaldırmadan hiçbir makam milletvekillerini tutuklayamazdı.

Bu durum dönemin Meclis Başkanı Kazım Özalp Paşa'ya sorulduğunda verdiği cevap ibretle okunacak cinstendir. Milletin iradesini temsil eden meclisin başkanı bakın İstiklâl Mahkemelerine nasıl boyun eğiyor:

— "Evet, milletvekillerinin dokunulmazlığı vardır.

Teşkilatı Esasiye Kanunu'nun 17. maddesine nazaran kendisine suç isnat edilen bir milletvekili sanık gibi sorgulanıp muhakeme edilip tutuklanamazsa da, bu milletvekillerinin üzerlerinde cinayet araçları varken suçüstü yakalanmışlardır. Artık bu durum karşısında zorunlu hale gelen mebusların dokunulmazlıklarının kaldırılması Teşkilatı Esasiye Kanununa göre söz konusu olamayacağı pek tabiidir...."

Hangi suç aleti ve hangi suçüstü?

Meclis Başkanı resmen İstiklâl Mahkemesi karşısında sessiz kalıp, milletvekillerinin haklarını savunmaktan kaçınıyor. Onları İstiklâl Mahkemesine teslim ediyor. Milleti temsil eden milletvekilleri, uyduruk bir senaryo ile suçlanıp tutuklanıyorlar!..

İstiklâl Mahkemesinde yargılananlar ceza kanununda o zaman bulunan 55, 56, 57 ve 58. maddeler uyarınca yargılanacaklardı. Bu dört maddede şu hükümler yer alıyordu:

55. madde - Türkiye Cumhuriyetinin Teşkilatı Esasiye (Anayasa) kanununu tamamen veya kısmen tağyir ve tebdi veya ilgaya ve kanunu mezkura tevfikan teşekkül eden Büyük Millet Meclisini ıskat ve ifayı vazifedenmen'e cebren teşebbüs edenler idam olunur. Ve maddei fesadın icrasını başlanmış olursa yedi seneden ekal (az) olmamak üzere küreğe konulur.

Büyük Millet Meclisi İcra Vekilleri Hey'etini cebren ıskat veya ifayı vazifeden cebren men veyahut işbu cürmü ika, fiilen tahrik edenler müebbedden veya on seneden aşağı olmamak üzere muvakkaten küreğe konulur. Her kim hükumet aleyhine halkı müsellahan (silahlanarak) isyana veya Türkiye ahalisini yekdiğeri aleyhine silahlandırarak mukateleye (karşılıklı öldürmeye) fiilen tahrik edip de maddei fesad tamamiyle fiile çıkarsa ol kimse idam olunur. Maddei fesadın icrasına başlanmış olursa yedi seneden ekal olmamak üzere küreğe konulur. (55'inci madde zeylinin sancak ve arma tahrip ve tenziline dair son fıkrası mülgadır.)

56. madde- Her kim bazı mahallerde gasp ve garet, tahribi memleket ve katli nüfus ef'aline mütecasir olup da kadıyei fesad fiile çıkar veyahut maddei fesadın icrasına başlanmış olursa o kimse idam olunur.

57. madde- Balada muharrer 55'inci ve 56'ıncı maddelerde beyan olunan fesadlardan birini birtakım eşhas müctemian icra eder veyahut icrasını tasavvur ederlerse ol cemiyete dahil bulunanlardan asıl reis ve muharriki mefsedet olanlar her nerede tutulurlarsa idam olunurlar. Sairlerinden dahi mevkii cinayette tutulanlar maddei fesadda tebeyyün edecek medhallerinin derecatına göre müebbeden veyahut muvakkaten küreğe vazolunur. Mevkii cinayette tutulmayanlar şahsen ika eyledikleri ceraimden dolayı mücazat olunur.

58. madde- Balada mezki olan cinayetlerden ve 55'inci ve 56'ncı maddelerde beyan olunan fesadın birini icra kasdıyle iki veyahut daha ziyade eşhas beyninde bir ittifakı hafi teşkil olunup da ol ittifakta tasmim olunan fesadın icrası söyleşilip karargir olduktan başka esbabı icraiyesini tehiye zımnında bazı ef'al ve tedabire dahi teşebbüs olunmuşsa ol ittifakta bulunan kimseler müebbeden kalebend olunur. Ve eğer öyle bir ittifak hakkında berveçhi muharrer fesadın esbabı icraiyesini tehiye zımnında teşebbüs olunmuş bir fiil ve tedbir tebeyün etmeyip yalnız icrası söyleşilerek karar verilmiş olmaktan ibaret bulunsa ol halde dahili ittifak bulunan kimseler muvakkaten kalebend kılınır ve eğer beyan olunan cinayet-

lerden birini icra etmek üzere bir ittifakı hafi teşkiline dair teklif vuku bulup da kabul olunmamış ise o teklif eden kimse bir seneden üç seneye kadar haps olunur.

İstiklâl Mahkemesinin nasıl gerekçesiz tutuklamalar yaptığına ve TFCP üyelerinin kasıtlı olarak toplanmaya başladığına en iyi örnek Kastamonu Milletvekili Halid Bey'in başından geçenlerdir... Halid Bey'in İstiklâl Mahkemesinin elinden nasıl kurtulduğunu kendi ağzından dinleyelim:

"Bir sabah baktım, gazetelerde bir rapor: Gazi Paşa Hazretlerine İzmir'de suikast yapılmak istenmiş. Teşkilat mensupları yakalanmış... İstiklâl Mahkemesi yola çıkmış. Falan falan derken arkasında şu:

Bütün Terakkiperver Partisi kodamanları da takip ve tutuklanmakta imişler... Bir daha bir daha okudum.. İş fena... Böyle bir hadisede hiçbir şeyden haberim olmasabile kim vurduya gitmek işten bile değildir. Ama elden ne gelir. Başa gelen ne ise, ondan kaçılmaz. Mademki başımızda muhaliflik var. EE... Eli kulağındadır... Nerede ise çat kapı... Gelip beni de alıp götürürler...Mademki savcı karar vermiş... diye eşyamı bavuluma yerleştirdim. Biraz yol parası ayırdım. Bu halimi görerek endişeye düşen evdekileri de "Vallahi bu işten haberim yok merak etmeyin" diye yatıştırdım. Bekliyorum.. Ama gelen giden yok. Kendi kendime: "Mümkün değil, bırakmazlar. Mademki bütün Terakkiperverlerden şüphelenmişler, hepsini de tutmuşlar, tutulmayan kim kaldı? Rauf Bey ile Dr. Adnan Bey Avrupada. Bir de ben. İşte Bağdat Caddesindeki 1 No'lu evde... Bırakırlar mı?" derken bir istiare namazı kıldım. Yani bu işin neticesini gaipten sormak için.. Sonra yattım, uykuya daldım. Rüyada, eski bir dostumu gördüm. Geldi bavulumu açtı. Müsterih ol diye eşyalarımı çıkardı. Yerlerine koydu. Yürüdü gitti. Uyanınca düşündüm. Nihayet: Bu rüya gerçektir, dedim. Gerçekten beni tutuklamadılar. Sonradan öğrendim ki, Mahkeme Reisi Kel Ali, Terakkiperver Partisi üyesidir diye zavallı arkadaşım Erzurum Milletvekili Casım Duray'ı tutuklattırmış. Halbuki Casım Bey kesinlikle hiçbir partiye üye değildi, bağımsızdı. Kel Ali ise beni bağımsız sanmış, ilişmemiş. Dene sonra anlamışlar, benim Terakkiperver olduğumu... Casım'ında boşu boşuna gürültüye gittiğini, ama bana birşey olmadı ve böylece vartayı atlatan tek Terakkiperverci ben olmuştum. Gerçekten vartaydı. Zira: Ortalığı telaşa düşürüp bir terör havası yaratmak hevesine kapılan bu İstiklâl Mahkemesi Heyeti elindeki sonsuz yetkileri ve kuvveti düpedüz sulistile hoşlanmadıklarını, diş bilediklerini, ne rütbe, ne mevki, ne yaş, hatta nebasit insanlık, nezaket adabı tanımadan gerçek caniler, katiller gibi yaka paça yakalatıp, sorgusuz sualsiz tutuklatmaktan çekinmiyordu."

İSTİKLAL MAHKEMESİ SORGULUYOR, SAVCI İDAM İSTİYOR!...

İzmir Suikastı davasına 26 Haziran 1926'da başlandı.

Yer, İzmir Milli Kütüphanesinin büyük salonuydu...

Mahkeme heyeti yerini aldı. Salon da büyük bir kalabalık vardı. Duruşmayı izlemek için gelenlerin yanısıra sivil polislerin de çokluğu göze çarpıyordu...

Mahkeme, kimlik tesbitiyle başladı.

Ziya Hurşit'ten başlanarak, suikasta karıştığı iddia edilenlerin kimlikleri teker teker tesbit edildi.

Sonra mahkeme heyeti, sözü Savcı Necip Ali'ye verdi.

Necip Ali, kötü bir senaryo izlenimi veren ve başarısız bir kurguyla hazırlanmış iddianamesinde tutuklanan kişilerin hepsinin suçlu olduğunu ve cezalandırılmaları gerektiğini söylüyordu.

Savcı Necip Ali, iddianamesini okumaya başladı:

"Türkiye kamuoyundan aldığı yetki ve ilham ile ifade ettiği saha dahilinde memleketin sosyal, iktisadî ve medeni gelişmesine mesai sarfetmekten bir an geri durmayan Cumhuriyet ve inkilâp hükümetiyle demokrasi idaresi usulünün hakim olduğu her memlekette kullanılan siyasi ve medeni mücadele daima mümkün ve hiç bir kanuni yasak ile kapalı değilken isimleri aşağıda okunan şahıslar kötü ve karanlık bir ruh taşıyan zümreden aldıkları telkin etrafında cihan tarihinde vücuda getirdikleri çok iğrenç ve kanlı dolayısıyle daima insanlığın lanet ve nefretiyle karşılanan gayri meşru ve caniyane teşebbüsler ile hükümeti yıkmak ve yıkıcı amaçlarına ulaşabilmek için Türk Cumhuriyet ve devriminin tamamiyle sorumlusu bulunan Cumhurbaşkanı hazretlerine suikast yapmak suretiyle memlekette bugün dehşetinin takdiri mümkün olmayan bir felâket hazırlamak girişiminde bulunmuşlardır.

Çok kızıl, elim fikirlerin etrafında birleşen Türk inkılap tarihinde ebediyen kara bir leke olarak yaşayacağı muhakkak bulunan bu zümrenin tertip ve ortaya çıkardığı belli girişimleri detaylarıyla arzedeceğim. Bu ayın 17'inde Çarşamba günü İzmir'e seyahat amacıyla yola çıkan Cumhurbaşkanı Hazretlerine suikast yapılacağından söz edilmesi ile bilgi ve istihbarat üzerine söylenen tarihten 2-3 gün evvel Gülcemal vapuru ile İzmir'e gelmiş olan eski Lazistan Milletvekili Ziya Hurşid ve Laz İsmail ve Gürcü Yusuf ve Mülazilevvellikten emekli Çopur Hilmi ismindeki kimseler ayrı ayrı bulundukları yerlerde polisçe yakalanmış ve tevkif olunmuşlardır. Bunların üzerlerinde iki İngiliz bombası ve yeni 4 ve kullanılmış iki Belçika polis tabancaları ve kurşunları bulunmuştur. Usulü dairesinde uzun uzadıya yapılan inceleme ve yüzleştirmeler neticesinde bunlardan Ziya Hurşid, 925 senesi ortalarından itibaren Cumhurbaşkanı Hazretlerinin yok edilmesi için bir suikast şebekesiyle ilgili bulunduğunu ve önceden eski Ankara Valisi Abdülkadir Bey'le ve bunun vasıtasiyle de, eski İzmir Milletvekili Şükrü Bey'le anlaştıkları, toplanıp görüşmeler yaptıkları ve bu maksadın gerçekleşmesi için isimleri geçen Laz İsmail ve daha sonra Gürcü Yusuf'u tedarik ile Şükrü Bey'le tanıştırdıklarını ve geçen sene Aralık aylarında Şükrü Bey'in Ankara'da bulunan suikastçı adamlarıyle beraber işbu suikast eylemini gerçekleştirmek üzere Laz İsmail'le Gürcü Yusuf'u alıp Ankara'ya gittiğini ve Terakkiperver partisinde misafir kaldığını ve Las İsmail'le Gürcü Yusuf'un Ankara'daki evine giderek Şükrü Bey'le görüştüklerini ve yine Laz İsmail'in bir gece Şükrü Bey'in yol göstericiliğiyle Eskişehir Milletvekili Arif Bey'in Çankaya yolu üzerinde bulunan köşküne götürdüklerini, Çankaya yolu üzerinde suikast yapmaya müsait yerlerin tetkik edildiğini ve bundan başka yine birlikte B. M. Meclisine gittiklerini ve akşamdan sonra Heyeti Vekile'nin toplandığı binanın vaziyetini ve Ankara Kulübü'nün etrafını tetkik ettiklerini ve her nasılsa suikast eylemini o sırada uygun görmeyen Ziya Hurşid'in kardeşi Ordu Milletvekili Faik ve diğer Terakkiperver liderlerinin muhalefetiyle kuvveden eyleme dönüştürmeye başarılı olamadıklarını ve İstanbul'a döndüklerini ve Şükrü Bey'in İstanbul'dan Ankara'ya kadar gidiş geliş vs. ihtiyaçlarını karşılamak üzere gerekli olan parayı temin ile verdiğini takip eden bu sene içinde Cumhurbaşkanı Hazretlerinin Bursa seyahatleri dolayısiyle yeniden faaliyete geçerek yine Laz İsmail, Nimet Naciye isminde bir kadını yanına katarak tetkiklerde bulunmak üzere Bursa'ya gönderdiklerini ve Laz İsmail'in yapmış olduğu tetkiklerin uygun olmamasına karar vererek, İzmir'de gerçekleşecek seyahat sırasında suikast yapmayı düşünmüş ve niyetlendiklerini ve bu seyahat için dahi Şükrü Bey'in tarafından yeterli miktar para verildiğini, Cumhurbaşkanı Hazretlerinin İzmir'e seyahatı kesin oluşu anlaşılması üzerine yeniden Şükrü Bey vaziyei tetkik ve mütalaa ve Laz İsmail ile Gürcü

Yusuf'un da ayrıca Şükrü Bey'le görüşmelerinden sonra İzmir'e hareketlerini tesbit ettiklerini ve İzmir'de daha evvel Şükrü Bey'le bu hususta anlaşmış olan Sarı Efe Edib'e Ziya Hurşid'e güvenilmesini ve beraber kararlaştırılmış suikastın yapılmasını işaret konusunda enyakın ve mahrem arkadaşı olan emekli Baytar Miralayı (Albay) Resim Bey'in imzasıyle bir mektup ve önemli miktarda para ile yeterli derecede malzeme ve cephanesini Şükrü Bey'den alarak İzmir'e hareket ettiklerini ve varışlarında Ziya Hurşid Bey'in Gaffarzâde otelinde diğerlerinin de Ragıp Paşa otelinde dikkat çekmemek için ayrı ayrı kaldıklarını ve derhal Sarı Efe Edibi bularak otelde adı geçen mektubu birlikte okuyup üstlerine aldıkları vazifenin yapılması etrafında konuştuklarını ve Edib Bey'in kendi adamlarıyle birlikte Karşıyaka'da İdris'in Bahçesinde görüşmek üzere hazırlıkta bulunacaklarını ve hakikaten o günün ertesi akşamı Edib Bey'in müdür olarak görevlendirdiği Çopur Hilmi ismindeki kimseyle beraber bahçede toplanıp, suikastın şekli, mahalli ve meydana geliş biçimi etrafında uzun uzadıya konuşulduktan sonra suikastın Gaffarzâde oteli yanındaki dar sokağın dönemeç noktasında meydana gelmesine karar verdiklerini ve Ziya Hurşid'in arkadaşları Laz İsmail ve Gürcü Yusuf'la beraber ertesi gece Girit'li Şevki'nin evinde toplanarak danışmak ve suikastın yapılmasının sonrasında her birisinin üstüne düşen vazifelerin tertip ve taksimi için toplanmaya karar verdiklerini ve nitekim ertesi günü Ebid'in dışında Hurşid ve arkadaşlarının Şevki'nin evinde toplanıp görüşmelerde bulundukları son şekil üzerinde Yeni Gafferzade oteli civarında suikastın Laz İsmail ve Gürcü Yusuf'la Ziya Hurşid tarafından önce silahlarla ve icap ederse bombalarla oluşması ve oradan kaçışlarıyla Şevki ve Çopur Hilmi'nin geride hazır bulunduracakları otomobile binip karşı tarafa geçtikten sonra Şevki'nin motoru ile Sakız Adası'na geçilmesi hususunun karar altına alındığı ve ayrıldıktan sonra, kaldıkları yerlerde suç eşyalarıyla birer birer yakalandıkları ve suikast hareket ve faaliyetinin şahsen değil Şükrü ve Abdülkadır Beyler'in de mensup oldukları siyasi zümrenin de olduğunu ifade ve beyan etmiştir.

Sanıkların gerek İzmir Suikastına ve gerek ondan önceki zamanlarda suikast şebekesinin eski eylemlerine dair, derece derece verdikleri ifadeler pek dikkat edilmesi ve bunlardan Gürcü Yusuf'un ifadesine göre; yedi sekiz ay önce birgün postahanede otururlarken Laz İsmail gelerek, bir arkadaşının kendisini Ankara'ya, zengin bir kişinin evini soymaya götürmek istediğini ve pek yararlı olan bu işe dahil olmasını teklif etmesi üzerine, para ve nüfus cüzdanı bulunmadığını ileri sürmesine karşı, bu manilerin kolayca hallolunabileceğini ifade etmiş ve birkaç gün sonra da yirmi beş lira ile Halim adında başka birine ait bir nüfus cüzdanıyla gelerek ertesi günü her ikisini HaydarPaşa'dan Ankara'ya hareket ve ulaşmasına kadar Ziya Hurşit'le trende temas etmediğini ve trenden çıktıkları anda yanlarına Ziya Hurşit'in geldiğini ve Ankara'dan her üçünün de birlikte Karadeniz oteline gittiklerini, üçüncü günü de İsmail aracılığıyla, Şükrü Bey'in; "Silahlar hazırdır. Lazım olduğu vakit Ziya Hurşid'e vereceğim. O gelmezse İsmail'e veririm" dediğini, bu görüşmeden sonra da evden çıkıp İstanbul Postahanesi'ne geldiklerinde, Ziya Hurşid'in kendilerine hitaben: "Ben Meclise gidiyorum. İsterseniz size de birer kart elde edeyim" diyerek, bir müddet sonra iki kart getirip verdiğini, bunun üzerine ismail'le birlikte Meclise giderek ayrı ayrı yerlere oturduklarını, Meclis'ten çıktıktan sonra da İsmail'in kendisine hitaben: "Buraya gelmekten amacımız Cumhurbaşkanını öldürmektir. Bize istediğimiz para ve memuriyeti vereceklerdir. Şükrü Bey Cumhurbaşkanı olacaktır" dediğini ve ertesi gece Arif Bey'in evinde misafir kalarak Çankaya'daki Gazi Paşa'nın köşkü civarında inceleme ve keşiflerde bulunduğunu, fakat buraları suikasta elverişli görmediğini, ancak Ankara Kulübü'nün bu işe daha uygun olduğunu ve kulübün etrafını Ziya Hurşid'le beraber keşfettiklerini ve firarlarını temin için otomobil, hatta tayyare bile hazırlandığını, Ziya Hurşid'e atfen söylediğini ve yolda giderlerken orta boylu, şişmanca bir kişiyle görüşen Ziya Hurşid'in: "Bu Kâzım Karabekir Paşadır. Çok kuvvetli ve nüfuzludur. Bizim tertibimizden de bilgisi vardır" dediğini ve ertesi günü İsmail gelerek, Ziya Hurşid Beyi gördüğünü, fakat kardeşi Faik Beyin tertibattan haberdar olduğundan dolayı hemen İstanbul'a hareket edeceklerini söylemesi üzerine ertesi gün trenle Ankara'dan hareketten önce, Şükrü Bey'in kendilerine ellişer lira para ile birer tabanca verdiğini Laz İsmail'in ise, Gürcü Yusuf'un bu beyanatını tamamen tasdikledikten sonra bir gece Ziya Hurşid'le Eskişehir Milletvekili Arif Bey'in evine gittiğini ve Arif Bey'in suikastı kışkırtıcı bir şekilde, memlekette haksızlıklar, yolsuzluklar yapıldığından bahis ve bundan sonra Laz İsmail'e hitaben "Sizin gibi iyi adamlara ihtiyaç vardı" gibi sözler edişi suretiyle suikastı tahrik ve yüreklendirmiş olduğunu ve ertesi günü Arif Bey'in evine gittiğini ve Gürcü Yusuf'la beraber Ziya Hurşid de dahil olmak üzere Heyeti Vekilenin toplandıkları binayı keşfettiklerini ve fakat kendi mütalaasına göre, muhafaza tertibatının mükemmeliyetine göre burada hiç birşey yapılmayacağına kanaat getirdiğini ve bu safhaya ait olan Ziya Hurşid'in yukarıda sayılan açıklamasından başka Arif Bey'in evine Laz İsmail'i götürmediğini ısrarla ifade etmek suretiyle Arif Bey'i koruyacak bir vaziyet göstermek istemiş ve her üçü İstanbul'a dönmüşlerdir.

Ankara'da, böylece bazı sebepler, engeller yüzünden gerçekleşmeyen suikastı, Cumhurbaşkanı Hazretlerinin Bursa'ya olan seyahatinde pratiğini uygulamak üzere Ziya Hurşid, Laz İsmail ile Gürcü Yusuf'u bularak Bursa'ya suikast amacı için gideceklerinin kararlaştırılmış bulunduğunu söylemiş, fakat Yusuf bu teklifi kabul etmediğinden Laz İsmail yine Şükrü ve Ziya Hurşid Beylerin tahrikiyle, amacını uygulamak üzere Şükrü Bey'den aldığı para ile Naciye isimli kadını da karısı sıfatıyla yanına katarak, Bursa'ya hareket etmiş ise de yukarıda söylendiği gibi cinayet teşebbüslerinde başarılı olmayarak tekrar İstanbul'a geri dönmüşlerdir."

Savcı Necip Ali'nin bu meyalde sürüp giden "senaryo iddianamesi" şu istekle bitiyordu: "Hepsi suçludur ve gereken ceza verilmelidir!..."

İddianame okunduktan sonra mahkeme, tutukluların hepsinin dışarı çıkartılmasını ve içerde sadece Ziya Hurşid'in kalmasını istedi.

Sorgulamaya Ziya Hurşit'den başlanacaktı...

İstiklâl Mahkemesi üyelerine genelde "Suikastı neden tertip ettiniz?", "Amacınız neydi?" diye sorular sorduktan sonra konuyu Terakkiperver Cumhuriyet Fırkası ile ilişkilendirmek için bu yönde sorular soruyorlardı; "sanık" sıfatıyla karşılarına çıkartılan kişilere...

Çok sıkı sorulan sorulardan biri de şuydu:

— "Amacımız hükümeti yıkmaktı değil mi?"

TPCF üyelerinin amacı devamlı olarak hep bu yönde algılandığı için sanık diye gösterilen kişilere şöyle bir yafta vurulmak isteniyordu:

— Bunlar Terakkiperver Cumhuriyet Fırkası üyeleri...Amaçları da hükümeti devirip başa geçmek... Mustafa Kemal'i de bunun için öldürmek istiyorlardı!...

Oysa ne TPCF üyelerinin suikast olayıyla uzaktan yakından bir ilgileri var ne de hükümeti yıkmak gibi bir dertleri...

Sadece Halk Fırkasının yaptığı icraatları onaylamayan ve bu icraatlara destek vermeyen bir avuç insan bir araya gelip bir fırka oluşturuyorlar.

Yapılan icraatların yanlışlığına dikkat çekiyorlar, "böyle giderseniz memleketi felâkete sürüklersiniz" diyorlar... "Manevi değerlere önem vermeyi ihmal etmeyin" diyorlar...

Oysa onlar "tek tip insan" istiyor, yapılanları herkesin itiraz etmeden onaylamasını arzu ediyorlardı...

İtiraz etmenin bedeli ise çok ağırdı...

İşte Kâzım Karabekir Paşa ve arkadaşları yıllarca bu "itiraz etmenin" bedelini ödediler! Onlara bu bedel "birileri" tarafından ödettirildi!...

Oysa yaptıkları kanun dışı bir iş de yoktu... Tamamen yasal yoldan bir fırka kuruyorlar, bu çatı altında fikirlerini söylüyorlar, yapılanları kendilerince eleştiriyorlardı...

Ama, TPCF'na dayanamadılar!

Ona katlanamadılar...

"Bizim yaptığımız herşey doğrudur" zihniyetini benimseyenler, bu fırkayı kendilerine "düşman" olarak bildiler, onun üzerine ellerindeki tüm olanaklarla geldiler, intikam hırsıyla hareket ettiler...

Bu hırsları ve kinleri hiç bitmedi...

Fırkayı kapattılar ama rahat edemediler...

Üyelerini "süründürmek" istediler, halk nezdindeki itibarlarını sıfıra indirmeyi hedeflediler...

Bu defa sahneye İzmir Suikastı ile çıktılar...

İstiklâl Mahkemesi, "sanık" diye karşısına çıkartılanlara iddia edilen suikast olayından çok Terakkiperver Cumhuriyet Fırkasıyla ilgili sorular soruyordu...

— Bu fırka ile ilginiz neydi?

— Fırkanın amacı neydi?

— Fırka kapatıldıktan sonra ne yaptınız... türünden sorular hemen herkese soruluyor, alınan cevaplardan hareketle bunlara yeni sorular ekleniyordu...

Eskişehir Milletvekili Arif Bey'in sorgulanmasından sonra duruşmanın ikinci aşamasına geçildi.

Savcı Ziya Hurşit, Laz İsmail, Gürcü Yusuf, Çopur Hilmi, Sarı Efe Edip, Baytar Rasim, Abidin Bey, Şükrü Bey ve Arif Bey'i suikast olayında "birinci dereceden sorumlu" tutuyordu...

Savcının olaydan ikinci dereceden sorumlu tuttuğu kişiler de vardı...

Ve sıra onlara gelmişti.

Onlar kimler miydi?

Başta kapatılan Terakkiperver Cumhuriyet Fırkası'nın Başkanı Kâzım Karabekir Paşa vardı...

Ali Fuat Cebesoy vardı...

Cavit Bey, Refet Paşa, Rauf Orbay, Cafer Tayyar ve Rüşdü Paşa vardı...

Savcıya göre bu kişiler de "ikinci dereceden sorumlu" kişilerdi...

"Birinci dereceden sorumlu" kişiler kadar suçları olmasa da cezayı gerektirecek kadar "suç" işlemişlerdi...

İkinci kısım duruşmaya başlanılmadan önce savcı ikinci bir iddianame okudu. Bu iddianamede isimleri birer birer sayan savcı, işlenilen "suçları" sıraladıktan sonra "bu kişiler de sorgulanıp cezalandırılmalıdır" diye sözünü bitirdi...

Sizlere kitabımızın ilerleyen sayfalarında "suikastla dolaylı olarak suçlanan" kişilerden üçünün sorgulanma safhasını ve savunmalarını aktaracağız...

Bu kişilerden biri TPCF'nın Başkanı Kâzım Karabekir Paşa...

Diğer ikisi ise Cavit Bey ve Rauf Orbay...

Her üçünün de İzmir Suikastı ile ilgili İstiklâl Mahkemesinde yargılanmalarını, savunmalarını ve olaya kendi bakışlarını ilk elden öğreneceksiniz...

Sizlere bunu Cavit Bey ve Rauf Orbay'ın kendi hatıralarından aktaracağız...

Kâzım Karabekir Paşa'nın savunmasını ise ilk kez burada okuyacaksınız...

Şimdiye kadar başka yerde yayınlanmayan bu savunma, pekçok gerçeğe de ışık tutacak...

Keşke elimizde diğer Paşaların ve suikastla suçlanan diğer kişilerin tam metin savunmaları da olsaydı... Keşke onların söylediklerini de kendi ağızlarından öğrenebilseydik...

Bu imkana sahip olsaydık, İzmir Suikastını daha objektif değerlendirme imkanına sahip olabilirdik.

Ama Kâzım Karabekir, Cavit Bey ve Rauf Orbay'ın İzmir suikastıyla ilgili söyledikleri de bizlere epeyce ipucu veriyor, tek taraflı yorumların dışına çıkmamıza imkan tanıyor.

Resmi söylem ile olayı bizzat yaşayan insanların anlattıklarının birbirini tutmaması, İzmir Suikastı üzerinde kalın bir sis perdesinin bulunduğu gerçeğini de gün yüzüne çıkartıyor.

Birileri bizlerden gerçekleri saklıyor...

Gerçekleri çarpıtıyor, kendince değiştirip öyle kullanıma sunuyor...

Gerçek, gizlenmekle "gerçek olma" özelliğini kaybetmez oysa... Bir gün gelir açığa çıkar ve gerçekleri gizleyenlerin suratına şamar gibi iner!

"Suikastta ikinci dereceden sorumlu" tutulan kişilerin de soruşturması bittikten sonra söz yine savcının idi...

Savcının talepnamesinde tam on kişinin idamı isteniyordu. Bunlar; Ziya Hurşid, Şükrü Bey, Arif Bey, Abidin, Rasim, Laz İsmail, Gürcü Yusuf, Çopur Hilmi, Hafız Mehmet, Kara Kemal ve Abdülkadir idi...

Savcının küreğe konmasını istediği kişiler şunlardı: Halis Turgut, İsmail Canbolat, Rahmi İdris, Vahap, Doktor Adnan, Rauf Bey ve Rüşdü Paşa.

Olayla bir ilgisi bulunmadığı kanaatine varılıp beraatleri istenenler ise şunlardı: Kâzım Karabekir Paşa, Cafer Tayyar, Ali Fuat, Refet Paşa, Mersin'li Cemal Paşa, Sabit, Hüsrev Faik, Bekir Sami, Kamil, Zeki, Bezim, Feridun Fikri, Halit Necati Bey.

Şimdi savcının talepnamesini birlikte okuyalım:

"Muhterem Hakimler!... Hükümet amacıyla Cumhurbaşkanı hazretlerinin İzmir'e olan 17 Haziran 1926 tarihindeki seyahatleri esnasında asis şahıslarına doğrultulacak suikast teşebbüsü hakkındaki muhakemenin seyredişini baştan aşağı dinliyerek enine boyuna ve derinliğine inceledim... Suçun düzenlenmesi ve hazırlanış tarzını ve ne gibi bir amaç ve niyet taşıdığını ve suçun yüksek huzurunuzda sanık sıfatiyle bulunmuş olan şu şahıslara bağlantı ve ilgililik derecelerini birer birer açıklayıp ve yorumlayacağım. Önce; meseleyi kuvvetli bir tahlil ve incelemeden geçirebilmek için davranışın genel niteliğini bir panorama şeklinde etüd edelim...

— Ankara'da bir hükümet darbesi ile, hükümeti devirmek için muhalif parti kurmayları arasında bir akım vardı. Bunlardan bir kısmı da orduya başvurarak bir askeri devrimle sonuca ulaşmak ve diğer bir kısmı ise, bu meselenin zamanla halledilmesini ifade etmiştir. Edip'in bu ifadesi tahkikat evrakı arasındadır.

— Gerçekte olaydan Ali Fuad Paşa ile diğer şahısların derece derece bilgisi vardır.

Olay çok büyük bir öneme sahiptir. Fırka ve parlamento hayatı yaşayan herkes bilir ki, böyle suikast dedikoduları derhal duyulur. Böyle bir mesele olur da Kâzım Karabekir Paşa'nın bilmemesi imkanı olur mu? Refet Paşa da keza biliyor, Rauf Bey de biliyor. Ali Fuad, Cafer Tayyar Paşa'lar da biliyorlardı. Vicdani kanaatime göre kesinlikle hepsi olaydan haberdardırlar. Yalnız bu işte başarısızlıkları sözkonusudur.

Erzincan Milletvekili Sabit Bey'i doğrudan doğruya Ankara'daki suikast işinin önünü alan tek engel olarak belirterek kendisini tebrik ederim. Abidin Bey Gaffar zâde Otelinde iptida Sarı Efe Edip ile bu meseleyi konuşmuştur ve ona para yardımı vaadetmiştir.

Rüştü Paşa, Abidin Bey'in durumunu kesinlikle doğrulayan bir ifadede bulunmuştur. Buna göre: Abidin Bey üç ay evvel, Rüştü Paşa'ya böyle bir olay olacaktır demiştir. Bu sebeple, bu meselede doğrudan doğruya Abidin Bey'in yakından suçla bağlantısı olduğunu kabul etmek gerektiği kanaatindeyim..

Gürcü Yusuf, olayı en sade, en doğru, en temiz anlatan adamdır. Fakat katıldığı cinayet girişimi çok önemlidir.

Çopur Hilmi Gazi'ye kurşunu atmayı üstlenen adamdır.

Abdülkadir'le bütün bu faciaların yapılışının kurgusunu yapan aktörlerin dizginini tutan Kara Kemal'in de aynı şekilde haklarında ceza tehdidini talep eylerim.

Laz İsmail, cinayet olayının en hunhar adamıdır.

Bazı suçlar vardır ki, bunlara hukuk dilinde adi suçlar denir. Bu gibi suçlular ruhlarında suç alışkanlığı duyarlar. Nasıl sigara içmek, alkol kullanmak bazı insanlar için bir ihtiyaç ve zorunluluk ise, bu uğursuz adamlar için de ne yazık ki adam öldürmek bir ihtiyaç ve zorunluluktur. Şükrü Bey'in bana kuvvetli bir şekilde hücum edeceğini bilmekle beraber bir tarihi gerçeği şu büyük ve tarihi mahkeme huzurunda, açıklamama izin veriniz:

Meşrutiyetin sürdüğü zamanlarda, Serez Kaymakamı bulunduğu sıralarda, Halil İbrahim ismindeki adamın emekli Albay Mustafa Kemal Bey'in öldürülmesinden sonra, aydın bir eleştirel genç olmaktan başka bir kusuru olmayan zavallı Ahmet Sami'nin, sonra Hasan Fehmi Bey'in ve nihayet Zeki Bey'in öldürülmesinin tek etkeni ve sebebi Şükrü Bey'dir.

Fakat zaman aşımına uğramış ve raflara girmiş ve suç niteliğini kaybetmiş olan bu meselelerden kendisine soru sorulmamasını rica ederim.

Şükrü Bey kendisine yöneltilen konuları baştan aşağıya kadar inkar etmektedir.

Halbuki Ziya Hurşid, Laz İsmail ve Gürcü Yusuf'un ifadeleri kendisine okunmuş ve yüzleştirilmişlerdir. Acaba kendisiyle hiçbir ilişkisi ve dolayısıyla düşmanlıkları bulunması da mümkün olmayan bu adamlar Şükrü Bey'e iftira mı ediyorlar? Ve iftira etmekle ne kazanacaklardır? Bunlar iftira ediyorlarsa, kendisinin bunca senelik eski arkadaşları olan Edip, Rasim, Faik, Sabit Beyler'in sözlerine ne diyelim? Ziya Hurşid Bey'den çok, nihayet dün dinlediğiniz Hafız Mehmet Bey'in sözleri de yalan mı? Bu sebeple Şükrü Bey'i de Ziya Hurşid Bey gibi, ayni şekilde suçlu buluyorum.

Sarı Efe Edip, jandarma kumandanı iken komitacılık etmiş bir adamdır, gerçeği de kısmen itiraf etmiştir. Onu da diğerleri gibi suçlu buluyorum.

Arif Bey, kısmen ve kanıtlanmış olayı itiraf ediyor. Laz İsmail'in geldiğini söylüyor. Şöförü de, Laz İsmail'i Arif Bey'le götürdüğünü, hizmetçisi Ayşe kadın da; eve gelip yattığını ve beraber çıktıklarını söylemektedirler. Laz İsmail kendi ifadesinde ise, Arif Bey'le pusu kurulacak yeri görmüş, keşif için birlikte çıktıklarını ifade eylemektedir.

Halis Turgut Bey, namuslu bir adam sıfatı ile bütün hesaplarını vereceğini söylemiş olduğu halde, vermek istememiştir. Onun da suikast yapmak için teşkil eden (onbaşı) komitesinde Rüştü Paşa'nın da bulunduğuna ve yakından alakadar olduklarına vicdanî kanaatım vardır.

Şükrü Bey'le Hafız Mehmet, Ziya Hurşid ve Halis Turgut Bey'le, Rüştü Paşa'nın bu işle yakından alâkadar olduğunu, fakat korkaklık gösterdiğini hayretle ifade etmişti. Binaenaleyh, bunların da doğrudan doğruya alâkadar bulundukları kanaati vicdanındayım.

İsmail Canbolat, Kara Kemal, fırka içinde Şükrü Bey-

'le birlikte en faal, en mühim azasıdır. Cavit Bey'in evindeki toplantıda Meb'usluğu fark edilmiştir. Memlekette yapılması tasavvur edilen suikast hadiselerinde Canbulat Bey'i Şükrü Bey'den ayırmak imkan ve ihtimali yoktur. Bu sebeple, Canbulat Bey'i de, aynı suretle vak'a ile, alaka ve temasının kuvvetli şahıslarından olmakla itham ediyorum. Rauf ve Doktor Adnan Beyler'e gelince; tesbit edilen vaziyetlerine göre, cürmü hadisede alakaları olduğu muhakkaktır. Kendilerine tebliğat yapıldığı halde, Avrupa'dan gelmemişlerdir. Avdetlerinde tekrar muhakemeleri yapılmak üzere, bunları da aynı şekilde itham ediyorum.

Necati, Çolak Selahaddin, Hüseyin Avni, Nafız, Kara Vasıf Beyler'in doğrudan doğruya alâkaları olmadığı kanaatı vicdaniyesindeyim. Ancak kendilerinin Kara Kemal ve Kara Kuvvet çetesi ile pek girift alâkaları olduğuna dair kanaatim vardır. Bu sebeple Ankara'da davalarının görülmesini talep ederim.

Asıl makinayı tahrik edenve asıl dimağ mesabesinde bulunan bir kuvvet vardır ki, o da Kara Kemal'in etrafında toplanmış olan meş'um kuvvettir. Bu defa yakalanıp tutuklanan Azmi Bey'in evinin aranması esnasında bulunan bir mektubun konumu ve konusu son derece enteresandır. Azmi Bey'in bundan daha dört beş sene evvel, memleketin savaşta bulunduğu zamanda, mektubunda şimdi bununla, yani Mustafa Kemal'le mücadele etmek sırası değildir. Fakat savaş biter bitmez bununla mücadele haline geçmek ve derhal yoketmek gereklidir, demiştir.

Şüphesiz ki; Azmi Bey'in fikirleri ve niyetleri ile Kara Kemal'inkiler arasında derin bir uygunluk vardır.

Kara Kemal de Azmi Bey gibi Terakkiperver Fırkaya

girmek istememiş, geride çalışmak,yani komitacılık yapmak sevdasına düşmüştür. Bunlar görünüşte Terakkiperver Fırka içinde gizlenerek oluşturdukları gizli fırka ile Babıali Vak'ası gibi bir olay hazırlamak istemişlerdir.

Şu halde bugün bu bilgileri özetleyerek sonucu düşünürsek; bu suikast olayı alelacele Cumhurbaşkanı Hazretlerinin şahsına herhangi bir kin ve nefretin etkisiyle yapılmak istenen bir cinayet olayı değil. Bununla doğrudan doğruya tamamen bir siyasi amaç güdüldüğü kanaatindeyim.

Eğer bu cinayet girişimi başarı ile sonuçlanmış olsaydı ne olacaktı?

Şüphesiz ki, Cumhurbaşkanı Hazretlerinin taraftarları, hayranları bunu hiçbir zaman hazmedemeyecekler, karşılık verecekler, kardeş memleket evlatları arasında genel bir boğuşma ve vuruşma başlayacak ve belki irtica ifriti baş kaldırmış olacaktı. Memleket içinde böyle bir karışıklık başladığı zaman hiç şüphesiz ki, sosyal bünyemiz derin ve büyük sarsıntılar geçirecek, direncimiz azalacaktı. Acaba direncimizin azaldığı bir sırada, memleketimize aç ve intikamcı gözlerini dikmiş olan düşmanlarımız bu hale karşı yabancı ve seyirci durumda mı kalacaklardı?

Vaktiyle Lord Bikensfilt'in İtalyan sefirine söylediği: "O tamam hizaya geldiği zaman tetiği çekmelidir". Sözünü gerçekten hayata geçirmek isteyenler bulunmayacak mıydı?

Bir asır geri gidecek ve belki kutsal ideallerimiz ebediyyen topraklara gömülmüş olacaktı. Suikastın ruhudur. Bunu yüksek heyetinize kısaca sunarak açıklayacağım: "Bilirsiniz ki fırkacılar olumlu fikirler etrafında toplanan, ideali uğrunda ve az çok şahsiyetlerinden feragat ve fedakârlık eden kimselerdir. Her şeyden evvel şunu söyliyeyim ki, Türkiye devletinin kanunlarında fırkacılık aleyhinde bir kanun maddesi yoktur. Devlet; Büyük Millet Meclisi gerisinde yapılacak düşünce eleştirilerini ve tartışmaları her zaman iyi niyetli olarak görür. Yalnız fırkaların tarihi çok kanlı ve acı manzaralarla doludur.

Kendi milli tarihimizi gözönüne alacak olursak görürüz ki, yüzyıllarca koruduğumuz sevgili Rumeli, onbeş gün içinde düşman çizmeleri altında kaldı ve ordularımız bir anda dağıldı. Bu sonucun doğrudan doğruya etkeni ve sebebi memlekette mevcut bulunan fırkalar rekabetinden başka bir şey değildir. Devrim zamanlarında ve memleket dış tehlike geçirdiği günlerde memleketin birlik olması artık sugötürmez bir gerçektir.

Böyle olduğu halde, memleket büyük bir buhran ve büyük bir devrim geçirirken, memlekette Terakkiperverler denilen bir zümre teşkil etmiştir. Bu fırka teşkil ettiği zaman, bazı kimseler, tarihten misal getirerek kendilerini uyarmak istemişlerdir. Fakat her nedense, dertlerini anlatamamışlardır. Fakat zamanla kanıtlandığı gibi; Doğuda patlak veren isyanlarda Trabzon'da, Rize'de, Erzurum'da, Giresun'da şapka meselesi dolayısı ile çıkan olayların hepsinin içinde Terakkiperver zümresinin gölgesi vardır.

Şurasını herşeyden evvel açıklayayım ki; Şeyh Said isyanı ile ne Kâzım Karabekir Paşa'nın ne de Ali Fuad Paşa'nın ve ne de diğer kişilerin ilgisi vardır ve şüphesiz ki damarlarında Türk kanı dolaşan bu kişiler, doğrudan doğruya, buna tenezzül etmezler.

Fakat memlekette derhal bir kargaşa ve bozgunculuk yaratmak isteyenler bu kişilerin varlıklarını dayanak edinirler. İşte bunun içindir ki büyük heyaletini gördüğümüz Rize'deki Butamıza deresindeki silahlı bir toplantıda bizim Paşalarımız var onlar falan falan Paşalardır. Biz onlara dayanırız diyen bir köy hatibi topluluğu tahrik ve teşvik için söylev vermişti. Elbette Paşaların bundan haberleri yoktu. Fakat onlar bu muhalefetten cesaret ve kuvvet alarak ayaklanmışlardır.

İşte bunun içindir ki özelikle devrim zamanlarında memleket tek yumruk olmalıdır. Bu mahkemede maalesef öğrenmiş olduğumuza göre, Terakkiperver fırkanın içinde doğrudan doğruya komplo ile ilgili olan ve komplonun başlıca kurmayları arasında bulunan kişiler, Terakkiperver Fırkanın idare heyetinde üye bulunan kimselerdir.

Şu halde, fırkacılık buluşu da yazık ki komploya bulaşmış ve herkesin daima nefret ettiği fırkacılıktan doğan hastalıkların memleketimizde de doğmasına ramak kalmıştır.

Yukarıda sunduğum ve açıkladığım gibi, bu meselenin içinde bir de İttihat ve Terakki parmağı varolduğu anlaşılmaktadır. Açıkça bilindiği gibi, İttihat Terakki Cemiyeti, bütün iyilikleri ve kötülükleri ile tarihe geçen bir cemiyettir. İttihat ve Terakki memleketi mutlakıyetten, meşrutiyete geçirecek hayli hizmetlerde bulunmuştur. İttihat Terakkiye mensup olup da bugün memlekete vatanpervarane hizmetlerde bulunan pek çok kimseler vardır.

Düşman ve Ermeni kurşunları ile aramızdan ayrılmış olan kişileri saygı ve rahmetle anarım. Fakat İttihat ve Terakki hükümeti ile ve kendi kimliğiyle tarihe geçmiştir.

Kendi kararı ile feshedilmiş olan bir fırka adına doğrudan doğruya söz söylemek hak ve yetkisini Şükrü, Kemal, Canbulat, Bey'ler nereden buluyorlar?

Bunu milletin önünde kendilerinden soruyorum: Hem İttihat Terakki öyle bir idare şekli idi ki şimdi memlekete bu sistemi uygulamaya imkan yoktur.

İttihat ve Terakkiyi memlekete geri getirmek isteyenler bu fırkanın tarihini bilmeyenlerdir. Yüce Yargıçlar! İttihat ve Terakki memleketi teslim aldığı zaman, memleketin hudutları Saray Bosna'dan Hind denizlerine kadar uzuyordu. İttihat ve Terakkinin elinden düşürdüğü altın anahtarı, biz aldığımız zaman hükümet merkezi bile işgal edilmiş, memleketin en güzel yerleri aynen işgale uğramış ve düşman süngüleri altında kalmış durumda idi. Acaba İttihat ve Terakkinin bu genel manzarası, tarih nazarında nasıl muhakeme edilir?

İttihat Terakki şüphesiz ki, tarih önünde sorumludur, bu pek büyük olan sorumluluk hâlâ yöneticilerinin omuzlarındadır.

Dünya savaşının devam ettiği zamanda memleketin geçirdiği büyük facialar şüphesiz ki başa gelecekti.

Fakat Almanlar'ın mağlubiyeti ortaya çıktıktan sonra savaşın durumu genel çizgileriyle belirmiş ve ortaya çıkmıştı. Madem ki savaşa girmiştik muhakkak mağlup olacaktık. Ancak daha az zararla, daha az kayıpla... ve binlerce vatan evlatlarının canlarını düşman kurşunlarından koruyarak...

Bu savaştan kurtulmanın bir çaresi yok muydu? İttihat Terakki tarih huzurunda bu mağlubiyetle iftihar edebilir mi?

Yüce Yargıçlar! Sakarya'da Dumlupınar'da, İnönü'de memleketin aziz gençlerinin kemikleri üstünde yükselen kutsal cumhuriyet idaresinde artık böyle hükümet darbeleri ile, iktidarı devirmek imkan ve olasılığı yoktur! Artık bu tarzdaki haince hareketleri cumhuriyet devle-

tinin kanunları her zaman önleyebilecek yetkinliktedir. Memleketin şu yüksek kürsüsünden bütün dünya kamuoyuna belirtirim ki: İktidar mevkiine geçmek için artık bundan sonra tabanca, bomba değil, meclis kuvveti, mantık kuvveti lazımdır!"

VE KARAR OKUNUYOR!..

Tarih 13 Temmuz 1926.

Günlerden Salı.

İstiklâl Mahkemesinin İzmir Suikastı ile ilgisi davasının artık son aşaması...

Mustafa Kemal'e bir suikast tertip edildiği, ancak bunun hayata geçirilemeden önlendiği iddia edilmiş, bu iddia ile ilgili olarak birçok kişi İstiklâl Mahkemesinde sorgulanmış, savcı, kişiler hakkında değişik cezalar istemişti...

Kimisi için idam...

Kimisi için kürek cezası...

Kimisi için de beraat...

Ve bugün artık karar günü!

Mahkeme salonu ağzına kadar doluydu. Önce mahkemede yargılanan kişiler salona alındılar. Arkasından da mahkeme heyeti yerlerini aldı. Başkan Ali Çetinkaya "Mahkemenin kararı okunacaktır, dinleyiniz!" dedikten sonra salonu büyük bir sessizlik kapladı.

Herkes sonucu merakla bekliyordu.

İstiklâl Mahkemesi Mustafa Kemal'e suikast iddiasıyla yargılanan bunca kişiye acaba nasıl bir ceza vermişti?

Mahkeme katibi önce suçlanan kişilerin ifadelerinde neler dediklerini ve suikastla ilgili bilgileri okudu...

Arkasından da Başkan Ali Çetinkaya'nın, "ayağa kalkın hükümler okunucak" sözü duyuldu.

İşte en hassas ana gelinmişti...

Mahkeme katibi, hükümle ilgili olarak şunları okudu:

—"...Şeyh Said isyanının bastırılmasından sonra memlekette başlayan doğal sükun ve yasaklamaların etkisi altında ümitsizliğe düşen şu gizli zümrenin en nihayet vatanın hayat ve istiklal timsali olan Cumhurbaşkanı Hazretlerinin hayatlarını söndürmek suretiyle hükümeti devirmeğe karar verdikleri ve bu suretle nasıl bir akıbete maruz kalacağı tahmin ve tasavvur edilmeyen vatanın idaresini her yönden ele geçirmek istedikleri delillerle ve maddi ve manevi bulgularla sorgulamalar sonucu sabit olarak ortaya çıkmıştır.

Böylece sanıklardan İzmir Milletvekili Şükrü, Saruhan Milletvekili Halis Turgut, İstanbul Milletvekili İsmail Canbolat, Erzurum Milletvekili Rüştü, eski Lazistan Milletvekili Ziya Hurşid ve eski Trabzon Milletvekili Hafız Mehmet, Sarı Efe adıyla anılan Edip, emekli Teğmen Çopur Hilmi, Baytar emekli albay Rasim, Laz İsmail, Gürcü Yusuf, eski Ankara Valisi Abdulkadir ve İaşeci Kara Kemal'in ortaya çıkan hareketleri Ceza Kanunun 55'nci (Türkiye Cumhuriyetinin Anayasasını tamamen veya kısmen bozmaya ve değiştirmeye veya yıkmaya ve adı geçen kanuna karşı suça kalkışanlar idam olur. Adı geçen fiilleri fiilen yapmaya tahrik edenler fesad maddesi fiile çıkarsa idam olunur. Ve fesadın icrasına başlanmış olursa yedi seneden az olmamak üzere küreğe konur. Büyük Millet Meclisinin Bakanlar Kurulu Heyetini zorla susturma veya görevden alıkoymaya veyahut işbu suçu yapan ve fiilen tahrik edenler ömürboyu veya onbeş seneden aşağı olmamak üzere geçici olarak küreğe konulur.) Diye yazılı olan işbu fıkra gereğince, adı geçen kanunun 57'nci maddesinin: (Cezada yazılı elli beşinci ve elli altıncı maddelerde açıklanan fesatlardan birini birtakım şahıslar topluca icra eder, yahut icrasına kalkışırlarsa o topluluğa dahil bulunmalarından asıl fesatçıların başı ve katılanlar her nerede tutulurlarsa, idam olunurlar. Diye yazılı olan ilk fıkrası gereğince isimleri yukarıda yazılı olan onbeş şahıstan Abdülkadir ve Kara Kemal'in gıyaplarında ve on üçünün yüzlerine karşı olmak üzere idamlarına ve Sürmeneli çevresinde olan hareket adı geçen kanunun 58'nci maddesine göre on sene kalebentliğe ve yeni çıkan resmi kanunun özel maddesine göre de kalebentliğini, geçici sürgüne çevirmeyle, sürgün yerinin Konya olmak üzere nakline ve Erzincan Milletvekili İhsan, eski Ardahan Milletvekili Hilmi, eski Maliye Bakanı Cavid, eski Sivas Milletvekili Selahaddin, eski İstanbul Milletvekili Dr. Adnan Beylerin işbu davanın biten bir aşaması olmak üzere bu davadan ayrılması ve ortaya çıkan suçlarda bir destekleri ve birliktelikleri anlaşılmayan Ordu Milletvekili Faik, ve yine Milletvekili olan Sabit, Halet, Feridun Fikri, Kamil Zeki, Bekir Sami, Besim Necati, Münir Hüsrev Beylerle Kâzım Karabekir, Ali Fuat, Cafer Tayyar, Refet ve Mersinli Cemal Paşalarla, eski Erzurum Milletvekili Necati ve Milletvekili Ahmet, Nafız Beyler ve Torbalılı Emin, Trabzonlu Naciye Nimet, Sürmeneli Keleş Mehmet, Bahçıvan İdris, Mustafa oğlu Şakir Çavuş ve ihtiyat zabitlerinden Bahattin ile Giritli

Hüseyin oğlu Mustafa'nın beraatlerine oybirliğiyle karar verildi."

İDAM CEZALARI İNFAZ EDİLİYOR

İstiklâl Mahkemesinde karar okunurken salona Ziya Hurşid, Şükrü Bey, Sarı Efe Edip, Rasim, Abidin, Arif, İsmail Canbulat, Hafız Mehmet, Halis Turgut, Çopur Hilmi, Gürcü Yusuf, Laz İsmail ve Rüşdü Paşa getirilmemişlerdi.

Kararın okunduğu 13 Temmuz 1926 gününün gecesi, karar bu kişilere tebliğ edildi...

İzmir hapishanesinde o gece büyük bir koşuşturma vardı.

Öyle ya, Mustafa Kemal'e suikast düzenleyecekleri iddiasıyla tutuklanan kişilerden bir kısmı istiklal mahkemesinin verdiği karara dayanılaraktan "İDAM" edileceklerdi...

Böylece, diğer kişiler de "eğer böyle bir şeye kalkışırlarsa" cezasının ne olacağı bileceklerdi!...

Ortada somut bir delil yoktu...

Birtakım kişilerin baskıyla alınmış ifadesine dayanılarak ceza veren İstiklâl Mahkemesi, kendisine verilen rolü çok iyi oynamıştı doğrusunu söylemek gerekir ise...

Zaten bu mahkemelerin kuruluş amacı da bu değil

miydi: "Rejimi koruyup kollamak!.."

Rejimi eleştiren, yapılan icraatları tartışan kişilere gereken cevap, bu mahkemeler aracılığıyla verilecekti!..

Bu mahkeme üyelerinin güçleri yetse başta Kâzım Karabekir Paşa olmak üzere Rauf Orbay, Ali Fuat Cebesoy gibi ülkemize sayısız faydası dokunmuş Paşaları da ipe gönderirlerdi ama buna yürekleri yetmedi!..

Halkın bu Paşalara olan büyük sevgisi İstiklâl Mahkemesinin elini kolunu bağladı! Paşaların suikast iddiasıyla uzaktan yakından ilgisi yokken, bu ilgi bir biçimde kuruldu ve mahkemelerde Paşaları yargıladılar ama asıl istedikleri amaçlarına ulaşamadılar!..

Neyse...

İzmir hapishanesinde idam gecesi hapishane müdürü Nail Bey'in yanısıra Savcı ve İmam da hazır bulunuyordu...

İstiklâl Mahkemesinin verdiği "idam" kararları savcının nezâretinde infaz edilecekti.

Önce mahkeme salonuna getirilmeyen kişilere haklarındaki karar, odalarından birer birer alınıp müdürün odasına getirildikten sonra söylendi.

Hapishane müdürü Nail Bey'in odasına ilk getirilen Gürcü Yusuf, kararı öğrenince haykırdı:

— Yazık değil mi bana!.. Niçin böyle yapıyorsunuz?..

Arkasından da itirazın sonuç vermeyeceğini anlayan Gürcü Yusuf müdüre dönerek şu isteğini iletiyordu:

- "Kırk lira kadar param var. Size veriyorum. Batum'daki çocuklarıma gönderin. Okuyorlar, fakirler... İşlerine yarar."

Arkasından müdürün odasına Rasim geliyor. Kararı dinliyor ve ağızından şu iki cümle dökülüyor sadece:

— "Kader, ne diyeyim... Vatan sağolsun..."

Arif ve İsmail Canbulat'ın ardından müdürün odasına çağrılan Halis Turgut, "bir vasiyetiniz var mı?" sorusunu şöyle cevaplıyor:

— "Çocuklarıma söyleyin kesinlikle siyasete bulaşmasınlar. Okusunlar, çalışsınlar, fikir adamı olsunlar. Yaşasın idealim. Yaşasın Türklük! Bir Türk, Türklüğe kötülük yapar mı hiç!.."

Rüşdü Paşa hapishane müdürünün odasında, bir sonuç vermeyeceğini bile bile yine de suçsuz olduğunu tekrar etmeden geri durmuyordu:

— "Bu cezayı hak etmedim. Masumum. Bir gün elbet gerçekler anlaşılacaktır. Gerçekten açığa çıktığı zaman ancak ruhum şad olur. İnsan son dakikasında hiç yalan söyleyebilir mi? Vallahi, İzmir Suikastından haberim yoktu!.."

Abidin Bey ise "söyleyeceklerimin hepsini söyledim ama anlatamadım. Şimdi ne isterseniz yapın. Kuvvet sizde.." karşılığını verecekti" son bir diyeceğiniz var mı?" sorusuna...

Sarı Efe Edip, kararı müdürün odasında hiçbir tepki vermeden sessizce dinlerken Ziya Hurşid vasiyetini söyle açıklayacaktı:

— "Şu ikiyüz liramı ağabeyim Faik'e verin. Kabrime, şerefime uygun bir mezar taşı diktirsin...."

Bunlar, idam kararının tebliğ edildiği sırada yaşananlar...

Bir de idam sehpasındaki son sözler var...

Anlayanlar için ibret verici sözler...

İşte bunlardan bazıları...

Hafız Mehmet, idam sehpasına çıkarken şöyle haykırıyordu:

— Zulüm... zulüm... zulüm!...

İp boynuna geçirilirken de, İstiklâl Mahkemelerini kurup, memlekette zulüm estirenlere gereken cevabı veriyordu Hafız Mehmet:

— "Zulüm ile yapılan bina sağlıklı olmaz!..."

Rüşdü Paşa'yı kahreden ise, böyle idam edilerek asılmasıydı. "Savaş meydanlarında bin defa ölüme göğüs gerdim. Fakat gözlerimi bile kırpmadım. Ölümün böylesi kahrediyor..." diyen Rüşdü Paşa:

— Ne olur beni kurşuna dizin!.. Bu son arzumu yapın. Ve bilin ki masumum. Bir hatanın kurbanıyım..." diyerek ipin boynuna geçirilmesini bekleyecekti. Rüşdü Paşa'nın son isteği kabul edilmedi, kurşuna dizmek yerine ipte sallandırmayı tercih ettiler. Rüşdü Paşa, onu kahreden bir ölümle aramızdan ayrıldı...

Kemeraltı Camii'nin köşesindeki sehpada idam edilen Ziya Hurşit ise son sözlerinde memleketteki zulüm düzenine dikkat çekecek ve şöyle haykıracaktı:

- "Ben zaten başka birşey beklemiyordum. Sizin elinizden yalnız bu gelir. Ama bu da bir zevk... Hürriyetsiz bir memlekette yaşamaktansa, namusuyla ölmek daha hayırlıdır..."

Ziya Hurşid celladın ipi boynuna geçirmesine izin vermeyecek, bunu kendi elleriyle yapacaktı...

KÂZIM KARABEKİR'İN NOTLARINDAN SAVCININ İDDİANAMESİ...

Kâzım Karabekir Paşa'nın İzmir Suikastı davasıyla ilgili olarak kendi elyazısıyla tuttuğu notlar savcının iddianamesiyle başlıyor...

Uzunca bir iddianameyi ise iki adet "ek iddianame" izliyor...

Biz, her üç iddianameyi de tam metin olarak kitabımıza alıyoruz.

Haziran ve Temmuz 1926 tarihlerini taşıyan bu üç iddianame de Kâzım Karabekir Paşa ve Terakkiperver Cumhuriyet Fırkası'nın eski üyelerini suikasta bulaştırma amacını taşıyor.

Sizlere önce savcının hazırladığı iddianameyi sonra buna eklediği iki tane ek iddianameyi sunuyoruz. Arkasından da Karabekir Paşa'nın savunması ve Karabekir'in gözüyle İzmir Suikastının içyüzü...

İDDİANÄME

Türkiye efkâr-ı umûmiyesinden aldığı feyz-i ilham ile devlet mefhûmunun ifade ve ihtivâ ettiği saha dahilinde memleketin ictimaî, iktisadî ve medenî inkişafına mesâî sarfetmekten bir an fâriğ olmayan Cumhuriyet ve inkilab hükümetiyle demokrasi usûl-i idâresinin hakim olduğu her memlekette istimâl edilen (kullanılan) siyasi ve medeni mücadele dâima mümkün ve hiçbir kayd-ı kânûnî ile mesdûd (kapanmış, engellenmiş) değil iken esâmîsi zîrde (aşağıda) mezkûr eşhasın menfî ve karanlık bir ruh taşıyan zümreden aldıkları ve telkin dâiresinde cihan tarihinde vucûda getirdikleri çok iğrenç ve kanlı levhalar dolayısiyle dâima beşeriyet-i mutefekkire (düşünce sahibi insanlar, tarafından la'net ve nefretle karşılanan gayr-i meşrû ve câniyâne teşebbüsât (girişimler) ile hükümeti yıkmak ve menfûr gâyelerine vâsıl olabilmek için Türk Cumhuriyet ve inkılabının bihakkın (hakkıyla) mümessili bulunan Reisicumhur Hazretlerine Sû-i kasd îkâ etmek (yapmak) suretiyle memlekette bugün vus'at ve dehşetin takdiri mümkünü olmayan bir felâket ihzarı (hazırlama) teşebbüsünde bulunmuşlardır.

Çok kızıl ve leîm efkârın (iğrenç fikirlerin) etrafında birleşen ve taazzi eden (teşkilatlanan) ve Türk inkılabı tarihinde ebediyyen meş'ûm (uğursuz) bir siyah leke olarak yaşayacağı muhakkak bulunan bu zümrenin tertib ve ihzâr ettiği teşebbüsât-ı leîmeyi (iğrenç teşebbüsleri) tafsîlen arz edeceğim.

Şehr-i halin onyedinci Çarşamba günü İzmir'e seyahat tarîkiyle muvâsalet edecek olan Reisicumhur Hazretlerine bir suikast yapılacağından bahisle vâki olan malumat ve istihbarât üzerine tarîh-i mezkûrden iki üç gün evvel Gülcemal vapuruyla İzmir'e gelmiş olan Lazistan sabık mebusu Ziya Hurşit ve Laz İsmail ve Gürcü Yusuf mulâzim-i evvellikten mutekâid Çopur Hilmi nam kimseler ayrı ayrı mahall-i ikâmetlerinde mahalli polisince derdest ve tevkîf edilmişlerdir. Bunların üzerlerinde iki ingiliz bombası ve mucedded (yeni) dört, müstamel (kullanılmış) iki Belçika polis revolverleri ve fişenkleri bulunmuştur. alelusûl arîz ve amîk (genişçe ve derinlemesine) icra kılınan tahkikât ve muvâceheler (yüzleştirmeler) neticesinde bunlardan Ziya Hurşid 341 senesi evâsıtından (ortalarından) itibâren Reisicumhur Hazretlerinin imhası için bir suikast şebekesiyle alâkadar bulunduğu) ve evvelen esbak (eski) Ankara valisi Abdulkadir beyle ve bunun vasıtasıyla da İzmir mebûsu ve Terakkiperver Fırka azâsından Şükrü Beyle anlaştıklarını ve bu hususda müteaddid defalar muhtelif zaman ve mekânlarda ictima ve muzakere ettiklerini ve bu maksadın istihsali için mârr'ul-beyan (adı geçen) Laz İsmail ve bilahare Gürcü Yusuf'u tedârik ile Şükrü Beye tanıştırdığı ve geçen sene Kânûn-i evvel aylarında Şükrü Bey'in Ankara'da bulunan suikastçı adamlarıyla işbu suikast fiilini icrâ edebilmek üzere Laz İsmail ile Gürcü Yusuf'u beraberinde Ankara'ya götürdüğünü ve iki üç gün sonra da kendisinin Ankara'ya gittiğini ve Terakkiperver Fırka Kulübünde misair kaldığını ve Laz İsmail ile Yusuf'un

Şükrü beyin Ankara'daki hanesine giderek Şükrü Beyle görüştüklerini ve yine Laz İsmail'in bir gece Şükrü Beyin tavsiye ve delâletiyle Eskişehir mebûsu Arif Bey'in Çankaya yolu üzerinde kâin (bulunan) köşküne götürüldüğünü ve Çankaya yolu üzerinde suikast icrâsına müsaid yerlerin tedkîk edildiğini ve bundan başka birlikte Meclis'e girdiklerini ve akşamından sonra Hey'et-i Vekilenin (Bakanlar Kurulunun) ictimâ ettikleri binanın vaziyetini ve Ankara Kulübünün etrafını tedkik ettiklerini ve her nasılsa suikast icrâsını o esnâda münâsîb görmeyen kardeşi Ordu Meb'ûsu Fâik ve diğer Terakkiperver müdîranın (idarecilerinin) mumânaatiyle (engellemeleriyle) kuvveden fiile ihraca muktedir olamadıklarını ve İstanbul'a avdet ettiklerini ve Şükrü Bey'in İstanbul'dan Ankara'ya kadar arkadaşlarının azîmet ve avdet ve ihtiyacat-ı sâirelerine (diğer ihtiyaçlarına) medar olmak üzere muktazî (gerekli) mebaliği (meblağları) temin ve itâ eylediğini ve muteâkiben senei hâzıra zarfında Reisicumhur Hazretlerinin Bursa'ya seyahatleri dolayısıyla yeniden faaliyete geçerek yine Laz İsmail'i Nimet Nâciye namında bir kadını yanına terfik ederek (yol arkadaşı vererek) tedkîkat icrâsı zımnında Bursa'ya gönderdiklerini ve Laz İsmail'in yapmış olduğu tedkikatın gayr-i musaid bulunmasına binaen İzmir'de vâki olacak seyahat esnasında yapmaklığı tasavvur ve tasmim (kararlaştırdıkları) ettiklerini ve bu seyahati için dahi Şükrü Bey tarafından kâfi miktar para verildiğini ve Reisicumhur Hazretlerinin İzmir'e seyahati takarrur edip (kararlaştırılıp) anlaşılması üzerine yeniden Şükrü Bey'le vaziyeti tedkik ve mutâlaa ve Laz İsmail'in ve Gürcü Yusuf'un dahi ayrıca Şükrü Beyle görüşmelerinden sonra İzmir'e hareketlerini tesbit ettiklerini ve İzmir'de daha evvel Şükrü Beyle bu hususda anlaşmış olan Sarı Efe Edib'e Ziya Hurşid'e de itimad edilmesini ve beraber musammem (tasarlanmış) suikastın yapılmasını işâret sadedinde kendisinin Edib Beyin en yakın ve mahrem arkadaşı olan mütekâid baytar miralayı Râsim Beyin imzasıyla bir mektup ve muhim miktarda meblağla mikdar-ı kâfi revolver ve cephanesini Şükrü Beyden alarak İzmir'e hareket ettiklerini ve İzmir'e bilâ ariza (bir aksilik olmadan) çıktıklarında Ziya Hurşid Bey'in Gaffarzâde Otelinde ve diğerlerinin Ragıp Paşa Otelinde nazar-ı dikkati celbetmemek için ayrıldıklarını ve derhal Sarı Efe Edib'i bularak oteldeki odasında mezkûr mektubu birlikte okuyup deruhde ettikleri vazifenin icrası etrafında konuştuklarını ve Edib Beyin kendi adamları ile birlikte Karşıyaka'da İdris'in Bahçesinde görüşmek üzere hazırlıkta bulunacaklarını söylediğini ve filhakika yevm-i mezkurun (sözkonusu günün) ertesi gün akşamı Edib Beyin arkadaşları olmak üzere bulundurduğu Giritli Şevki ile çiftliğinde müdür olarak istihdam ettiği Çopur Hilmi nam kimseler beraber olduğu halde mezkur bahçede ictima ve Edib Bey tarafından arkadaşlarına takdim olunduktan sonra musammem suikastın şekil ve mahal ve sûret-i icrâsı etrafında uzun uzadıya mutalaalar dermeyan olunduktan sonra suikastın Gaffarzâde Oteli yakınında dar sokakta döndüç (kavşak) noktasında icrasını kararlaştırdıklarını ve Ziya Hurşid'in arkadaşları olan Laz İsmail ve Gürcü Yusuf'un da ertesi gece Şevki'nin hanesinde ictima ederek tanışmak ve suikastın icrası ve muteâkibi anlardaki herbirisinin uhdesine terettüb edecek vezâifin (vazifelerin) tertib ve taksimi için ictima etmekle karar verdiklerini ve filhakika ertesi gün Edib'den mâada (ayrı olarak) Ziya Hurşid ve arkadaşları Laz İsmail, Yusuf, Hilmi ve Şevki'nin ictima ettikleri ve ol suretle müzakerede bulundukları ve son olmak üzere Gaffarzâde Oteli civarında suikastın

Laz İsmail ve Gürcü Yusuf'la Ziya Hurşid tarafından evvela revolverle ve icâb ederse bombalarla icrası ve oradan firarlarıyla Şevki ve Çopur Hilmi'nin geride hazır bulunduracağı otomobile irkâb (binip) karşı tarafına isâl edildikten sonra Şevki'nin motoruyla Sakız Adasına geçirilmesi hususunun taht-ı karara (karar altına) alındığı ve ayrıldıktan sonra mahall-i ikâmetlerinde eşyây-ı cürmiyeleriyle birer birer derdest olunduklarını ve suikastın hareket ve faaliyetinin şahsen değil Şükrü ve Abdülkadir Beylerin mensub oldukları bir zümre-i siyasiyenin nam ve hesabına olduğunu ifâde ve beyan etmiştir.

Maznûn-ı aleyhin (sanığın) gerek İzmir sûikastına ve gerek buna mutekaddem (bundan önceki) zamanlarda sûikast şebekesinin icraat-ı sabikalarına mutedâir (geçmiş icraatlarına dâir) aledderecât (belli sürelerde) verdikleri ifadât pek şâyân-ı dikkat ve ibret görülmüş ve bunlardan Gürcü Yusuf'un ifadesine nazaran yedi, sekiz mah (ay) mukaddem (önce) bir gün kendisi pastahanede oturuyorken Laz İsmail'in gelerek bir arkadaşı Ankara'ya götürmek istediğini ve maksad-ı seyahat da Ankara'da zengin bir şahsın hanesinin soyulması meselesi olduğunu ve menfaati olduğundan bu işe dahil olmasını teklif etmesi üzerine para ve nüfus tezkeresi olmadığını dermeyân eylemesine karşı bu meselenin kâbil-i hall (halledilebilir) olduğunu ifade etmiş ve bir kaç gün sonra yirmibeş lira ile Halim namında şahs-ı âhare (başka bir şahsa) aid bir nufus tezkeresiyle gelerek ertesi günün her ikisinin Haydarpaşa'dan Ankara'ya hareket eden trenle birlikte hareket ettiklerini ve aynı trende Ziya Hurşid'in mevcud bulunduğunu ve fakat Ankara'ya Vurud ettikleri (gittikleri) güne kadar Ziya Hurşid'in trende temas etmediğini ve trenden çıktıkları anda yanlarına Ziya Hurşid'in geldiğini ve her üçünün de birlikte

Karadeniz Oteli'ne gittiklerini ve üçüncü günü İsmail vasıtasıyla İzmit Mebusu Şükrü Beyin hanesinde temas ettiğini ve Şükrü Bey silahların ihzar edildiğini ve lazım olduğu vakit Ziya Hurşid Bey'e, o gelmez ise İsmail'e hitaben sana veririm dediğini ve bu mükâlemeden (konuşmadan) hanesinden çıkarak İstanbul Salon Pastahanesine geldiklerini ve bunu müteâkib Ziya Hurşid de gelerek kendilerine hitaben ben Meclise gidiyorum isterseniz size de birer kart tedârik edeyim, diyerek pastahaneden çıktığını ve bir müddet sonra gelerek kendilerine iki kart verdiğini ve İsmail ile birlikte Meclis'e gittikleri ve ayrı ayrı yerlerde oturduklarını ve Meclis'ten çıktıktan sonra İsmail kendisine hitaben, buraya gelmekten maksadımız Reisicumhuru öldürmektir; bize istediğimiz kadar para ve memuriyet vereceklerdir; Şükrü Bey Reisicumhur olacaktır, dediğini ve akşam Miralay Arif Beye gideceğiz, Gazi Paşanın köşkünü ve civar yolları keşf edeceğiz, diyerek yanından ayrıldığını ve kendisi de otele giderek yattığını, sabahleyin İsmail'in geldiğini o gece Arif Bey'in evinde misafir olduklarından gelmediğini ve yalnızca İsmail, Paşanın köşkü civarında tedkîkat ve keşfiyâtta bulunmuş ise de buraların suikasta müsaid olmadığını ve ancak Ankara Kulübü'nün bu işe daha müsaid bulunduğunu ve kulübün etrafını Ziya Hurşid ve Laz İsmail ile birlikte beraber her üçünün keşf ettiklerini ve firarlarını teminen otomobil ve hatta tayyare bile hazırlandığının Ziya Bey tarafından ifade edildiği ve yolda giderlerken orta boylu, şişmanca bir zatla Ziya Hurşid Beyin görüştüğünü ve Ziya Hurşid'e sorduğunda Kâzım Karabekir Paşa ile görüştüm dediği ve mûmaileyhin çok kuvvetli ve nüfuzlu olduğunu ve bu tertibattan malûmatdâr bulunduğunu beyan eylediğini ve ertesi günü İsmail gelerek Ziya Hurşid Beyi gördüğünü ve kardeşi Fâik beyin tertîbât-ı vâkıadan haberdar olduğundan dolayı hemen İstanbul'a hareket edeceklerini beyan etmesi üzerine ertesi günü trenle Ankara'dan hareketten mukaddem (önce) Şükrü Beyin kendilerine ellişer lira ile Parabellum sisteminde birer revolver verdiğini, Laz İsmail ise Yusuf'un beyanat-ı mesrûdesini (serdettiği beyanlarını) tamamen tasdîk eyledikten maâda bir gece Ziya Hurşid'le Eskişehir Mebusu Arif Beyin hanesine gittiğini ve Arif beyin suikasdı işrab (ima) eder şekilde "Hakkın ketm edilmiş olduğundan ve yapılan gadrlerden ve bundan sonra İsmail'e hitaben sizin gibi iyi adamlara ihtiyaç vardır" gibi elfazı (lafları) sarf suretiyle suikastı teşcî ve tahrik etmiş olduğu halde hey'et-i Vekile'nin ictimâ eylediği binayı keşf ettiklerini ve fakat kendi mutalaasına nazaran muhafaza tertibâtının mükemmeliyetine binaen burada hiçbirşey yapılamayacağına kanaat getirdiğini vebu safhaya aid olan Ziya Hurşid'in bâlâda serd ve ta'dad olunan cümle-i beyânâtından başka Arif Beyin hanesine Laz İsmail'i götürmediğini musırrân (ısrarla) ve bilmuvâcehe (yüzleşerek) beyan eylemek sûretiyle Arif Beyi sıyânet edecek bir vaziyet göstermek istemiş ve her üçü İstanbul'a avdet eylemişlerdir. Ankara'da bazı esbab ve mevâni (maniler) dolayısıyla akîm kalan suikastın Reisicumhur Hazretlerinin Bursa'ya vaki seyahat-i ahirlerinde tatbik ve icra etmek üzere Laz İsmail bir gün Yusuf'u bularak Bursa'ya suikast için gideceklerinin mukarrer bulunduğunu söylemiş, Yusuf bu teklifi kabul etmediğinden Laz İsmail yine Şükrü ve Ziya Hurşid Beylerin tahrikiyle maksad-ı leimânesini (iğrenç maksadını) tatbik etmek üzere Şükrü Beyden aldığı para ile ve refakatine Naciye namkadını zevcesi sıfatıyla alarak Bursa'ya hareket etmiş ise de bâlâda zikredildiği vechile. âmâl-i cinâ-iyesine (cânice emellerine) muvaffak olamayarak tekrar avdet ettiğini beyan etmiştir.

Nâciye Nimet Hanım Bursa'ya tedavi için gideceği esnâda mukaddemen (daha önce) çalıştığı lokantada tanıdığı İsmail'e tesaduf ettiği ve İsmail'in maksad ve âmâl-i cinâiyyesinden haberdar olmadığını isbat eylemiştir. Laz İsmail'in ifâdât-i mütebâkiyesine nazaran Bursa'nın suikastın icrasına gayrı musâid olduğu haberiyle İsmail'in avdeti üzerine cinâyet-i vâkıanın mebus Şükrü, Ziya Hurşid, Abdulkadir, Beytan mutekâidi. Miralay Rasim ve Sarı Efe Edib, Şükrü Beyin hanesinde yaptıkları ictima'da İzmir'de icrası takarrur ettirilmiş ve bunun üzerine Şükrü ve Abdulkadir ve Ziya Hurşid arasında silah tedâriki dahi mevzûubahs olmuş ve paraları Şükrü Bey tarafından verilmek üzere tedârikinin Ziya Hurşid'e tevdi edilmiş ve merkûm da bu vazifeyi deruhde ederek filhakika suikastta istimal edilecek (kullanılacak) silahları tedarik ve ihzar eylemişdir. Bu tertîbat alınmakla beraber Ziya Hurşid gerek Abdulkadir ve gerek Şükrü beylerle tekrar tekrar görüşerek en ziyade ictimaların Şükrü Beyin hanesinde akd edilmiş ve Abdulkadir Bey suikasdın icrası için vâsi (geniş) ve şümullu teşkilat icrâsına hâcet görülmediğine dair best ettiği (açıkladığı) mutâleât heyetçe muvâfık-ı hâl ve maslahat görülmüş ve en evvel Reisicumhur Hazretlerine suikast icrası gayelerinin ilk kademesi olarak kabul edilmiş ve muteakiben (ardından) taklîb-i hükûmet için müteaddid suikastler icrâsını tasmim etmişlerdir (kararlaştırmışlardır).

Bâlâda mufassalan (genişçe) arz ve teşrih edildiği vechile İzmir'deki teşebbüsât hakkında Ziya Hurşid ve Laz İsmail ve Gürcü Yusuf'un ifadeleri bazı teferruata ait hususat müstesna olmak şartıyla esas vaka ve sûret icrâsında yekdiğerine tetâbuk-ı tâm ile mutâbakat etmektedir.

İzmir hadisesine muteallik Çopur Hilmi ve muhbir sıfatıyla istima edilen Şevki'nin ifadeleri muhteviyatı Çopur Hilmi'nin şahsî müdafaa sadedinde zikr ve dermeyan ettiği husûsât müstesna olduğu halde esasa müteallik ifadeleri ayn-ı meal ve ruhta görülmüştür. Maamafih Hilmi'nin Şevki'deki bombaları Ziya Hurşid'e getirdiğini itiraf eylemesi ve İdris'in bahçesinde bu Şevki'nin hanesindeki ictimalarda isbât-ı vucûd etmesi kendisinin fâil-i aslîler meyânında bulunduğuna şek ve şübhe bırakmamaktadır. İzmir'deki hâdisenin sûret-i tertib ve icrâsına muteallik son derece câlib-i dikkat ifadât-ı mufassalada bulunan Sarı Efe Edib'in bu husustaki malûmatını hey'et-i celîlelerine tefsîlen arz ve izah edeceğim. Sarı Efe Edib Ziya Hurşid'i Gaffarzâde Oteli'nde Müdür Abdullah Efendi'nin odasında gördüğünü ve o vakte kadar Ziya Hurşid Beyi tanımadığı ve Abdullah Efendinin Ziya Hurşid'i kendisine takdim ettiğini ve merkûm Ziya Hurşid, size arkadaşlarınızdan selam getirdim, sûret-i hususiyede görüşmek isterim, dediğini ve gece otelde görüştüklerini, Ziya Hurşid'in cebinden bir mektub çıkararak verdiğini ve mektubun Miralay Râsim ve mebus Şükrü Beylerin imzalarıyla mumza (imzalanmış) olduğunu, zâhiren bir tütün işinden bahis bulunduğunu ve tütün işinin ne olduğunu Ziya Hurşid'e sorduğunda, bu, tütün işi değildir, dediğini, ba'de'l kırae (okuduktan sonra) mektubu elinden alarak yırttığını ve tekrar meseleyi sorduğunda Gazi Paşa'nın imhâsını uhdesine alarak İzmir'e geldiğini ve yanında şâyân-ı itimâd eşhâs bulunduğunu ve suikastın kendisi tarafından icrâsına hey'et-i umûmiyece taht-ı karara alınmış olduğunun ve bu hey'et-i umûmiyeden maksad Terakkiperverlerin hey'et-i umûmiyesi bulunduğunu demesi üzerine kendisi de merkûma hitâben, bu işi burada yapabilecek misiniz ve ne sûretle bir plânınız vardır ve arkadaşlarınız kimlerdir, dediğinde, arkadaşlarının suikastı yapabilecek iktidarda mücerreb (tecrübeli) ve metin oldukları ifâde eylediğini ve kendisi de bunları bir cürm-i meşhûd hâlinde yakalatmak için zâhiren tertîbât-ı vâkıaya muvâfakat ettiğini ve suikast-dan sonra firar için bir motor teminin lâzım geldiğini söyleyerek ve nezdinden ayrılarak Girit'li Şevki'nin motoru olduğunu bildiğinden Şevki'yi bulduğunu ve motorun nerede olduğunu sorduğunu, merkûm Şevki de motorun Sakız'da olduğunu ve altıyüz liraya merhûn (rehin bırakılmış) olduğundan meblâğ-ı mezkûrun teminiyle motorun getirilmesi sehil (kolay) olacağını ifâde eylemesi üzerine Ziya Hurşid'e gelip para meselesini bissuâl (sorarak), üzerinde mevcud nakid olmadığını anladıktan sonra Saruhan Mebusu Abidin Beyden (600) lira istediğini ve mûmâileyhin üzerinde şimdi bu kadar para olmadığından akşama tedârik edeceğini ifâde ile ayrıldığını ve akşam üzeri Abidin Bey gelerek parayı bulamadığını söylemesi üzerine Ziya Hurşid'le tekrar temasa gelerek ertesi gece İdris'in bahçesinde Ziya Hurşid, Çopur Hilmi ve Şevki ile ictimâ ettiklerini ve suikastın mahalli icrâsını müzâkere ettiklerini ve en nihâyet münâsib mahallin Kemeraltı mevkii olduğunu söylediğini ve Şevki'ye daha evvel verdiği iki bombayı suikastda istimal edilmek üzere ve Hilmi vasıtasıyla Ziya Hurşid'e verdiğini ve ertesi günü artık neticeye intizâr etmeyerek Mahmud Şevket Paşa vapuruyla İstanbul'a gittiğini ve vapurda Abidin Beye tesadüf ettiğini ve Abidin Beyin Bristol Oteli'ne nâzil olduğunu ve kendisinin kayınbiraderi diş tabibi Mustafa Şevket Beyin evine gittiğini bir gün sonra Bristol Oteli'ne gittiğinden Abidin Beye bittesâdüf, İzmir'de ne haber var, diye sorduğunda mûmâileyhin sabah gazetelerinde birşey olmadığını ve akşam gazetelerinde bir havadise intizâr eylemek lâzım geldiğini beyân eylediğini ve bu vukûata mütekaddem günlerde Râsim Beyle birlikte Şükrü Beyin hanesine gittiklerini Şükrü Beyin Ankara'da suikastı teşebbüsatından bahs ettiğini ve arkadaşlarının beceriksizliğinden, korkaklığından bir türlü muvaffak olamadıklarını, hattâ bir defa iyi birvaziyet edildiğini, adamları Arif Bey köşküne alıp orada güzergâhta iyi bir mevkide pusu kurulmuş ve maksad da hasıl olmakta bulunmuş iken vaziyeti kendilerine ihsâs ettiği Rüştü Paşa, Sâbit Bey gibi arkadaşların bile tevahhuş ederek (korkarak) keyfiyeti Raûf Bey'e iblâğ ettiklerinden ve Rauf Bey de gûyâ Şükrü Bey'e gelip vaziyeti izâh etmezseniz keyfiyeti telefonla Gazi'ye ihbar edeceğim, demesi üzerine işin bozulduğunu söylemiş olduğunu ve kendi kanaatine göre Şükrü Beyin suikast üzerinde kemal-i katiyyetle yürüyeceğini anladığını ve Şükrü Beyin elinde bu iş için gayet emin iki üç arkadaşının daha bulunduğunu Şükrü Beyden işittiğini ve hatta harb-i umûmîde sulben idam edilen siroz yarasından Çerkes Ahmed'in mahdûmu ve arkadaşlarının İzmir'de olup olmadığını ve bunlarla orada bir iş yapılıp yapılamayacağının temini mümkün olup olmadığını söylediğini ve kezâlik kendi kanaat-i katiyyesine nazaran* Terakkiperverlerle eski meclisten bakiye ikinci grubun teşkilatı aynı olduğunu ve Terakkiperverlerin iki kısım oup birinci kısmı suikastçılar olduğunu ve bunların başında Şükrü Bey, Rüşdü Paşa, Hâlet, Halis Turgut, Necati Beylerle askerî zümreden Arif Bey, Kâzım Karabekir, Ali

---

(*) Karabekir Paşa iddianamenin bu noktasında, sahifenin kenarına "mel'ûn, bu kanaati bu kadar mufassal nereden almış" kaydını düşmüştür.

Fuâd, Re'fet, Cafer Tayyar Paşalarla Rauf Bey ve ikinci grupdan Kara Vâsıf, Abdulkadir, Sabık Ardahan mebusu Hilmi bulunduğunu ve bunların maksadlarını sâha-i fi'le îsâl için reis-i kârlarında (işlerinin başında) İttihad Terakki Kâtib-i Mes'ûlü sabık iâşe Nâzırı Kara Kemal bulunduğunu ve Râsim Bey delâletiyle Terakkiperverlerin bu grupla muhâfaza-i temâsta bulunduğunu ve bu grubun Kara Vasıf ve Abdulkadir gibi nufuzlu ve cüretli eşhasın ve bunların tedvir ettiği şirketlerden ve ara sıra eski Maliye Nâzırı Câvid Bey'den muâvenet-i mâliye temin eylediklerini söylemiştir.

Maznûnların ve bilhassa Sarı Efe Edîb Bey'in bâlâda mezkûr ifâdât-ı mufassalalarından pek bâriz olarak tebeyyün ettiğine nazaran işbu teşebbüs-i câniyâne Terakkiperver Fırka ile bu fırkanın teşekkülünde pek ziyâde âmil olmuş olan faaliyete geçen onunla hal-i temâsı memlekette diğer müterakkib-i fırsat (fırsat kollayan) ve vaktiyle memleketin idaresine hâkim ve muhkem olmuş olan bigayr-i marufî vechile (bilinmeyen bir yolla) iâşe ve yağmacı bir zümre-i kalîlenin eser-i tertîb ve tazyîki olduğu anlaşılmış ve şu hale nazaran Terakkiperver Fırka erkân ve azâsının bu meselede kırkbeşinci maddenin fırka-i ûlâsında tarîfât-ı kanûniyeye tevfîkan vehle-i ûlâda (ilk anda) fâil-i aslî sıfatiyle dahl ve iştirakleri bulunduğunu kabûl etmek zarûret-i kanûniyesi vardır.

İşbu teşebbûsât-ı câniyenin, Kanun-ı Ceza'nın onbeşinci maddesindeki sarahat-i kanûnîyeye teyfîkan bir cürm-i mahsûs teşkil ettiğine ve işbu cürmün irtikâb edilmekte bulunduğu bir an ve zamanda elde edildiğine nazaran usûl-i muhâkemât-i Cezâiyye Kanûnunun otuzsekizinci maddesindeki ta'rîfata nazaran bir cürm-i meşhud-i cinâî bulunduğunu numâyân bulunmaktadır.

Binâenaleyh Teşkilât-ı Esâsiye Kanûnunun onyedinci maddesinde muharrer olan sarâhat-i kanûniyeye tevfîkan bu meselede aledderecât (derecelerine göre) alâkaları görülen ve Büyük Millet Meclisi'nde azâ bulunan mefsûh Terakkiperver Fırka azâsının tevkîfleri suikast ve taklîb-i hükûmete müteallik tertibât ve teşkilat ve icrâatı ber vech-i bâlâ (yukarıdaki gibi) arz olunduktan sonra İzmir Mebusu Şükrü Beyin mazbût (zabta geçen) ifadesinin hulâsasına nakl-i kelâm etmek zarûre-tindeyim. Mebus-ımûmâileyh tevcîh edilen suallere cevap vermekten istinkâf etmiş ve Ziya Hurşit, Laz İsmail ve Yusuf'un Şükrü Bey aleyhinde serd ve beyât ettikleri teşkilât ve icrâata muteallik beyanatları red ve inkâr eylemiş ve iftira olduğundan bahs eylemiştir. Ve yalnız Ziya Hurşid'le hususî mahiyette olmak üzere bir kaç kerre temas ettiğini ve Abdülkadir'le de temasta bulunduğunu söylemiştir. Eskişehir Mebusu Arif Beyin zabtolunan ifadesinde Laz İsmail'i ancak şahsen tanıdığını ve İsmail'in mücadele zamanındaki hizmetine mukâbil vesîka almak üzere hanesine geldiğini ve İsmail'in evden çıktıktan sonra Şükrü Beyin ve onu muteâkiben Ordu Mebusu Fâik Beyin geldiklerini, Ziya Hurşid Ali Fuad Paşa tarafından prezante edilmek sûretiyle tanıdığını ve suikasta muteallik bir gûnâ beyânda bulunmadığını, hüviyetini tanımadığı kimselerle böyle azim bir meseleye iştirâk edemeyeceğini beyân etmiş ve mûmaileyh Arif Beyle Laz İsmail'in muvaceheleri (yüzleşmeleri) bilicrâ Ankara'daki Kulübün önünde Arif Beyin otomobiliyle mumâ-ileyh de hazır olduğu halde hanesine gittiğini ve ertesi günü Arif Beyin hanesine tekrar giderek Şükrü Bey'in de gelip oturduğunu ve sonra tomobil ile tanımadığı bir şahsın gelmesi üzerine kendisini başka bir odaya koyduklarını an muvâcehe İsmail'in beyânatına karşı, Arif Bey mezkûr ictimâları inkâr etmiş ve Saruhan Mebusu Abidin Bey dahi Gaffarzâde otelinde Ziya Hurşid'le tanıştığını ve Edîb Bey'in suikast için kendisinden beşyüz lira istediğini ve kendisi de, kötü bir iştir böyle şey olmaz dediğini ve akşama kadar savsakladığını ve akşam üzeri para yoktur, cevabını verdiğini ve aynı günde Mahmut Şevket Paşa vapuruyla İstanbul'a gittiğini ve baytar miralaylığından mutekaid Râsim Bey dahi bir gece Edib Beyde hazır olduğu halde Şükrü Bey'in hanesinde suikasta müteallik müzâkerede bulunmak üzere ictima eylediklerini Şükrü Bey'in hissiyât-ı vatanperverânelerini tahrik edecek sözler sarf ettiğini, gerek Edîb Bey'in gerek kendisinin nîm muvafakat ettiklerini söylediğini ve Şükrü Bey'in delirdiğinden bahisle, onun bulunduğu bu anıları bana gönderme, diye tenbih eylediğini ve kendisi de adamları göndermemek teşebbüsünde bulunacağını ve Şükrü Bey'i bu işden men edeceğini ve Ziya Hurşid'e, Edîb Bey'e hitaben, Şükrü Bey'le müştereken imza eyledikleri ve suikastın icrasını imâen yazılmış mektubu verirken dahi Şükrü Bey'e, "Edîb Bey bu işe taraftar değildir" demiş ise de Şükrü Bey bilmukâbele, Ziya Hurşid bey yapacaktır, diye mukabelede bulunduğunu ve Ziya Hurşid'in hiç birmutalaa beyan eylemediğini ve yalnız bu işi yapacağını serd ve ifyân eylemiştir.

Tahkikatın safahât-ı umûmiyesinden mülhem olduğu vechile suikastın birinci derecede âmil ve mürettibi İzmit Mebusu Şükrü Bey ve Eskişehir Mebusu Arif Beylerle Ankara Vâli-i esbaki Abdulkadir'dir. Edîb'in ifade-i mazbûtasına nazaran, Terakkiperverlerin suikastçıları olmak üzere zikr ettiği eşhas meyânında İzmit Mebusu Şükrü ile Eskişehir Mebusu Arif ve Saruhan Mebusu Abidin Beyleri irâe etmiş (göstermiş) ve Şükrü Bey'in filhakika muhtelif zaman ve mekanda yalnız başına kalsa bile behemehal Reisicumhur Hazretlerine suikast etmek arzusunu alenen ihsâs ve izhar eylemiştir. Şükrü Bey aleyhinde teçemmü etmiş olan delâile ve berâhîn-i kâtıaya (kesin delillere) karşı mümâileyh külliyyen inkâr-ı cürm eylemiş ve kendisine karşı maznunların beyânâtını iftira mahiyetinde göstermiş ve meahâzâ vech-i husû-meti ve iftirayı tesbit edememiş ve esbâb-ı makbüle ve makûleye istinad ettirememiştir. Ve kezalik suikastın icrâ komitesi erkânından Eskişehir Mebusu Arif Bey hakkında Laz İsmail'in beyânâtına karşı mumâileyh Arif Bey ile bir günâ esbâb-ı makbûle serd edememiş ve inkâr-ı cürm etmek sûretiyle muzmirât-i cinâîsini (cinâyet izlerini) perde-i hafâ (gizlilik perdesi) ile setr etmek istemiştir.

Ordu Mebusu Fâik Bey'in ifâde-i mazbûtası ve suikasta müteallik kanaat ve mulâhazât, kâmilen Eskişehir mebusu Arif ve Şükrü Beylerin aleyhinde tecelli etmiş ve binâberîn (bunun üzerine) Arif Beyin Ankara suikastını takîb eden İzmir suikastında dahi medhaldâr ve müşâreketi olduğu kanaat-i vicdâniyesi dahi hasıl olmaktadır.

İzmir hadisesinde Edîb'in tamamen vak'anın mürettib ve muharriki olduğu hakkında mevcud delâil ve beyânata karşı ifâde-i mazbûtasında mûmaileyh te'vîlen ikrâr-ı cürm eylemekte ve Ziya Hurşid ile Laz İsmail ve Yusuf'u bir cürm-i meşhûd halinde hukûmete teslim eylemek üzere hareket eylediğini serd etmekte ise de tertîbât-ı vâkıadan alâkadar makâmâtı haberdar etmeksizin İstanbul'u savuştuğu ve fiilin îkaındaki derece-i alâkasını sümme't-tedârik (iş olup bittikten sonra) serd eylediği işbu müdâfaa ile red ve şerha çalışmış ise de müdâfaat-ı vak'a, delâil-i hâzıra ve bilhassa maznunlardan Ziya Hurşid, Laz İsmail ve Yusuf Hilmi ve Şevki'nin kuvvetli itirâfât ve ihbârât-ı sarîhaları karşısında vâkî (boş ve manasız) ve kıymet-i kanûniyeden ârî bulunmuştur.

Saruhan Mebusu Abidin Beyin İzmir Suikastında tamamen alâkadar ve vak'ayı ihzâr edenlerin meyanında bulunduğu Edîb'in ifâde-i mazbûtasında (zabta geçmiş ifadesinde) ve cinâyet tertîbatının ihzarından sonra alelacele İstanbul'a gitmesi ve Bristol Oteli'nde Edîb ile vak'a hakkında görüşmesi ve sabah gazetelerinde hadisenin vukûuna dâir neşriyâta tesâdüf edememesi itibariyle akşam gazetelerinin keyfiyetin tefsîlatına intizâr edilmek lâzım geldiğini dermeyân eylemesi ve İzmir'de iken hadise için lâzım olan ve tedârikin te'mini iktizâ eden beşyüz liranın tedâriki çâresine tevessül edeceğini Edib'e bildirmesi ve nihayet vak'ayı hükûmete ve alâkadar makâmâta ihbâr etmemesi gibi delâil ve emârâttan müstebân olmuş (apaçık ortaya çıkmış) ve delâil-i katiyye karşısındaki müdafası da merdûd bulunmuştur.

Esbâb ve delâil-i kânûniyeye binaen Reisicumhur Hazretlerinin aziz ve kıymetdâr olan vucûdlarının izâlesi ile icrâ vekilleri hey'eti iskât ve taklîb-i hukûmet hırslarıyla fi'l-i cinâyeti tertîb ve fi'len tahrîk ve esbâb-ı husûlünü tehyic ve ihzâr etmiş ve müctemean harekete gelmiş olan İzmit Mebusu Şükrü ve Eskişehir Mebusu Arif ve Saruhan mebusu Abidin ve Miralay mütekâidi Râsim Beylerin ve Lazistan Mebus-u sâbıkı Ziya Hurşid ve Laz İsmail ve Yusuf ve Sarı Efe namıyla marûf Edîb ve Hilmi ve Nimet Nâciye ve İdris'in ve İhtiyat zâbiti Bahaeddin ve Edîb'in adamlarından olup ahîran (son olarak) Atina'dan avdet eden Torbalı'yı Emin ve çiftlikte müstahdem Şahin'in vicâhlarında (yüzlerine karşı) ve hâlâ derderst edilmemesi hasebiyle gayr-i mevkûf Ankara Vâli-i sâbıkı Abdulkadir Bey'in gıyâbında icrây-ı muhâkemeleriyle bunlardan İzmit Mebusu Şükrü ve Eskişehir Mebusu Arif ve Saruhan Mebusu Abidin ve Miralay mütekâidi Râsim Beylerle Lazistan Mebus-ı sâbıkı Ziya Hurşid ve Laz İsmail ve Yusuf ve Sarı Efe namıyla maruf Edîb ve Hilmi ve Abdulkadir'in subût-ı cürmleri takdirinde Kanûn-ı cezânın ellibeşinci maddesinin son fıkrası delâletiyle kanûn-ı mezkûrun elliyedinci maddesinin fıkra-ı ûlasına ve İdris'in kezâlik madde-i mezkûrenin fıkra-ı mahsûsasına tevfîkan ta'yîn-i mücâzâtları ve Nimet Naciye hanımın gerçi Laz İsmail ile Bursa'ya seyahat ettiği anlaşılıyor ise de mezbûrenin İsmail'in suikast için Bursa'ya azimet ettiğine vâkıf olmadığı ve İsmail'in kasd-ı cürmîsiyle alâka ve temasları mevcûd bulunmadığı anlaşılan diğer maznûn aleyhim Torbalı'lı Emin, İhtiyat zabiti Bahaaddin ve Şahin'in beraatlerine karar ve i'tâsını taleb ederim. Terakkiperver mebuslardan bir kısm-ı mühimmi grek Eskişehir'de tevkîf edilen eşhâs-ı sâire haklarında tahkîkât-ı kânûniyeye devam eylemekte olduğuna mümâileyhin celesât-ı müteâkibede (müteakip celselerde) bâ-iddiâname (iddianâmeyle) mahkeme-i celîlelerine sevk edilecekleri mutalaasıyla evrâk-ı davâ takımıyla Ankara İstiklâl Mahkemesi riyaset-i celîlesine arz ve takdîm olunur efendim.

Zeyl-i İddianame (Ek iddianame)

26 Haziran 1926 tarihli iddianamemizde mufassalan arz edilmiş olduğu vechile ezmine-i muhtelifede (değişik zamanlarda) Reisicumhur Hazretlerine suikast icrâsıyla icra Vekilleri Heyeti'ni iskât ve taklîb-i hükûmeti gâye ittihaz ederek müctemean îkâ-ı cürm için harekete gelmiş ve esliha ve bombalarıyla derdest edilmiş olan Ziya Hurşid ve rufekâsı (arkadaşları) gibi, cinâyet-i vâkıanın icrâ heyetini emirleri tahtında meş'ûm hadiselere sevk eden ve cinâyetin temîn-i icrâsı için para ve silah ve eşyây-ı sâireyi temin ve ihzâr etmiş olan mulga Terakkiperver Fırkası'na mensub mebuslarla bu uğurdaki maksadın istihsâlinde ittihâd-ı tâm ile müttehid bulunmuş olan vaktıyle mukadderât-ı memlekette keyfe mâyeşâ (dilediği gibi) tasarruf eden iâşecilerin sergerdesi Kara Kemal ve Cavid Beyler gibi eşhâs-ı malûmenin cürmün tasavvur ve tasmîme müsteniden tertîb ve ihzârı gibi mukaddemâtında dahl ve iştirakleri ve sûret-i îkâından da malumatları bulunduğu icrâ kılınan tahkîkat ile anlaşılmış ve suikastın îka' edilmekte olduğu bir sırada bütün delâil ve vesâiti ile elde edilmesi ve binâenaleyh kanûnen ceraim-i meşhûdeden madud olacağı itibariyle usûl-ı mevzûası dâiresinde taht-ı tevkîfe alınmış

olan Büyük Millet Meclisi azâsından Cafer Tayyar, Ali Fuad, Refet, Kâzım Karabekir ve Rüşdü Paşalar, Sâbit, Halis Turgut, İhsan, İsmail Canbolat, Münir Husrev ve Fâik Beylerle Maliye Nazırı Esbakı Cavid ve Ardahan Mebus-ı sâbıkı Hilmi ve hâlen tegayyüb etmiş (kayıplara karışmış) olan iâşeci Kemal Beylerin vaziyet ve vasf-ı cürmîlerini de ber-vech-i zîr (aşağıda olduğu gibi) arz ediyorum.

Edip Bey'in "suikastın icrası heyet-i umûmiyece takarrur ettiğine" dâir beyânât ve ifşaât-ı mesrûdesi ve Şükrü ve Abdulkadir Beylerin bu cinâyette ferdi ve şahsi hareketlerinin adîmul-imkân (imkansız) bulunması gibi delâil ile vâsıl-ı mertebe-i subût olmaktadır. Ankara'da Mebus Şükrü ve Raif ve Ziya Hurşid ve Laz İsmail ve Gürcü Yusuf'un icrâ etmek istedikleri suikattan evvelemirde haberdar olan Erzincan Mebusu Sâbit Bey'in ve diğer rufekây-ı malûmesine ihbâr ederek Ankara'da cinayetin icrâsından sarfınazar ettirildiği evrâk-ı tahkîkada ifâdeleri mazbût mebusların beyânât-ı vâkıalarından ve Ziya Hurşid ve Edib'in zabt olunan ifadelerinden numâyân bulunmuş olduğu ve bunu müteâkiben cinayetin icra heyetinin Laz İsmail'in Bursa'ya sevk ve izâmı (yollanması) ve nihâyet İzmir safhasında heyet-i celîlelerince de malum olan vaziyet-i cinâiyeden bâlâda isimleri muharrer Mebus Beylerle diğer zevâtın malumâtdar bulunduklarının vehle-i hülâda (ilk anda) kabul edilmesinin zarûri olduğu gibi Ankara suikastını hükûmete bildirmemeleri cihetinden cürmdeki alakâ ve irtibatlarını isbat etmiş olduklarından dolayı meznûnaleyhim (zanlılar) Cafer Tayyar, Ali Fuad, Re'fet, Kâzım Karabekir ve Rüşdü Paşalarla Sâbit, Halis Turgut, İhsan, İsmail Canbolat, Münir Husrev memleketin emniyet-i dâhilesini fiilen tehdid etmeleri hasebiyle vaktiyle feshedilen Terakkiperver Fırka'ya mensub azâlarla meş'ûm bir âkibet-i târihiye neticesi sîne-i millette artık hükmen mevcûdiyetleri kalmamış olan İttihad ve Terakki azâlarından bazılarının gizli siyasi bir komite halinde ittifâk-ı hafî (gizli bir ittifakla) çalıştıkları ve sırf menfaat ve ihtiraslarını temin etmek ve tekrar hükûmeti ele geçirmek istedikleri ve bunun için birleştikleri ve şu sûretle suikastle taklîb-i hükûmetin hey'et-i tertîbiyesinden oldukları icrâ kılınan tahkîkatın biletrâf (etraflıca) ve kemâl-i vuzûhla tebellür etmiş olan ve Ziya Hurşid'in ifadesine atfen maznunlardan* Faik ve maliye Nazır-ı Esbakı Câvid ve Erzurum Mebus-ı sâbıkı Necâti ve Ardahan Mebus-i sabiki Hilmi Beylerin vicahlarında ve Kara Kemal'in giyabında icray-ı muhakemeleriyle bunlardan Kara Kemal'in Kanun-ı Cezâ'nın 55. maddesi adâletiyle 57. maddenin fıkra-ı ûlâsına fevfîkan ta'yîn-i mucazâtlarını taleb ederim efendim.

(30 Haziran 1926)

(*)Metinde altını kendisinin çizdiği satırların yanına KâzımKarabekir elyazısıyla şu notu düşmüş: "Bize verilene nazaran pek farklı."

Zeyl-i İddianame (Ek iddianame)

26 Haziran 1926 tarihli iddianamemizde mufassalan arz edilmiş olduğu vechile ezmine-i muhtelifede (değişik zamanlarda) Reisicumhur Hazretlerine suikast icrâsıyla icra Vekilleri Heyeti'ni iskât ve taklîb-i hükûmeti gâye ittihaz ederek müctemean îkâ-ı cürm için harekete gelmiş ve esliha ve bombalarıyla derdest edilmiş olan Ziya Hurşid ve rufekâsı (arkadaşları) gibi, cinâyet-i vâkıanın icrâ heyetini emirleri tahtında meş'ûm hadiselere sevk eden ve cinâyetin temîn-i icrâsı için para ve silah ve eşyây-ı sâireyi temin ve ihzâr etmiş olan mulga Terakkiperver Fırkası'na mensub mebuslarla bu uğurdaki maksadın istihsâlinde ittihâd-ı tâm ile müttehid bulunmuş olan vaktıyle mukadderât-ı memlekette keyfe mâyeşâ (dilediği gibi) tasarruf eden iâşecilerin sergerdesi Kara Kemal ve Cavid Beyler gibi eşhâs-ı malûmenin cürmün tasavvur ve tasmîme müsteniden tertîb ve ihzârı gibi mukaddemâtında dahl ve iştirakleri ve sûret-i îkâından da malumatları bulunduğu icrâ kılınan tahkîkat ile anlaşılmış ve suikastın îka' edilmekte olduğu bir sırada bütün delail ve vesâiti ile elde edilmesi ve binâenaleyh kanûnen ceraim-i meşhûdeden madud olacağı itibariyle usûl-ı mevzûası dâiresinde taht-ı tevkîfe alınmış

olan Büyük Millet Meclisi azâsından Cafer Tayyar, Ali Fuad, Refet, Kâzım Karabekir ve Rüşdü Paşalar, Sâbit, Halis Turgut, İhsan, İsmail Canbolat, Münir Husrev ve Fâik Beylerle Maliye Nazırı Esbakı Cavid ve Ardahan Mebus-ı sâbıkı Hilmi ve hâlen tegayyüb etmiş (kayıplara karışmış) olan iâşeci Kemal Beylerin vaziyet ve vasf-ı cürmîlerini de ber-vech-i zîr (aşağıda olduğu gibi) arz ediyorum.

Edip Bey'in "suikastın icrası heyet-i umûmiyece takarrur ettiğine" dâir beyânât ve ifşaât-ı mesrûdesi ve Şükrü ve Abdulkadir Beylerin bu cinâyette ferdi ve şahsi hareketlerinin adîmul-imkân (imkansız) bulunması gibi delâil ile vâsıl-ı mertebe-i subût olmaktadır. Ankara'da Mebus Şükrü ve Raif ve Ziya Hurşid ve Laz İsmail ve Gürcü Yusuf'un icrâ etmek istedikleri suikattan evvelemirde haberdar olan Erzincan Mebusu Sâbit Bey'in ve diğer rufekây-ı malûmesine ihbâr ederek Ankara'da cinayetin icrâsından sarfınazar ettirildiği evrâk-ı tahkîkada ifâdeleri mazbût mebusların beyânât-ı vâkıalarından ve Ziya Hurşid ve Edib'in zabt olunan ifadelerinden numâyân bulunmuş olduğu ve bunu müteâkiben cinayetin icra heyetinin Laz İsmail'in Bursa'ya sevk ve izâmı (yollanması) ve nihâyet İzmir safhasında heyet-i celîlelerince de malum olan vaziyet-i cinâiyeden bâlâda isimleri muharrer Mebus Beylerle diğer zevâtın malumâtdar bulunduklarının vehle-i hülâda (ilk anda) kabul edilmesinin zarûri olduğu gibi Ankara suikastını hükûmete bildirmemeleri cihetinden cürmdeki alakâ ve irtibatlarını isbat etmiş olduklarından dolayı meznûnaleyhim (zanlılar) Cafer Tayyar, Ali Fuad, Re'fet, Kâzım Karabekir ve Rüşdü Paşalarla Sâbit, Halis Turgut, İhsan, İsmail Canbolat, Münir Husrev memleketin emniyet-i dâhilesini fiilen tehdid etmeleri hasebiyle vaktiyle feshedilen Terakkiperver Fırka'ya mensub azâlarla meş'ûm bir âkibet-i târihiye neticesi sîne-i millette artık hükmen mevcûdiyetleri kalmamış olan İttihad ve Terakki azâlarından bazılarının gizli siyasi bir komite halinde ittifâk-ı hafî (gizli bir ittifakla) çalıştıkları ve sırf menfaat ve ihtiraslarını temin etmek ve tekrar hükûmeti ele geçirmek istedikleri ve bunun için birleştikleri ve şu sûretle suikastle taklîb-i hükûmetin hey'et-i tertîbiyesinden oldukları icrâ kılınan tahkîkatın biletrâf (etraflıca) ve kemâl-i vuzûhla tebellür etmiş olan ve Ziya Hurşid'in ifadesine atfen maznunlardan* Faik ve maliye Nazır-ı Esbakı Câvid ve Erzurum Mebus-ı sâbıkı Necâti ve Ardahan Mebus-i sabiki Hilmi Beylerin vicahlarında ve Kara Kemal'in giyabında icray-ı muhakemeleriyle bunlardan Kara Kemal'in Kanun-ı Cezâ'nın 55. maddesi adâletiyle 57. maddenin fıkra-ı ûlâsına fevfîkan ta'yîn-i mucazâtlarını taleb ederim efendim.

(30 Haziran 1926)

İkinci Zeyl-i İddianâme

30 Haziran 1926 tarihli birinci Zeyl-i iddianâmede arz edilmiş olduğu vechile Reisicumhur Hazretlerine karşı suikast icra ettikten sonra icrâ Vekilleri Hey'etini iskât ve taklîb-i hükûmet için ittihad etmiş olan Büyük Millet Meclisi'ne mensub mulga Terakkiperver azâlarıyla İttihad ve Terakkî'ye mensub eşhâs haklarında icrâ kılınan tahkikat-ı ibtidâiye üzerine tevkîfleri icrâ kılınmış ve bu meyanda Bekir Sami, Kâmil, Zeki, Necati Bursa, Feridun Fikri, Besim Mersin, Sabık Erzurum Mebusu Necati, Salahaddin, Ahmed Nafiz, Halet, Kara Vasıf, Hüseyin Avni, Rauf, Adnan ve İzmir Vali-i Esbakı Rahmi Beylerle Mersin'li Cemal Paşanın Cürm-i vâkıın takrîben bir seneden beri tertîb ve ihzârında medhal ve müşâreketleri ve suikastın icrâsından da malumatları bulunduğu icrâ kılınan tahkîkât-ı ibtidâiye mufâdından ve maznunlardan bir kısmının aledderecat ihbârât-ı vâkıalarından anlaşılmakla beraber suikastın akîm kalması ve İzmit Mebusu Şükrü Bey'in tevkîf edilmesi üzerine isimleri ârif'ul beyân (az önce sayılan) zevâttan bazılarının vaziyeti tedkîk etmek üzere Re'fet Paşa'nın hanesinde ve müteâkiben Beyoğlu'nda Şule'de ictima etmeleri gibi delâil ve nihayet mahkeme-i celilerinde tecelli etmiş ol-

an hakâik ile vâsıl-ı mertebe-i subût bulunmuştur. Binâberîn (binâenaleyh) mukaddemât-ı cürmiyeyi ihzar ederek Avrupa'ya azimet etmiş olan Rauf ve Adnan ve İzmir vali-i esbakı Rahmi Beylerin gıyabında ve Bekir Sami, Feridun Fikri, Kamil, Zeki, Necati Bursa, Besim Mersin, gibi sâbık Erzurum Mebusu Necati, Selahaddin, Ahmed Nafiz, Halet, Kara Vâsıf ve Hüseyin Avni Beylerle Mersinli Cemal Paşa'nın vicâhen icrây-ı muhâkemeleriyle Cinayet-i vâkıanın yeni Kanun-ı Cezâ'da daha ağır cezayı müstelzim bulunmasına binâen târîh-i îkâ-ı cürmde ma'mûlünbih olan (uygulanmakta olan) Kanun-ı Cezanın 55. maddesi delâletiyle 58. maddesinin fıkra-ı evvelisine tevfikan tahdîd-i mucâzatlarını taleb ederim.

Kezalik suikasttan dolayı taht-ı tevkîfe alınmış olan sabık Trabzon Mebusu Hafız Mehmed Bey hakkında icra kılınan tahkikatta Ziya Hurşid Bey'in Arif ve Şükrü ve Abdulkadir Beylerle bit'tasmim (kararlaştırılmış olarak) mümâileyhimden Ziya Hurşid'in Laz İsmail ve Gürcü Yusuf ile suikast için Ankara'ya azimetlerinden ve bu vukûatın bu suretle tertib ve ihzârından mukaddem Şükrü ve Abdulkadir Beylerin malûmat ve tertibleri dahilinde Reisicumhur Hazretlerine suikast icrası maksadıyla Ziya Hurşid Bey Hafız Mehmed Bey ile temas ederek mümâileyhimin akrabasından Vahab isminde ikâ-ı cinayete müstaid üçüncü bir âletin temin bir şahıs ihzâr edilmiş olduğu ve Ziya Hurşid tarafından Vahab'a bu maksadla 100 lira verildiği ve Keleş Mehmed'in suikasta katiyyen muvafakat etmemesi ve Vahab'ın da bir daha görünmemesi hasebiyle suikastın cerz olunan bu safhasının bu suretle akim kaldığı ve bu vukûatdan bir müddet sonra ve Bursa-İzmir meselelerinin mevzubahs olduğu eyyamda Ziya Hurşid bir gün İstanbul'da Hafız Mehmed'e bittesadüf mümâileyhin 1500 lira kadar bir para mevcud olduğundan ve meblağ-ı mezbûru bu uğurda sarf edeceğine dâir beyânattan kasd-ı cürmîsine muttali olmuş ise de kendisi Bursa ve İzmir vak'alarına dair Hafız Mehmed Bey'e malumat vermediği anlaşılmıştır. Ahvâl-i mesrûdeye nazaran Hafız Mehmed Bey ile Vahab ve Keleş Mehmed dahi dâhil-i muhâkeme edilerek eski Kanun-ı Cezânın 57. maddesi delâletiyle 45. maddenin fıkra-ı mahsûsasına tevfîkan tayîn-i mücâzatları taleb ve davasıyla Ankara İstiklâl Mahkemesi Riyâset-i Celilesine arz ve takdim kılınır efendim.

(Temmuz 1926).

KÂZIM KARABEKİR PAŞA KENDİNİ SAVUNUYOR...

İzmir İstiklal mahkemesi Mustafa Kemal Paşa'ya suikast olayına dolaylı olarak katılmakla suçladığı Kâzım Karabekir Paşa'ya üç tane soru yöneltiyordu.

Üç soru da, iki konuyu ele alıyordu; birincisi Terakkiperver Fırkası diğeri de suikast iddiası...

İzmir İstiklal mahkemesinin üyeleri herşeyden önce Karabekir Paşa'dan Terakkiperver Fırka'nın kurulmasındaki kişisel girişimlerini ve bilgilerini öğrenmek istiyorlardı...

İstiklal Mahkemesi üyeleri, sanık diye karşılarına çıkartılan kişilerin ifadelerinde Karabekir Paşa'nın isminin de geçtiğini söyleyip, olay hakkında bildiği şeyleri öğrenmek istiyorlardı...

Son istedikleri şey de ikinci grup üyelerinin ve İttihat-Terakki kökenli olarak bilinen kişilerin TPCF'na alınmasındaki amacı öğrenmekti... Bu son soruya Karabekir Paşa'dan İzmit Milletvekili Şükrü Bey hakkında bildiklerini eklemesini istiyordu mahkeme üyeleri...

Mahkemenin sorduğu soruların "soruluş" biçimi ilgi çekici...

Üç soru da, şu cümleyle bitiriliyor: "İzah buyrulmasını rica ederim..."

Mahkeme önüne çıkartılan diğer kişilere gösterilmeyen bu kibar tarz, Kâzım Karabekir Paşa'ya uygulanıyor. Bu da gösteriyor ki, Karabekir Paşa'nın toplumda büyük bir itibarı var. Herkes saygı duyuyor, seviyor. Öyle ki, mahkeme üyelerinin tavırlarından da anlaşılıyor; onlar da Karabekir Paşa'nın bu saygınlığı karşısında şapka çıkartıyorlar...

Aşağıda önce İzmir İstiklâl Mahkemesinin sorularını sonra da Karabekir Paşa'nın sorulara cevaplarını alıyoruz.

İşte Karabekir Paşa'nın savunması:

TÜRKİYE BÜYÜK MİLLET MECLİSİ
ANKARA
İSTİKLÂL MAHKEMESİ RİYASETİ

KAZIM KARABEKİR PAŞA'YA AİT SUALLER

S.1. Terakkiperver Fırkanın teşkil ve teşekkülündeki hususi ve umumî teşebbüsât ve malûmât-ı âlîlerinin izah buyurulmasını rica ederim.

S.2. 341-(1926) senesi kânûnlarında Lazistan Mebus-u Sâbıkı Ziya Hurşid kendisine iki gün evvel İzmit mebusu Şükrü beyle gelen Laz İsmail ve Yusuf gibi bir-iki serseri ile Ankara'da Reisicumhur Hazretlerine karşı bir suikastı icrâ etmek etrafında malûmatdâr olmuş olan Sabit Beyin Rauf Beyi ve diğer mühim gördüğü arkadaşları haberdar ederek Rauf Bey'in Ziya Hurşid'in birâderi Fâik Bey ile birlikte "Sabit de dahil" bu işi yani suikast meselesini bir tarafa etmeğe çalışarak Ziya Hurşid ve merkum iki serseriyi Ankara'dan def'eyledikleri ve Şükrü Bey üzerinde dahi bazı vesâya da bulundukları Fırka arkadaşlarından bazılarının vâzıh ve kat'î ifadeleriyle ve ahîren İzmir'de derdest olunan maznunların vekâyia (vâkıalara) mutabık itirafâtı ile sâbit olmaktadır. Arkadaşlarınızın ifadesi sizlerin de mumâneat edilmiş olan ilk hadiseden haberdar olmuş olduğunuz merkezindedir. Haberdar olmuş olmaklığınız, nefsel-emre (işin özüne) ve akıl ve mantıka muvafık ve zarûrîdir. Bilhassa zâtialilerinin bir komitecilik ruhuyla ve kan dökmek sûretiyle bir mevki-i iktidârı elde etmeğe taraftâr olmayacağınızı kabul etmiş olmakla beraber ibtidâsından nihâyetine kadar çirkin ve fecî bir skandal haline gelmiş olan bu yekdiğerini muteâkib safahat geçiren suikast meselesi hakkındaki malûmât-ı âlîlerini tesbit buyurunuz.

S.3. Terakkiperver Fırka'ya hâricen bir kuvvet olmak üzere ikinci grup a'zâ ve İttihat ve Terakki simâsını taşıyan bazı eşhâsın meze ve terkîb edebilmesinde yani Fırka'ya esas kuvvet olmak üzere alınmasındaki malumâtınızı izah buyurur musunuz? Buna, Fırkanız dahilinde evvel ve âhir İzmit Mebusu Şükrü Bey'in mevki ve vaziyeti hakkındaki mutâlaanızı da ilâve ediniz?

İSTİKLÂL MAHKEMESİNE CEVABIM

Hayatını kemâl-i tevâzu'la senelerce milleti için yıpratan ve suikastlara ve çeteciliğe karşı derin nefret beslediği herkesce müsellem olan ben bile "suikastla taklîb-ı hükûmetin hey'et-i tertîbesinden" diye maznun bulunuyorum. Açık ve muayyen bir programı kabul eden insanların gizli bir komite haline kalbi imkânsızlığına rağmen.

Esâsen bir senedenberi "suikast ve taklîb-i hükûmet" klişesi bazı gazetelerle Terakkiperverlere karşı iddia ve tekrarlarla efkâr-ı umûmiyede teşekkül ettirilmeye çalışılmıştır. Bu hususta bu sene-i ictimâiye bidâyetinde Başvekil Paşa nezdinde teşebbüste bulunduğumuz gibi Meclis-i Millî kürsüsünden de bu klişeyi serd etmişdim. Buna rağmen zuhûra gelen suikast hadiseleri taklîb-ı hükûmet iddiasıyla yine karşımıza çıkmış bulunuyor.

Katiyyen masûm bulunduğum bu işde bazı hakiki izlerle beraber müdhiş bir oyunun pek bâriz gayri tabiîliklerini de görüyorum. Bu gayritabiîlikleri izahla zan ederim ki muvâcehe-i milletde hey'et-i aliyenizin de nazar-i dikkatini istikâmet-i hakîkisine celb etmiş olacağım.

Meseleye İzmir suikast teşebbüsünden başlıyorum.

Çünkü hâdise buradan inkişâf etmiş ve bizler "suikastlarla taklib-i hükûmetin hey'et-i tertîbesinden" zan olunmuşuzdur.

İzmir suikastında gayri tabîi olan şu noktalara hey'et-i celîlenizin nazar-i dikkatini celb eylerim:

1- Çete İzmir'e geliyor ve Sarı Efe İzmir'deki arkadaşı Giritli Şevki'ye hemen bu muazzam işi açıyor ve çeteyi tanıştırıyor. Alelâde meşrû bir alım-satım muâmelesi için bile evvelce anlaşmadan nasıl cesâret edilir. Meselâ İzmir'de satılmak üzere beş-on denk malı bile belki delâlet etmez, belki uyuşulmaz diye anlaşmadan Sarı Efe alıp İzmir'e gelir miydi? Bir çete silah ve bombalarıyla geliyor ve maksadımız Gazi Paşa'ya suikastdır, sen de beraber gel! diyorlar, gayri tabii değil midir?

2- Sarı Efe çeteyi Giritli Şevki'ye devir ve teslim ediyor. O da derhal hükûmeti haberdar ediyor. Çeteyi kendi evine getiriyor, fakat Sarı Efe gelmiyor, İstanbul'a savuşuyor! Bu gayri tabiîlik nazar-ı dikkati celb etmiyor mu?

3- Çete yakalanır yakalanmaz bizim isimlerimiz ve "taklîb-i hükûmet" klişesi de meydana çıkıyor. "suikast ve taklîb-i hükûmet hey'et-i tertîbesi varsa çeteye esâmî defterini ve maksad ve tarihçesini vermesi mi tabiî bir şekildir, yoksa yakalanacağı malum ve müretteb olan çete efrâdına limaksadin (belli amaçla) telkin olunmuş, öğretilmiş şeyler olması mı daha mantıkîdir?

4- En mühimmi Sarı Efe kimdir? Bu adam Gazi Paşa Hazretlerine suikast yapar mı? Meselenin can alıcı bir noktasıdır. Sarı Efe Meclis-i Millî Reisi Kazım Paşa'nın en yakın ve mahremi bir insandır, vakit vakit istediği kadar para alır ve Kazım Paşa'nın hanesine gider bir adam olduğunu Ankara'da bilmeyen yoktur. Bir zamanlar onbin lira kadar külliyetli bir para aldığını işittiğim zaman meclise aks etmesine Rauf Bey mâni olmuşlardı. Daha üç ay evvel Ankara'ya gelen bu adamın bir gecede Kâzım Paşa'nın hanesinde kaldığını tahkîk buyurur musunuz?

Böyle bir adamın Gazi Paşa Hazretleri'ne hakikaten suikasta geldiği kabul olunur mu? Fakat yukarıdaki sun-i hallerinden tezahür eden şudur ki bu adam, kürt hâdise-i isyaniyesinden evvel İstanbul polisinin kullandığı bazı sahte Mister Tamil gibi işe girmiş ve belki de meseleyi yaratmış ve etrafına bir takım budalaları da alarak şahıslarımızın ifnâsı gibi pek feci bir iftira kurulmasına vasıta olmuştur.

Bu adama bu noktaları huzûru milletde söyletmek ve bîgünah nâmuskâr insanların hukukunu muhafaza olduğu kadar enzârını bize teveccüh eden ve bu kabil madrabazlıklar üzerine birer asırlık zaman uyuyan milletlere karşı da Türkiye Cumhuriyeti'nin şerefi için elzemdir.

5. (Vaktiyle Ankara'ya gelen çete, Bursa'yı kaçamayız diye red ile İzmir'i tercihi işin daha dağdağalı ve galayanlı olması için değil midir?)

Ankara Hadisesine gelince; Sarı Efe'nin Ankara hadisesi hakkında dahi ifadelerinden bahs olunuyor, bu adamın ne rolü vardır?

Ziya Hurşid gibi Meclis-i Millîde Mebus iken silah çeken bir derbederin Ankara'daki bu kadar maskaralıktan sonra dahi Ankara polisince takib edilmemesi nasıl kabul olunur? (*)

(*) (BELGE) 1 Temmuz 926. CUMHURİYET Gazetesinden

ANKARA VİLAYETİ SUİKAST TEŞEBBÜSÜNDEN HABERDARDI.
Ziya Hurşid Ankara'ya gittiği zaman Ankara zabıtası tarafından takib edilmişti. Bu takibata ait evrak İstiklâl Mahkemesine sevk edilmiştir.

Vak'ayı sâbit bey nasıl haber almış, neden derhal hükûmeti haberdar etmemiş de şunu bunu da işe karıştırmış? "suikast ve taklîb-i hükûmet" klişeleriyle bir seneden beri mubâreze eden Fırka mebusları için zincirleme tahkîkatla Fırka'yı düşürülmesi korkulan yere götürmedense ilk işiten sabit bey bunu neden hukûmete haber vermiyor da, Rauf beye ve şuna buna haber veriyor? Sâbit bey bana neden söylememiş? Bana haber veren kimmiş? Yoksa Fırkaca alaşağı edileceğimizden korkarak ve Şükrü Bey'in sözüne inanmayı daha mı hayırlı bulmuşlar?.. Ankara vak'ası hakkında tenvir olunursam, burası hakkında dahi fikrimi arz ederim.

4. Eylül 926

Ankara Valisi Atıf Bey suikastla alakâdar tevkifat hakkında "HAKİMİYET-İ MİLLİYE"ye izahatı âtiyeyi vermiştir.

-İstiklâl Mahkemesinin emriyle bayramdan evvel Eskişehir Mebusu Arif ve Erzurum Mebusu Münir Hüsrev Beyleri tevkif ettik. Arif Beyle birlikte biri erkek ve diğeri kadın olmak üzere hizmetçileri de tevkif olunmuştu, onları burada bırakmış ve diğerlerini sevk etmiştik.

İstanbul mebusu Karabekir Paşayı bayramın ikinci günü tevkif ettik. Kâzım Karabekir Paşa'nın tevkifi esnasında evinde ailesinden ve hizmetçisinden başka kimseler yoktu, keza Münir Hüsrev beyindeevinde kimseler yöktu.

— Ankara'da Başka tevkifat oldu mu?

— Hayır, şimdiye kadar hiçbir tevkif için emir almadık ve zan edersem burada başka tevkif edilecek kimse de yoktur. Ankara ahalisi işi ve gücüyle meşguldür. Böyle şeylerle alakadar olmazlar.

— Kışdan beri Ankara'da suikast için tertibat alınıyordu. Bundan Vilayetin malumatı oldu mu idi?

— Bizim o teşebbüsten malumatımız oldu. Uzun zaman Ziya Hurşid'ii takib ettik. Birçok evrak tesbit ettik. Onları da bu defa İstiklal Mahkemesine gönderdik. Şimdiye kadar yapılan muhakeme henüz bu hususa taalluk eder birşey yoktur.

— Mevkufların evlerinde yapılan tahrirat neticesinde bu mesele ile alakadar evrak buldunuz mu?

— Henüz evrak tedkik ettiğimizden dolayı bu hususta birşey söyliyemem.

29 Haziran Hakimiyeti Milliyeten naklen

Evvela şunu arz edeyim ki:

Hey'et-i tertîbe diye mahkeme huzuruna getirilen gayri mütecânis insanlardan bazıları var ki senelerden beri yüzlerin görmedim ve mütekâbilen sevişmeyiz. Yine bunlar arasında Fırkamıza mensûb öyleleri var ki kendileriyle resmi hallerden başka hiç görüşdüğüm bile olmamıştır. Bu arkadaşlarla bir arada toplandığımız dahi vâki değildir.

"Taklîb-i hükûmet'den maksad darbe-i hükûmet midir? Her ne şekilde olursa olsun ilk Ankara'da teşebbüs olunduğuna nazaran Meclis-i Millî hal-i in'ikâdda (kurulma halinde) olduğuna göre, tabiatiyle Meclis-i Milli Reisi Kazım Paşa Reisicumhur vekili olacak idi. Adedimiz hiçbir zaman onbeşi aşmayan bizim Fırka azaları ne yapacaktı? Kuvetle iş görebileceğimizi kimin aklı kabul eder? Hükumetin muazzam vesâit-i icraiyyesi, muhafız kıtaâtından sarfınazar Halk Fırkası ve hatta mahdûd bir kaç azâsı bile bizden kavîdir.

Sarı Efe habîsi sakın Şükrü Bey ve Abdulkadir ve emsâli akılsızları, Meclis Reisi de elimizdedir, diye iğfal ile bu oyuna düşürmesin!

Darbe-i hükûmetden maksad, Cumhuriyete kasdsa, bunu bilhassa bana istinad ne elîm iftiradır. Padişahlığın ilgâsından benden şedîd beyânatda bulunan olmuş mudur? Bilhassa Gazi Paşa Hazretlerini hükümdarların idam kararında sıyânet eden benden en acı hissiyâtı sorulmayacak mıdır?

"Taklîb-i hükûmet"den bahs olunuyor.. Türkiye'de Ordu elde edilmeden hatta padişahların elîm istibdatlarına karşı ne yapılabilmiştir? Bu cemiyetin nerelerde ve ne gibi teşkilâtı varmış? Ordu ve milletin ferden ferd taptığı ve hürmet ettiği Gazi Paşa'ya suikast yapacak bir hey'etin bu millete hâkim olamayacağını en basit dimağlar bile hesab edilebilir. Şu anda ordu müfettişliği uhdemde olmadığından memnûnum, maddî manevî ezilecekdim.

Her inkilabı müteâkib türeyen tufeylîlerin aramıza vahîm sûizanlar ekebileceğini tarîhen bildiğim içindir ki, Şark Cephesinden Ankara'ya göz önüne geldim ve Ankara'da da ordu kuvvet ve kudretini bırakdım. Daha İstiklâl mücâhedesinin ilk günlerinden beri tevâzu ve ferâgat-ı kâmilemi vekâyiiyle isbat ettiğim benim de mülevves bir tarzda mevki-i iktidara çıkmamı düşünmek pek büyük bir yanlış ve insafsızlıktır.

"suikastla taklîb-i hükûmetin hey'et-i tertîbesinden" olduğumuz üç madde ile iddia olunuyor. Birincisi, icra kılınan tahkîkat netâyici deniyor. Lütfen görelim, hakımda ne gibi vesîkalar vardır?

(2) Edîb'in şâyân-ı kabul dahi görmediğim ifadesindeki "suikastın hey'et-i umûmiyece takarrur ettiği" ifadesinden hey'et-i umûmiyede ismim nereden çıkıyor?

(3) Şükrü ve Abdulkadir beylerin budalaca bu melûnâne işe girmeleriyle bunların mutlaka arkadaşları da vardır demek ve bu beyana ismini di kayd etmek doğru mudur?

Cevap-2:

Lazistan Mebusu sabıkı Ziya Hurşid'in avenesiyle Ankara'da Reisicumhur Hazretlerine suikast edeceği ve Babit Beyin işiterek Rauf Bey ve diğer muhim gördüğü arkadaşlarını haberdar ettiğini ve Ziya Hurşid'le biraderi Fâik Beyle birlikte suikast meselesini bertaraf etmeğe çalışarak, mel'ûnları Ankara'dan def ettiklerini şimdi işitiyorum. Böyle mel'ûnâne bir teşebbüsü haber alan velev Fâik beyin biraderi olsun, neden hukûmeti haberdar etmemişlerdir?

Benim Min'el kadîm (eskiden) komitecilik ruhunu telkin etmiş olduğumu ve böyle mel'ûnâne fikirlerden pek nezîh olduğumu bütün arkadaşlar bildiği gibi Gazi Paşa Hazretleri dahi bildiklerini zan ederim. Kan dökmek sûretiyle bir mevki-i iktidar elde etmek hakkındaki mütâlaayı hayretle karşılarım. Maazallah Gazi Paşa Hazretlerine bir suikast vaki olsaydı mevki-i iktidarı kim elde edecekdi, anlamadım.

Terakkiperver azasından birinin biraderi olması ve Ziya Hurşid'in Ankara'da Terakkiperverle temas etmiş olması suikastın Gazi Paşa Hazretlerine ve Terakkiperverlere tevcîh olunduğunu gösteriyor. Def'aten yani aynı zamanda hepimiz mahv olacaktık.

Başından nihayetine kadar pek adice bir şekilde tersim olunmak istenilen bu melûn hadisenin geldiği menfûr istikâmetin açılması bütün cihana karşı ve yeni Türk Cumhuriyeti'nin pek şerefli başlayan tarihine karşı hakikatenbir borçtur.

(28.6.1926)

İhtimaller

1) Eski İttihadçılardan muayyen simaların fiilen hareketi görüldüğüne nazaran işe Terakkiperverleri de karıştırarak Fırkalarını birbiriyle çarpıştırıp bulaşık suda ava intizar edebilirler.

2. Terakkiperverleri mahv etmek isteyen bazı tufeylî insanların bir senelik iddia ve tekrarlarla iftirayı efkâr-ı umûmiye gibi yaydıktan sonra ittihadçıların müsteid-i iştiâl (parlayıp alevlenmeye yatkın) simalarıyla musanna' (mahirâne) bir tertib icra ile maksatlarına vasıl olurlar.

Terakkiperverlerin suikast neticesinde hiçbir mevkii

işgal edemeyecekleri ve beş-on kişiyle taklîb-i hükûmet olamayacağı o kadar bedîhîdir ki saydığım ihtimaller arasına giremeyecek kadar zayıftır.

İşte suikast ve taklib-i hükûmet klişesinin bir senelik muayyen oluşuna, vak'aların şekline,şahıslara bakarak birbirinden farklı maksatlarla çalışan iki zümre insanların Gazi Paşa Hazretlerine suikasd yapacak diye Terakkiperverlerin mahvına yürüdükleri üçüncü şekilde karar kılıyorum.

b) Hayatını hükümdarların şerrinden muhafaza ettiğim ve İstiklâl sırasında ensarsılmaz bir itimadına mazhar olduğum Gazi Paşa Hazretlerine suikast gibi ma'kûs ve menhûs bir davada üzerime elîm bir iftira atıldığını görmekle pek müteessirim.

c) Yalnız Türk milletinin değil, inkılablarını ve onların feci yanlışlıklarını tarihlerine gömen müterakki milletlerin de nasb-ı nigâh (gözlerini diktikleri) bir hâdise-i tarihiye içindeyiz. Hak ve adlin tecellîsine intizâr ediyorum efendim.(*)

S.3. Terakkiperver Fırka'ya hâricen bir kuvvet olmak üzere ikinci grup a'zâ ve İttihat ve Terakki simâsını taşıyan bazı eşhâsın meze ve terkîb edebilmesinde yani Fırka'ya esas kuvvet olmak üzere alınmasındaki malumâtınızı izah buyurur musunuz? Buna, Fırkanız dahilinde evvel ve âhir İzmit Mebusu Şükrü Bey'in mevki ve vaziyeti hakkındaki mutâlaanızı da ilâve ediniz?

Cevap-3:

Fırkanın ben yalnız grup müzâkerelerini idâre ederim. Teşkilât-ı hâriciye ile Fırka Kâtib-i Umûmisi Ali Fu-

(*) İhtimaller başlığıyla başlayıp Cevap-3'e kadar olan bölümün üzerini K. Karabekir Paşa çizmiştir. Bu bölümü de aynen yayınlıyoruz. (Derleyen)

ad Paşa meşgul. Arasıra teşkilat hakkında hey'et-i umûmiyeye malumat verirlerdi. Hiçbir zaman ikinci grup azasına ittihatçılar diyerek bir şey istemedim. Ferden ferd Fırka teşkilatına girenleri de bilmem. İkinci gruptan ve ittihatçılardan Fırkaya esas kuvvetin nasıl olacağını anlamadım. Ve bunlardan tanıdıklarım olduğu gibi şahsen tanımadıklarım ve hatta ilk meclis'de bizzat benim aleyhimde bulunanlar da vardı. Kezâ İttihadçılar zamanında haşin muâmelelere maruz kaldım. Binâenaleyh böyle ikinci grup ve İttihadçı gibi muayyen klişelerin esas kuvvet olacağını anlamıyorum. Fırka'da İzmit Mebusu Şükrü Bey mevki ve vaziyeti hakkındaki mutâlaam: Söz söylemez, bilhassa Maarif Nazırlığı yapmasına rağmen geçen sene bütçe tenkidinde maarifimiz hakkında esaslı bir fikir sahibi de görmediğimden vasat iktidarda bilirim. Esasen Fırka müzâkerelerine ve Meclis müzakerelerine de pek devam etmez. Bu noktada da arkadaşlar arasında büyük hürmetli mevkii yoktu.

(28.6.1926).

Kazım Karabekir Paşa Hazretlerinin zabt edilen ifâde-i evveliyesidir.

(28 Haziran 1928)

S. 1: *Terakkiperver Fırka'nın teşkil ve teşekkülündeki husus ve umûmî teşebbüsat ve malumât-ı alîlerinin izah buyurulmasını rica ederim.*

- Lozan Sulh Konferansı sıralarında Baş Murahhasımız İsmet Paşa Hazretleriyle Başvekil Rauf Beyefendi arasında vahim bir sûitefehhum başlamışdı. Bu esnada Şark cephesi kumandanı olarak Ankara'da mezun (izinli) bulunuyordum. Bu vaziyete vakıf olunca daha zafer-i kat'îmizin başlangıcında İsmet Paşa ve Rauf Bey gibi

İstiklâl mücahedelerimizin temel taşını teşkil eden iki recul-i devlet arasındaki sûitefehhümü (yanlış ve kötü anlaşılma) izâle için Rauf Bey ve avdetlerinde İsmet Paşa ve Gazi Paşa Hazretleri nezdlerinde mütemâdî uğraşdım. Müsbet bir neticeye mea'tteessüf muvaffak olamadım. İstiklâl mücahedelerimizin meydanlarında bugünkü ricâl-i devletimizin arasındaki daha vahim olan itimatsızlığı izâleye muvaffak olan ben bugün daha basit olan bu vaziyette müessir olamadığımdan çok me'yûsdum. Bu vaziyette ben merkezi Ankara'da olan Birinci ordu müfettişliğinde arkadaşla aynı muhitte çalışmakta büyük ümid ediyordum. Bu sûretle Birinci Ordu Müfettişliğine tayînim va'dini alarak veya etmek üzere şark'a hareket ettim. Cumhuriyetin ilanından avdetimde Trabzon'da haberdar oldum. Ancak bu hususta bana bir iş'âr olmamış Müdâfaa-i Milliye Vekâleti Trabzon Bahrî Kumandanlığına top atılması için emir vermiş. Erkân-i Harbiye-i Umûmiye Riyasetine bu vaziyeti [ne bana henüz Şark Cephesi Kumandanlığı sıfatıyla ve ne de sâir ruesây-ı askeriye ve mülkiyeye haber verilmemesini bazı sûitelakkîleri câlib gördüğümden] yazdım ve vaziyeti iki gün sonra öğrendim. Bu aralık Birinci Ordu Müfettişliği emrim de vurûd ettiğinden İstanbul'a hareket ettim. Hareketimden evvel gerek Reisicumhur Gazi Paşa Hazretleri-ne ve Gerekse ilk cumhuriyet Başvekili İsmet Paşa Hazretlerine samimi tebriklerimi de bildirmiştim. İstanbul'a muvâsaletimizde gazetelerimizde müdhiş münâkaşalar ve bu meyanda Rauf Beyle de Ankara arasında muhâzaraların tevâlisine şâhid oldum. Meat'teessüf pek zahir görülüyordu ki her büyük inkılablarda olduğu gibi elele bütün can ve başlarıyla çalışan ricâl arasına tufeylî bir takım türedilerin - artık büyük zaferle hedefe varılarak bir tehlike kalmadığını görür görmez- mevki-i iktidara yaranmak için tıpkı bir cismi birbirinden ayıran kama gibi mütemâdiyen icrây-ı fiil ediyorlar. Bu aralık benim şahsımdan da îmâ ve bahse cür'et edenleri görmekle pek müteessir oluyorum. En büyük teessürüm, İstanbul'a İhsan Bey riyasetinde gelen bir İstiklâl Mahkemesinden İstanbul'da bulunduğum halde haberdar edilmemişdim. Halbuki İstanbul benim Ordu Müfettişliğim dahilinde olduğundan bana behemehal haber verilmesi lazımdı. Çünki Ordu Müfettişliği aynı zamanda mıntıkalarındaki efkâr-ı umûmiye hakkında da malumâtdâr olmaları vazifeleri idi. Derhal Ankara'ya geldim ve Başvekil Paşa Hazretleri nezdinde bu hali şikâyetle beraber tekrar Rauf beyle samimiyetin idâmesine çok çalıştım. Fırsat buldukça bu hususu Gazi Paşa Hazretleri nezdinde dahi tekrara çalıştım. Tabii bu mesâim bazı tufeyli insanların büyük şahsiyetler arasına burûdet (soğukluk) ilkâsına vâsi yol bulamamaları için idi. Büyük inkılabları takîben ricâl-i devlet ve milletin ne diye birbirine düşerek memlekete bir çok fenâlıklar geldiğini tarîhen bildiğimiz gibi memleketimizin tarihinde dahi bu fenâlıkları görmüşdük.

Uğraştıklarımızdan bir netice çıkmadığını ve bilakis Rauf Beyin muhalif fırka teşkil etmesi için mütemâdî neşriyat ve teşebbüsat olduğunu görmekle müteellim oldum... O kadar ki şâyet Rauf Bey hükûmet teşkil ederse. İsmet Paşa muhalif fırka ve teşkil etmeğe kadar varacakdı. Gerçi bazı fikir ihtilafları varsa da daha ziyade -nasılsa Lozan Konferansında başlayan- sûitefehhum ve araya giren bazı fırsatperestlerin vaziyeti bu derekeye düşürdüklerini anladım. Rauf bey nezdinde dahi çok çalışdım. Cumhuriyet ilânının her arkadaşla istişâre edecek kadar zamana malik olamadan vaziyet alma sebebiyle olduğunu Gazi Paşa Hazretlerinden öğrendiğimi ve benim bile teahhurle haber aldığımdan şâyet bu hususta iğbirârları (gücenmeleri) varsa bunu artık beslememelerini ve İsmet Paşa nezdinde samimi son teşebbüsüm barıştırmaya çalışacağımı söyledim. Eğer kabahat benimse terdiye veririm (pişmanlık belirtir affımı dilerim), diye muvafakat ettiler. Fakat şâyân-ı teessürdür ki bu da olmadı. Halk Fırkası'nda muârazalar artıp bu arkadaşları biri birinden daha ziyade ayırdı ve İsmet Paşa Hazretleri alenen Rauf Bey'in muhalif fırka teşkil etmesini teklif ettiklerini gazetelerde yas ile okudum. Benim için artık yapılacak bir iş vardı ve bunu memleket için pek lâzım addediyordum: Bizim hem asker hem mebus olmaklığımız meselesi. Ben ilk Meşrûtiyetin ilanında dahi bu fikrimle mücadele etmiş ve hakikati vekâyi' göstermişdi. Yusuf'a da bu fikrimi ileri sürdüm ve bizim mebusluktan afvımızı resmen Meclis-i Millî Riyâsetine teklif ettim. O zaman Reis Fevzi Beyefendiden aldığım cevabın da Meclis-i Millîce mazhar-ı tasvîb olmadığını anladım. Ben bilâ istisnâ askerlerin siyasetle artık iştigal etmemelerinin zamanı geldiğine kânidim. Husûsiyle mebus bulunduğumuzdan gazetecilerle de müşkil vaziyete düşüyorduk. Fakat mümkün olmadı. Ben hem mebus hem asker sıfatıyla fakat vazîfe-i askeriye ile meşgul iken beni müteessir edecek vazife ve vaziyetler karşısında kalmaya başladım. Meselâ orduda ilim ve irfan komisyonu daha 329 senesinde riyâsetim altında teşkil olunmuş iken verdiğimiz lâyiha hiç dikkate alınmıyordu. Bunu mükerreren Erkân-ı Harbiye-i Umûmiye Riyasetine şikâyet ettim. Avrupa ordularında umûr-ı idâre askeriyede mühim şikâyet olduğundan hiç olmazsa tecrübe dîde (görmüş) kumandanların şûray-ı askerî halinde davetiyle gerek teşkilat ve gerekse şimendüferler ve sair müessesât hakkında tedkîkat ve mutâleât alınmasını teklif eyledim. Ordu Müfettişi ve Ankara'da bulunmaklığıma rağmen, hatta şimendüferlerin sevk'ulceyş (stratejik) istikametlerinden vekil rey'im sorulmasın diye haberdar dahi olamıyorum. Bu hususları Gazi Paşa Hazretlerine, yine Başvekil İsmet Paşa Hazretlerine fırsat fırsat şikâyet ettim. Bilhassa maarif hususunda askeri mekteblerin tarzı, küçük zabit mektebleri teşkilatı hakkında gerek şahsi ve gerekse tecrübe dîde azâdan mürekkeb orduda ilim ve irfan komisyonunun layıhasına rağmen tecrübesiz bir Maarif Vekilinin ceffe'l-kalem (uluorta) bir darbesi beni çok müteessir etti. Böyle bir fikir var idiyse hiç olmazsa re'yim dahi sorulmamasından mütellim oldum. Biz ordunun temelli zabitiyiz. Daha sivil mektebler askeri mektebleriniz hizasına çıkmadan ve Harb-i Umûmi ticareti üzerine her devlet askeri mektebleri çoğaltır ve tensîk eder ki bizim tecrübesizce bu işi yapmaklığımızın vehametini büyüklerimize anlattım. Bu hususta mesleğimden çekilerek Millet Meclisi kürsüsünden müdafaaya kadar da varacağımı Erkân-ı Harbiye-i Umûmiye Reisi Fevzi Paşa Hazretlerine de söyledim. Benim teşkilât-ı askeriye ve maarifimiz hususundaki fikirlerimi 345 senesi bütçe tenkîdinde mufassalen söyledim. Buradan görülecektir ki memleketimizin esas temeli olan bu iki istikametde ben hükümetimizin programını muvafık bulmuyorum. Ahîren askeri mektebler hakkındaki tashîhatlarda bu husustaki mutalaamızın hükumetçe de kabûlü görülmüşdür. Üzerimde İstanbul Mebusluğu sıfatı da vardı. Bir aralık her iki vazifeyi de omuzumdan atarak bir köşede oturmayı bile düşündüm. İstiklâl mücahedelerinin ilk günlerinde o büyük mütekâbil itimad ne hale girmişti. Şahsen fena vaziyete düşürülüyordum. Ordu Müfettişiyim, mâ-dûnlarıma (astlarıma) karşı küçük düşürülecek vaziyetlere sokuluyorum. Mektuplarım açılıyor, iki mektubum çalındı. Bunu Müdâfa-i Milliye Vekâletine protesto ettim.

Bana en elîm gelen bir darbe, bir gün Gazi Paşa Hazretleri muayyen saatte beni kabul edeceklerken bir saatden fazla bekletilmek oldu. Artık -bir takım ahlaksız tufeylîlerin- eski samimiyetden eser bırakmadığına tamamiyle kâni oldum. Gazetelerde, benim İstiklal Harbindeki hizmetlerim dahi yok edilecek suretde taarruz ediliyordu. Buna da ehemmiyet vermedim Fakat tayin harcırahlarımızın kat'ı (kesilmesi) ve arkasından Düstûrun bilmem kaçıncı maddesi mûcibince teftişe çıkmadan evvel Müdafaa-i Milliye Vekâleti ve Erkân-ı Habiye-i Umûmiye Riyasetinden izin almak emirleri büsbütün beni me'yûs etti. Şimdiye kadarki lâyıhalarım ve şifâhû ricaların üzerime tazyîki arttırıyordu. Rauf Bey ile İsmet Paşa'nın arası ve dolayısıyla bazı arkadaşların arası da aynı vaziyetde idi. Ben son bir vazife olmak üzere ne yapabileceğimi düşündüm. Meclis'teki vazifeme gitmek ve orada her iki taraf arkadaşlarımla -Adana ve Sivas Kongresini müteakib yaptığım gibi- samimiyet bağı olmak. Gazi Paşa Hazretlerine gitmekte hiç cesaretim yoktu. Bana karşı eski samimiyet ve itimadlarının katiyyen olmadığına kanidim. Haşin bir muâmeleye düçâr olmaktan, kalbimi rencide edecek sözlerden ictinab ettim. İstifamı Erkan-ı Harbiye-i Umumiye Reisi Fevzi Paşa Hazretlerine götürdüm. Üzerimde mebusluk vazifesi olduğundan meclise gelmekle beraber İsmet Paşa Hazretlerini de ziyaret ettim. Cumhuriyet Bayramı günü Meclis'deki makamlarında Gazi Paşa Hazretlerini de ziyaret ettim. Benimle ve vaziyetimle alakadar olmadıklarını ve ordu müfettişliğimden çekildiğimin hüsni telakki edildiğini anladım. Bana karşı vaziyetlerden lazımı kadar istiskal edilerek askeri vazifemden çekilmek neticesine itildiğimi haklı görmediğimi bir daha anladım.

Gazi Paşa Hazretlerinin arzularından hâric bir şey yazamayacaklarını tahmin ettiğim Hakimiyet-i Milliye ve Cumhuriyet Gazeteleri Rauf Bey ve bazı arkadaşlarınca behemehal muhalif fırka teşkil etmesi için ısrar ediyorlardı. Eğer Gazi Paşa Hazretleri eski samimiyeti tecdîd arzu buyursalardı Meclis'e gelmekliğimle beraber bütün cihana karşı samimi bir şekilde anlaşmak, birleşmek, veya herhangi fikri muhalefet dolayısıyla muayyen bir muhalif fırka teşkili tarih-i siyâsîmiz için büyük bir muvaffakiyet ve Gazi Paşa Hazretleri için daha büyük bir şeref olurdu. Ben millet babasıyım der ve o makamda cihana karşı vaz'-ı samimânesiyle hepimizi teshîr ederdi. Ben Meclise gelince Rauf Beyi görerek yanına oturuşum bana da dehşetli hucumlara sebeb oldu. ve henüz vekili gelmemişdir diyerek bir müddet Meclis müzâkerâtına iştirâkime resmen mâni olundu. Ve mütemâdiyen muhalif fırka teşkil olsun tekrarları görüldü. Ve hakikaten de Halk Fırkasından istifalar ve muhalif fırka teşekkülü başladı. Ben bu vaziyetlerde ne olup bittiğini bilmiyorum. Şark Cephesi'nden gelecek vekili intizâr ediyordum. Vekâleti devr edip Meclis'e geldiğim zaman Fırkanın teşekkülüne rağmen Halk Fırka'sından istifa etmedim. Fakat Hakimiyet-i Milliye ve Cumhuriyet imâlarla çıkmayanları zorla çıkaracaklarını yazıyorlardı. Bence artık yapılacak hiçbir şey yoktu. Halk Fırkasından istifa ettim. Terakkiperver Cumhuriyet Fırkası'na girdim ve intihâbda Fırka riyasetine tayin olundum. Bence meselenin mukabil samimiyetle halli imkânı vardı. Fakat Gazi Paşa Hazretleri Halk Fırkası'nın reisi benim diyerek ilanda bulunmasına mukabil hiç olmazsa Terakkiperver Fırka'nın teşekkülüne mani olunsaydı. Halbuki hükümet alelusûl cumhuriyet idarenin feyizli tecelliyâtıdır, diyerek tes'îd ettiler ve Fırka faaliyeti başladı. Hakimiyet-i Milliye ve

Cumhuriyet Gazetelerinin bilhassa aleyhimdeki neşrîyatından artık pek ayan olmuştu ki bana karşı - hayatlarımızı birlikte fedâ ettiğimiz- arkadaşlarımız ve bilhassa Gazi Paşa Hazretleri tamamiyle sûizan ve sû-i teveccühde bulunuyorlar. Cumhuriyet Gazetesi'nin "maskaralık" makalesi alenen benim padişahçı, halifeci, müteassıb olduğumu ve daha ordu müfettişliğim zamanındaki beyânâtımı tahlil ile aleyhimde neşriyat yapıyordu. Geçen sene İsmet Paşa Hazretlerine bu ahvali mektupla da şikayet ettim.

....

Bu kabil adamlarla şimdiye kadarki tezvîratla bu vaziyete geldik. Halâ bu tufeylî insanların üzerimize saldırması sizler için ne acı bir telakkîdir. Bunlara yüz vermeyiniz. Vaktiyle Dergah Gazetesinde müslümanları beş vakitte camiye sokan, tekkelere, dervişlere hürmet telkin eden mavi rengi takdis ile milli rengimizle bir tutan ve Sakarya'ya ricat zamanları istiklâl mücahidinini Rum garsonlarına, Bulgar komitecilerine benzeten bu yeni teceddüd birdir. İnsanların aradan çıkması ve bizzat görüşülerek samimiyetin iadesi için bu sene-i ictimâiyenin bidâyetinde Ali Fuad Paşa ile birlikte İsmet Paşa nezdine gittik. Dahili bir çok teceddüd hatvelerinin (adımlarının) atıldığı bir sırada haricîde meseleler var iken Mecliste Fırkamızın seddini (kapatılmasını) vesâir hususları münâzaa etmekliğimizin muvâfık olmayacağını ve vatani meselelerde bizim de ayrı gayrı tutulmamaklığımızı, kürsüden bu hususu sarîh ifademe rağmen -Şark hadisesi üzerine yaptığım beyânât- Cumhuriyet ve Hakimiyet-i Milliye Gazetelerinin Fırkamızı suikast ve taklîb-i hükûmet gibi melûnâne klişelerle iddia ve tekrar edip duruyorlar. Bunu sarih olarak tekzib ediniz.

Mülâkatımız bir daha oldu ve samimi idi. Biz bu vaziyette Gazi Paşa Hazretlerinin bizimle görüşmek arzusuna da intizârda iken ferdâsı günü yine gazetelerde muhalefet fırkası dehalet etti gibi hepimizi rencide eden beyânât karşısında kalmakla müteellim olduk.

Askerlikten istifamı mûcib olan hadiselerle Terakkiperver Fırka hakkında bildiklerim bunlardır. Zan ediyorum ki yavaş yavaş şahıslar ve fikirler arasında- meattessüf her inkılabı kemiren "inkılab kurdu", yani zan ve vehmin tufeyli insanlar tarafından mütemadiyen beslenmesi ve bu sûretle mevki-i iktidardaki arkadaşlarımızın kendi ruh ve canları mesâbesindeki insanlardan soğuması ve şüphelenmesi ve programa tealluk eden bazı fikir ve ictihad ayrılıkları Terakkiperver Fırka teşekkülüne sebeb olmuşdur kanaatindeyim efendim.

KAZIM KARABEKİR PAŞA'DAN EŞİNE "ENDİŞELENME ALNIMIZ AÇIKTIR..."

Kâzım Karabekir Paşa'nın tuttuğu notların sonunda eşi İclal'e yazdığı bir de mektup var... İzmir İstiklâl Mahkemesine gitmeden önce 22 Haziran 1926'da yazılmış olan bu mektupta Paşa eşi İclal'e şunları söylüyor:

— "Milletin vicdanını tatmin için İzmir'e gitmek elzemdir. Allah âdildir. Alnım açıktır. Bu millete 20 senelik hizmetimin yüzü kara bir takım insanlar tarafından lekelenmesine senin de vicdanın razı olmaz. Bu ızdıraplı saatlerimiz uzun sürmez. Yine kavuşur, seni şefkatle bağrıma basarım..."

Evet, Karabekir Paşanın İstiklâl Mahkemesindeki sorgulanmasında olayla uzaktan yakından ilgisi olmadığı anlaşılmış ve Paşa kısa sürede beraat etmişti.

Paşa'nın eşi İclal'e yazdığı dokunaklı ancak metanet ve cesaret dolu mektubu sunuyoruz sizlere:

Dâire-i Hukûmetten

22 Haziran 1926

Pek sevgili ve muhterem yavrum, nurum İclâlim,

İzmir'dekilerle huzûr-u milletde görüşmeyi ben de istiyorum. Bu artık farz olmuştur. Çok düşündüm, seni beraber götüreyim, nihayet muvâfık bulmadım. Sebebi şudur: Hazırlanamayacaksın. Sonra ihtimal evi aramak isterler eşyamız senin gözün önünde salahiyetdâr bir hey'et tarafından aranması şerefimiz ve namusumuz için lazımdır gözüm.

Ben düşünüyorum ki sen Ekrem'e kısa bir telgraf çek, gelsin. Eğer çabuk avdet edemezsem bir karar verirsiniz. Her halde taharriyâta müsaade ediniz. Çünkü ben bulunamayacağıma nazaran başka türlü muhafaza-i nâmusumuz mümkün olamaz. Yalnız şunu unutma ki bir zabıt varakası tutucaklar ve bir sûretini gelen heyet imzalayarak bir nushasını sana vereceklerdir. En basit teferruata kadar aln ak isterlerse zabıt varakasına derc olunmalıdır. Senin gelmekliğine karar verirseniz, kapıları iyice kilitlersiniz. Lazım olan para vesâireni alırsın. Reşid ve kalarak evimuhafaza ederler,maahâzâ ümid ederim ki senin gelmene de lüzûm kalmaz ve zâten acele de etme, inşaallah bir hafta içinde kavuşuruz yavrucuğum. İstersen evde kimse kalmadığı zamanda kapıları hükûmetin mesûliyetine de terk ederiz. Yani mühürler ve jandarma muhafız bırakırlar. Herhalde luzumsuz heyecanla hemen harekete karar verme, e mi gözüm.

Benim için ufak bir bavul ile bir yatak takımı gönder. (Örtüsüne sararak). Bavula şunları koy. Bir kat pijama, tıraş takımı (bir düzine yedek bıçağıyla), diş fırçalarım ve diş ilaçlarım (bir ufak şişe ile gargara boşalt oksijen şişesine koy), mendiller, kollu kolsuz iki takım çamaşır ve gömlek, ilaç şekeri bir paket sabun, havlu, 2 adet, beyaz ve duman renkli gözlüklerim, birşişe kolonya, yedek kol yaka ve ense düğmeleri, kırmızı tesbîh, terliklerim, çoraplarım ve daha aklına başkası gelirse...

Bana üçyüz lira kadar da bir para gönder. Yemek vesâire trende var. Birinci mevki'le gideceğim Yarın tren 9'u 40 geçedir. Yani yevmî trendir. Sükûnetini muhafaza etmek şartıyla istasyona gelirsen muvâfakat ederim. Fakat aynı zamanda bir asker haremi olduğuna rağmen sükûnet ve ıztırabını muhafaza edemeceğini düşünürsen gelme! dememe dilim varmıyor. Senden yegâne ricam kendini hırpalamamaklığındır. Mesele açıktır. Memleketine bu kadar hizmet etmiş Karabekir'e kimse bir leke süremez. Vicdan-ı milliyi tatmîn için İzmir'e gitmek dediğim gibi elzemdir. Allah âdildir. Alnım açıktık. Gazetelerin bu kadar efkâr-ı umûmiyeyi aleyhime çevirmesine karşı bundan başka yapacak bir şeyim yoktur. Yirmi senelik bu millete hizmetimin bir takım yüzü kara insanların tezvîratıyla lekelenmesine senin de vicdânın râzı olmaz. Bu ıztırablı saatlerimiz uzun sürmez. Yine kavuşur, seni şefkatli bağrıma basarım. Benden hiç merak etme. Her yerde hüsn-ü kabul ve hürmet görüyorum. Rahatım mükemmeldir. Yiyecek hakkında da hiç merak etme. Senin metânetin benim ruhuma akseder. Tekrar tekrar sana rica ediyorum, pek az zamanda mes'ûd ve alnı açık kavuşuruz İclâl'im. Seni milyonla öper ve bağrıma basarım. Kendim gibi seni de Allah'ın birliğine emânet eylerim ruhum.

(22 Haziran 1926)
6 ^{00}'dan sonra
Kâzım Karabekir

ALİYE HANIM, EŞİ CAVİT BEY'İN TUTUKLANIŞINI ANLATIYOR...

İzmir Suikastı iddiasıyla tutuklanan Maliye Nazırı Cavit Bey, eşinin anlattığına göre, suikast girişimini duyunca yerinden fırlıyor ve "Hay Allah belalarını versin!.. Bu memleket ne olacak? Günah değil mi." diye tepkisini dile getiriyor.

Yani suikast girişimine çok üzülüyor...

Kendisi de suikast girişimiyle ilgili bulunup tutuklanmak üzere evine sivil polisler geldiğinde kaçma imkanına sahipken kaçmıyor. Eşine, "Böyle zamanda olur böyle şeyler... Hoş görmek gerekir..." diyor.

Yani Cavit Bey, suçsuz bulunacağından o kadar emin ki bir süre gözaltında tutulup sorgulandıktan sonra serbest bırakılacağını sanıyor.

Sanıyor ama, İstiklâl Mahkemesinin elinden o kadar kolay kurtulamayacağını hesaba katmıyor.

Aliye Hanım'ın anlattıklarında dikkati çeken önemli bir nokta da İsmet Paşa ile Cavit Bey'in arasının çok iyi olması... Lozan müzakerelerinde İsmet Paşa Cavit Bey'in koynuna sarılıyor ve "bana yaptığın yardımı hiç unutmam Cavit Bey!..." diyor.

Bunu söyleyen İsmet Paşa ne yazık ki İstiklâl Mahkemesinin ipe gönderdiği Cavit Bey hakkında hiçbirşey yapmıyor.

En ufak bir girişim de dahi bulunmuyor...

Lozan'da Cavit Bey'in yaptığı yardımı çok kolay unutuyor İsmet Paşa!...

Neyse...

Cavit Bey'in eşi Aliye Hanım bakın o günleri nasıl anlatıyor:

O yaz da Büyükada'da idik. 20 Haziran 1926 Pazar günü Cavit evde, epey zamandan beri yazmakta olduğu bir (malî lügat) in müsveddeleri ile meşguldü. Ben de kulübe gitmiştim. Orada Atatürk'e İzmir'de bir suikast yapılmak istendiği haberini duyunca, teessür içinde hemen eve döndüm. Cavit yazı masası başında, işine dalmıştı.

— Bak, dedim, ne yapmışlar... Suikast teşebbüsünde bulunmuşlar...

— Kime? diye yerinden fırladı. "Mustafa Kemal Paşa'ya" deyişim üzerine, hiç unutmam feveran etti:

— Hay Allah belâlarını versin... Bu memleket ne olacak? Günâh değil mi?.. Ne biçim şeydir bu?.. diye bir çok şeyler söyledi. Son derece üzgündü. Öğleden sonra Bekir Sami Bey geldi ve o gece bizde kaldı. Oturduk... Tabiî hep bu hâdise konuşuldu. Bu çılgınca teşebbüs hepimizi sarsmıştı. Teşebbüsün, o kadarla kalıp, tahakkuk etmemiş olması en büyük tesellimizdi amma, Cavit: "Hayır, teşebbüs, hatta tasavvur dahi olunmamalı idi... Hay Allah belâlarını versin..." diyor, böyle bir şeyi düşünmüş olanları bir türlü af etmiyordu.

Ertisi gün Cavit, -Dâinler vekili olduğundan (Düyûnu Umumiye) ye gidiyordu. Bekir Sami Beyle birlikte İstanbul'a indiler. Bu esnada meğer evimizin etrafı sivil polislerle sarılmış. Ben evdeyim, fakat bu olup bitenlerden haberim yok. Bir telefon geldi: "Cavit'le Bekir Sami Beyi vapurdan çıkarken Köprüde tevkif etmişler..."

Ne münâsebet? Ne oluyor? demeğe kalmadı, bıraktıkı haberi geldi. Akşam üstü iskeleye gittim. Cavit'i karşıladım. "Böyle zamanlarda olur böyle şeyler... hoş görmeli..." diyordu. Kurban Bayramının arife günü idi. Zaten karaciğerinden rahatsızdı, yattı. Ertesi günü, bayram, evdeyiz... mutât ziyaretçileri akşam sekizde, kapıya geldiler. Cavit'i istediler. Ama yukarı çıkmadılar. Yukarıda tanıdıklar vardı. Kaçmasını tavsiye ettiler." Arka kapıdan kaçabilirsin. Sandal da var... Bir müddet gözden uzak bulunman fena olmaz..." diyenlere, sesi hâlâ kulaklarımdadır.

"Yok canım, neden kaçayım? Eşkiya içinde kalmadık ya... memlekette kanun var... Mahkeme var... Haksız olan, kabahati olan kaçar..." diye cevap vererek yataktan kalktı, giyindi, hasta hasta gitti... kaçmadı.

Daha evvelde böyle bir şey olmuştu. Ankara'da Mustafa Kemâl Paşa'ya suikast teşebbüsü hazırlanmış diye bir söylenti çıktığı zaman da ahbapları Cavit'e:

"Görüyorsun vaziyet karışıktır. Böyle zamanda, insan kim vurduya gidebilir. Biraz uzaklaşsan... Bir müddet Avrupa'da kalsın iyi olur." diye, kaçmasını teklif etmişlerdi. Cavit o zaman da: "Ne münasebet? Niçin kaçayım. Bir şeye karıştığım yok ki... Bilmiyorlar mı" diye, bu çeşit teklifleri, tereddüt etmeden reddetmişti. Esasen böyle şeylerin, suikast filân gibi hareketlerin aleyhtarı idi.

— Ben sade kararı duymuştum. O esnada Adada İstanbul Valisi Sami Beyle, Kâzım Şinasi ve Kâni Beyler aralarında, benim ağzımdan Başvekil İsmet Paşaya, Cavit'in af edilmesi için bir telgraf çekmeğe karar vermişler. Ankara'ya çektikleri bu telgrafı, çok itimat ettiğim bir zat, götürmüş İsmet Paşa'ya vermiş ve cevap beklemiş. İsmet Paşa: —"Ne bekliyorsunuz? Bunun cevabı olur mu?" diye telgrafı yırtıp, sepete atmış...

Olan oldu, cevap kendiliğinden verildi. Bir müddet sonra, istediğim üzerine, şahsî eşyasını esvaplarını, yüzüğünü, saatını filan verdiler. Fakat tekrar Ankara'ya gittim. mahkeme reisi Ali Bey'e müracaat ettim: "Bana yerini gösterin, dedim, hiç olmazsa bir ziyaret edeyim. Katil, şerir olarak idam edilmiş de olsa yerini göstersinler..." diye ne kadar ısrar ettimse de göstermediler.

Maddî ve manevî, her baskıdan perişan olmuştuk. Kelimenin tam mânâsiyle mahvolduk. Hüseyin Cahit Bey, Maliye Vekili Fuat Ağralı'ya müracaat etmiş: "Hiç olmazsa çocuğuna, eşine bir şey verin." diye. Cevap gene menfi: "Mahkûm olanların kimsesine bir şey verilemez."

Gözem apartımanında, arka arkaya üç mezat yaptım. Yüzüğüm, elmasımdan başlayarak, nem var, hem yok, hepsini sattım. Kira parasından olsun kurtulmak için Hüseyin Cahid'in evine geçtim. Fakat o sırada o da sıkıntı içinde... Doğru dürüst karnımızı bile doyuramıyoruz...

Varımı yoğumu sattığımı söylerken, bütün mücevherlerle kıymetli eşyanın bana, ilk zevcem, Sultan Abdülhamid'in büyük oğlu Burhaneddin Efendiden kalmış olduğunu anlatmamıştım. Onlar, hep saraydan kalan şeylerdi:..

Cavit Bey'in son hizmeti, Lozan Konferansındadır.

İnkitadan evvel, İsmet Paşa, Cavit'i Lozan'a çağırdı. Ben de o vakit Lozan'da idim ve aynı otelde Lozan Palas'ta kalıyorduk. İsmet Paşa her gün Carit'le temasta idi. Hergün öğleden sonra iki buçukta otelde bizim odaya gelirdi, sigara içmez, kahvesini ben yapardım. Sonra beraber kolkola aşağı inerdik. O zaman çok müvesvis olduğunu görmüştüm. Meselâ gelir: —"Cavit Bey, dün konferansta Boğazlar işi görüşülürken, hep hayır hayır, hayır dedikleri halde, bu gün evet dediler, neden acaba?.."

Cavit: "Paşam, bu ufak bir şey... Bunda evet diyecekler ki, sonra büyük meselelerde hayır diyebilsinler..." cevabını verince, Paşa şaşırdı.

Şimdi teferruatı hatırımda değil... Fakat, İsmet Paşa'nın Cavit'e büyük bir itimadı olduğunu biliyorum. Nitekim, Lozan'da, inkitadan (müzakerelerin kesilişi) sonra, Cavit'le beraber Davos'a gidecektik. Ben biraz rahatsızdım. Veda için İsmet Paşa'nın odasına gittik. İsmet Paşa, benim gözümün önünde boynuna sarıldı: "Bana yaptığın yardımı hiç unutmam Cavit Bey!.." diye gözlerinden öperek, teşekkürler etti, işte aramız bu kadar iyi idi.

SAVCININ CAVİT BEY HAKKINDAKİ İDDİANAMESİ

Savcı, Maliye nazırı Cavit Bey'i suikastla ilgili toplantılara ev sahipliği yapmakla suçluyordu. Cavit Bey, toplantılara ev sahipliği yapıyorsa, savcıya göre doğrudan konuyla ilgiliydi. Cavi Bey daha sonraki savunmasında iddianamedki suçlamaları yalanlayacaktı.Ama bu kendisini iddianamenin şerrinden kurtarmaya yetmeyecekti.

Savcı, Cavit Bey hakkında şu iddialarda bulunacaktı:

"... Bundan sonra, Cumhurreisi Hazretlerinin İzmit'i ziyaretleri esnasında, Kara Kemal'in kendisi ile temasa geldiği ve seçimlere dair müzakere açmak istediği zaman, Gazi Paşa, Kara Kemal'e "bir zümre namına konuşmak istiyorsa müzakere edemiyeceğini, yok, bir vatan ferdi sıfatiyle konuşuyorsa fikir teatisinde bulunabileceğini" söylemesi üzerine Kara Kemal bir fert sıfatiyle konuştuğunu beyan etmiş. Gazi Paşa Hazretleri de bu suretle onu dinlemiş olduğu ve Kara Kemal'in İstanbul'a döndüğü zaman Maliye Nazırı Cavit Beyin evinde ve Cavit Bey'in başkanlığında Kara Kemal, İsmail Canbolat, Şükrü, sâbık İzmir Valisi Rahmi, Doktor Hüseyinzâde Ali, Doktor Nâzım, Ahmet Nesîmî, eski mes'ul kâtiplerden Vehbî, Ethem, Nail böyleyken vesaireden mürekkep olan toplantılar yapıldığı ve bu toplantıların da dört beş defa tekrarlandığını ve nihayet İzmir'de aranan Doktor Nazım'ın evinde bulunan programın da bu toplantılar esnasında tesbit edildiği de Cavit Bey'in itiraflarından anlaşılmaktadır.

Bu toplantılarda yalnız seçim meselesi konuşulduğu, başka hususlara dair birşey müzakere edilmediği ve nihayet zümre itibariyle seçimlre katılmanın kendi ifadeleri veçhile (memlektin kurtarıcısınakarşı kadirbilmezlik olacağı) ve ancak seçim kuvvetleri olup da siyasî hayata atılmak istenen bulunduğu takdirde Müdafaa-i Hukukçular arasında ferden namzetliklerinin konması münasip olacağı hususlarının konuşulduğunu toplantıda hazır bulunmuş olan sanıklar beyan etmişlerse de, mahiyeti itibariyle bu kadar basit bir meselenin gece toplantıları da dahil olmak üzere dört içtimaa hâcet göstermiyeceği enbasit bir muhakeme ile anlaşılmakla beraber, Cavit Bey'in, bu program maddelerinin birer birer müzakere ve hemen oy birliğiyle kabul edildiğine dair ifadesi, bu toplantıda yalnız seçim meselesi görüşülmeyip, sair hususların da konuşulduğu açıkça taayyün etmektedir. Bir sûreti elde edilen programın, ihtiva ettiği maddelerin kanunî mahiyetleri itibariyle bahsedilen fikir serbestîsi ve vicdan hürriyeti nokta-i nazarından kanunî bir cürüm teşkil etmeyeceği bedî ise de programda tesbit edilen esasların fikir hâlinden hakikate inkılap ettirebilmek için gizli faaliyetlere başlanması, Hüseyin Cahit Bey'in gazetesiyle ve Doktor Nazım Bey'in halk arasındaki kendi düşünceleri mahsulü imiş gibi muayyen bir sistem içinde propaganda yapmaları ve nihayet daha amelî ve kat'î yoldan yürümek isteyen Kara Kemal Bey'in suikastler tertibi ile gayeye ulaşmak istemesi kanun nazarında elbette bir cürümdür.

Filhakika bu toplantıları müteâkip, Kara Kemal Bey'in esaslı bir faaliyet hayatına geçmesinin Şükrü, Cavit ve Cahit Beylerin teşvik ve iğvası ile vâkıf olduğu, İzmir'deki muhakeme ile de anlaşıldığı veçhile bütün faaliyet mekanizmasının esas başlarından biri bulunan Kara Kemal Bey'in, Ziya Hurşit ve Hafız Mehmet Beylerle gayet gizli meseleler üzerinde müzakerelerde bulunduklarının anlaşılması ve bu müzakerelerin doğrudan doğruya suikast meselesi olduğu muhakkak ve bedihîdir. Bu sebeple Talât Paşa'nın istifası ve İttihat ve Terakki Fırkasının dağılması ile başlayan günlerden itibaren bir müddet başka nam altında çalıştıktan sonra tekrar iktidar mevkiine gelmek için tesbit edilen fikir, yukarıda tasilâtiyle arzedilen bir takım safha ve devirler geçirdikten sonra, nihayet suikastı irtikâp etmek ve îtiyat etmiş oldukları tarzda bir Bab-ı Âlî vak'ası husûle getirmek sûretiyle iktidar mevkiine gelmek noktasında karar kılmış olduğu anlaşılmaktadır.

Kara Kemal Bey'in tamamen gizli faaliyete geçmezden evvel, Terakki Perver Fırkasının teşkilinde mühim âmil olduğu ve Terakkî Perver Fırka kurulmazdan evvel Rauf Beyin delâletiyle Çolak Selâhattin Bey ve Kara Vâsıf Bey gibi zatlarla temasa gelerek, faaliyet temin etmiş olduğu ve program müzakere ve münakaşasında Kara Kemal Bey'le hayli fikir teatîsinde bulundukları ve fırkanın kuruluşunda kezâ Kara Kemal Bey'in en kuvvetli âmil olduğu halde fırkaya girdiği takdirde içyüzünü izhara ve Terakkî Perver Fırkanın, feshedilen İttihat ve Terakkî'nin istihâle etmiş şekli olduğu anlaşılacağı ve bu hususta şahsiyetinin sarsılacağını düşünmekle, resmen fırkaya girmiyerek, perde altında çalışmayı münasip gördüğünü fakat Terakkî Perver Fırkanın programında bulunanlardan, gayr-ı meşru faaliyetlerde bulunduğu muhakeme ile sabit olmuş olduğundan fırkanın mahkeme karariyle kapanması üzerine, bu gizli fesat hey'etinin faaliyetine daha ziyâde hız vermiş olduğu anlaşılıyor..."

CAVİT BEY SORGUYA ÇEKİLİYOR...

İstiklâl Mahkemesi önüne çıkartılan Maliye Nazırı Cavit Bey, birbirinden ilgisiz bir yığın soruyla karşılaştı, konuyla alakası bulunmayan sorulara cevap vermek zorunda kaldı... Mahkeme zabıtlarına bakıldığında Cavit Bey, mahkeme heyetince genelde evinde yapılan toplantılarda hazırlanan "program" konusunda sorumlu tutuluyordu... Mahkeme heyeti bu programın İttihat ve Terakki namına hazırlandığını iddia ediyor, Cavit Bey ise programın sadece milletvekili olacak arkadaşlarının takip ve müdafaa edecekleri fikirleri ihtiva ettiğini ısrarla söylüyordu...

İstiklâl Mahkemesi heyeti, Cavit Bey'e şu soruyu sorarak, uzun sürecek bir sorgulamaya devam etti:

— Mütareke esnasında İzzet Paşa Kabinesinde de Maliye Nâzırı olarak bulunduğunuz. Sonra Ferit Paşa Kabinesi kuruldu. Siz de, ortada kaldınız. Bunlar malûm. Ondan sonraki hayatınızdan başlayalım. Anlatınız bakalım?

— Evvelâ; İzzet Paşa Kabinesinden sonra, Ferit Paşa gelmedi! Tevfik Paşa Kabinesi kuruldu. Bunu müteâkip de tevkifler başladı. Fakat Tevfik Paşa bu şekilde geniş ölçüde tevkifler yapılmasına razı olmadı. Yalnız mimlenmiş bazı Merkezi Umumû âzâlarını tevkif ettirdi. Ben de bu sırada İstanbul'da kaldım. Damat Ferit Paşa Mart'ın beşinde kabinesini teşkil ettikten dört gün sonra yeniden tevkiflere başlandı. Ve harp esnasında nâzırlık yapanların hepsinin yakalanacakları şayi oldu. Bunun üzerine ben de saklandım ve 175 gün kimseye görünmedim; saklı kaldım. Sonra memleketen uzaklaştım.

— Nereye gittiniz?

— İsviçre'ye. Ve hep orada kaldım...

— Cavit Bey... Memlekette Millî Mücadele başlamış ve herkes vatanî vazifesini ifa ile mükellef bulunurken siz nasıl olur da firar eder gidersiniz?

— Efendim. Arzettiğim gibi. İstanbul'da kapalı, saklı bir vaziyette idim. Kimse ile irtibatım, temasım yoktu.

— Gazeteler Millî Mücadelenin başladığını haber vermiyorlar mı idi? Her tabakadan insanlar vazifelerini yapmak için Anadolu'ya geçmiyorlar mı idi? Siz de herkes gibi geçemez mi idiniz?

— Reis Bey... Mücadele henüz başlamıştı. O tarihlerde İstanbul'da Damat Ferit Paşa Hükûmetinin terörü, müthiş tazyiki vardı. Anadolu'ya gidebilen henüz yoktu. Yollar kapalı, herkes sinmiş, kimsenin kimseye hayrı yoktu. Bâhusus kapalı kalmış olduğumdan, bir şey yapabilecek vaziyette değildim. Nasıl kaçabilirdim.

— Fransızlar filân söylemişlerdir. Hem siz bir ecnebînin evinde saklı idiniz.

— Hayır Reis Bey, ben Hürriyet ve İtilâf Fırkası Reisi Nuri Paşa'nın evinde saklı idim.

— Amma, Millî Mücadeleyi bildiğiniz halde Avrupa'ya gittiniz?

— Damat Ferit'in eline düşmemek için başka çare yoktu.

— Tabiî Fransızlar, sizin Cavid Bey olduğunuzu biliyorlardı.

— Hayır... Bilmiyorlardı.

Reis, sinirli bir tavırla,soruya devam etti:

— O halde Avrupa'daki hayatınızı anlattınız bakalım?

— 1919 Eylül'ünde İsviçre'ye gittim. Bütün kış Lozan'da kaldım. Cemal Paşa'nın bir dağ köyünde oturduğunu haber aldım, fakat kendisini görmedim.

— İstanbul'daki arkadaşlarınızla muhabere ettiniz mi?

— Hayır... Kimse ile muhabere etmedim.

— Nasıl olur?

— Lüzum yoktu... Herkes kendi derdine düşmüştü. Muhabere edip de ne olacaktı? Yalnız Talât Paşa benim İsviçre'de bulunduğumu gazetelerden öğrenince, muhabere etmeğe başladı ve bir müddet sonra İsviçre'ye geldi.

— 1921 de nerede idiniz?

— Yine İsviçre'de... Bu seneyi orada geçirdim. Bir defa Şerif Paşa'yı gördüm. Bir de Malta'dan kurtulanları... İsmail Canbolat Bey de gelmişti.

— Ya Hüseyin Cahit Bey?

— Tabiî onu da gördüm.İsviçre'ye gelirken, hududa gittim, karşıladım Bern'de birlikte bir buçuk ay oturduk. Kışı Fransa'nın cenubunda maa aile geçirdik. O sırada Canbolat da ailesi ile birlikte geldi. Bir hafta misafir kaldı. Sonra Cemal Paşa da geldi. O da bir hafta kaldı.

— Talât Paşa?

— Onunla Berlin'de buluştuk. Sonra da İsviçre'de...

— Sizin ve Cahit Bey'in İngiliz'lerle temasınız var mı?

— Hayır.. Bekir Sami Bey'le birlikte Londra'ya gidinceye kadar hiç bir İngilizle temas etmedim. Londra'daki temaslarımız da bildiğiniz gibi resmî mahiyette idi. Yalnız Londra'ya gitmezden evvel, Talât Paşa'nın, galiba Amsterdam'da veya Lâhey'de bir İngilizle görüşmüş olduğunu işittim.

— Demek İstanbul'dan çekildikten sonra siyasî faaliyette bulunmadınız?

— Evet... Hiç bulunmadım!

— Pek iyi İttihatçı arkadaşlarınızın bir büro teşkil ettiklerini, kongreler yaptıklarını bilmiyor mu idiniz? Bilmez olur musunuz?

— Kat'iyyen böyle şeylerden haberim yok...

— Nasıl olur? Bütün arkadaşlarınız bunu anlattılar. Sizin bulunduğunuzu da söylediler?

— İmkânı yoktur... Böyle bir şey vuku bulmamıştır.

— Enver Paşa'nın Anadolu'ya geçmek istediğini de duymadınız mı?

— Evet böyle bir şey işittim ve derhâl Talât Paşa'ya bir mektup yazarak, Enver Paşa'yı memlekette, bir ikilik, bir nifâk ve şikâk çıkarabilecek böyle bir hareketten vazgeçirmesini, bunun kat'iyyen doğru olmadığını bildirdim.

— Vatana ne zaman avdet ettiniz?

— 1921 Temmuz'unun ikinci günü...

— Ne ile meşgul oldunuz?

— Düyun-u Umumiye ile... Daha doğrusu okuyup yazmakla...

— Eski ittihat ve Terakkî arkadaşlarınızla temas etmediniz mi?

— Cahit ve Kara Kemal Beyler vardı. Cahit Beyle daima temas ederdim. İsmail Canbolat Bey'i de görürdüm. Bunlar eski samimi arkadaşlarımdı.

— İkinci intihap devresinin başlayacağı sırada, Belediye ve umumî Meclis âzâlıkları seçimi yapılıyordu. İttihat ve Terakkî arkadaşları dediğiniz bu efendilerin, bugünlerdeki faaliyetlerinden ne biliyorsunuz? Yani o sene, İstanbul'daki evinizde yapılan toplantıları soruyorum, anlatınız?

— Birinci Lozan Konferansından sonra idi. Kar Kemal Bey İzmit'e gitmiş, Mustafa Kemal Paşa ile görüşmüş, biz de konferanstan avdet etmiştik. Kara Kemal Bey, İzmit'te Mustafa Kemal Paşa ile neler görüştüğünü bana anlattı. Paşa Hazretleri, İttihat ve Terakkî arkadaşlarının ne yapacaklarını sormuş o da bu hususta birşey söyleyemeyeceğini ancak kendi şahsı hakkında hareket edebileceğini, arkadaşları hakkında bir şey söyleyebilmek için, onlarla görüşmesi lazım geldiğini ve ancak o zaman bir cevap verebileceğini, söylemiş. Yani, ben arkadaşlar namına, söz söylemeye selâhiyetli değilim, onlarla görüşeyim sonra size haber veririm demiş...

— Sonra?

— Bunun üzerine, sırf Gazi Paşa'nın arzusunu yerine getirerek bekledikleri cevabı verebilmek için fikirlerini almak üzere Kara Kemal Bey, eski arkadaşlarını dâvet etti. Bu arada, Doktor Nâzım ve Rahmi Beyler de İzmir'den davet edildiler.

— Nerede toplanıldı?

— Bizim evde!..

- Tespit edelim, nasıl toplandınız, kimler vardı? Kaç iştima yaptınız, neler konuştunuz? Bir bir anlatınız?

— İki defa, yani iki gün toplanıldı. Birinci günü öğleden evvel ve sonra, beşe kadar, yani altı saat kadar sürdü toplantı... Fakat şimdi, bu toplantılarda kimler vardı, isim isim hatırlayamıyorum. Meselâ Hüseyinzâde Ali Bey, Nail Bey vardı.

— Hamal Ferit Bey var mı idi?

— Hayır.. yoktu.

— Hamdi Baba?

— Vardı... Bir göründü, sonra gitti. Pek oturmadı.

— Diğer hatırlayabildikleriniz?

- Hüseyin Cahit Bey... Doktor Nâzım...

— Rahmi Bey? Canbolat, Hâfız Mehmet, Azmi Beyler?

— Hayır, kat'iyen, yoklardı...

— Her ne ise, toplandınız. Daha bir çokları da vardı. Elbette hatırlayacaksınız... Şimdi, neler görüştünüz. Bu kadar uzun süren bu toplantılar elbette boş geçmedi... Söyleyiniz konuştuklarınızı?

— Arz ettiğim gibi. Kemal Bey İzmit'e gitmiş, Gazi Paşa Hazretleriyle görüşmüştü. Evvelâ bu mesele konuşuldu. Bu arad[illegible]ihabata iştirâk edilip edilmemesi işi bahis konusu oldu. Gazi Paşa'nın suali etrafında konuşuldu. Neticede bir İttihatçı zümresi halinde Gazi Paşa'ya maruzatta bulunulmasının doğru olmayacağı düşünüldü. Millî Mücadelenin başında bulunan büyük şahsiyetin arzularına muvafakat ve hizmetinde bulunmak kararı verildi. Yine Kemal Bey, bunu Gazi Paşaya arzedecekti. Bunlardan arzu ettikleriniz emrinizdedir diyecekti.

— Başka ne görüştünüz?

— Program işini...

— Reis dokuz maddelik programı uzattı, Cavit Bey'e vererek:

— Zaten biliyorsunuz, okudunuz değilmi?

— Evet bunu görüştük!

— Fakat niçin bunu ilk ifadenizde ve İzmir'de tamamen inkâr ettiniz?

— İnkâr değil hatırlayamadım. Aradan zaman geçmiş.

— Hayır... elimize geçmiyeceğini zannettiğiniz için söylemek istemediniz değil mi?

— Kat'iyen efendim. Ancak zühul!.. Sizi temin ederim ki hâtırlamadım... Zaten büyük bir ehemmiyeti yoktu. Not şeklinde yapılmıştı.

— Birinci maddeyi kim tesbit etti?

— Müzakere ile oldu. Kimin yazdığını hatırlamıyorum.

Reis birinci maddeyi okudu:

— "İttihat ve Terakkî bütün hürriyetlere taraftar radikal bir siyasî fırkadır. Hukuk-u Esasîyeyi efrâda taaddî eden kanunların, hükümleri bu gayeye göre tâdil ve ıslâh olunacaktır." ve sordu:

— Bu madde ekseriyetle mi kabul edildi?

— Tabiî öyle olması lâzımdır.

— Teşkilât-ı Esasiye kanunundan haberiniz yok mu idi? O kanun varken bu nedir? İttihat ve Terakkî'nin radikal bir fırka olması esasını kabul etmişsiniz. Halbuki eskiden radikal değildi. Bu değişikliğe neden lüzum gördünüz?

— Zaman değişmişti... Hatâlar anlaşılmış, daha iyi ve memleket ihtiyacına uygun esaslar üzerine program tanzimi düşünülmüştü.

— Ya bu madde?: "Hakimiyet ve saltanat münhasıran milletindir." Bu formülü kim yaptı?

— Hepimiz...

— "Münhasıran" dan maksadınız?

— Hiç bir maksadımız yoktu. Daha ziyade mutlâkiyet vermek istiyorduk.

— Yok... Hükümdarlık ve Riyaset-i Cumhuru milletin manevî şahsına vermek istiyordunuz...

— Hayır, milletinkini millete, hükümdarlığınkini hükümdara vermekti...

— "Tavazün-ü Kuvâ" dan maksadınız ne idi?

— Bir Devlet Reisi, bir Âyan ve Mebusan Meclisleri teşkili... Mebusların da plebisit ile seçilmesi vesaire... Malûm şeyler.

— Bu maddede "Seçimden sonra bir Meclis-i Müessisan toplayıp Kanun-ı Esasî yapılmalıdır.." diyorsunuz: izah ediniz...

— Elbette... Yeni bir bina kuruluyordu. Âyan ve Mebusandan mürekkep bir Meclis de yeni binanın temelini atacak, şeklini tesbit edecekti.

— Demek o zaman mer'iyette olan Teşkilât-ı Esasiye Kanununu kabul etmiyordunuz?

— Hayır efendim... Yalnız tâdil esnasında dikkat nazarına alınacak noktaları tâyin içindi.

— Beşinci maddede, "Hükûmet merkezi İstanbul'da olmalıdır" diyorsunuz, bunun sebebi nedir?

— Bir çok kimseler o fikirde idi. Ben de öyle düşünüyordum.Çünkü İstanbul ötedenberi hükûmet merkezidir. Bütün münevverler orada toplanmıştır. Her bakımdan daha elverişliydi, daha iyi memurlar bulunabilirdi. Devlet mekanizması da iyi işlerdi.

— Ya emniyet bakımından?... İstanbul'un coğrafi durumunu hiç düşündünüz mü? Deniz kenarı, apaçık, her taarruza müsait bir şehirdir... Bu zamanda merkez olur mu? Belki de bir tehlike ânında kolaylıkla kaçmayı düşünüyordunuz... Hem bakın, henüz sulh olmamış, müzakereler devam ediyor. İlerisi meçhûl... Böyle bir zamanda, siz hükûmet merkezi neresi olsun?! diye vakit geçiriyorsunuz.

— Bunlar şumulî hatâlardır. Sulh oluyordu. Sulhtan sonrasını düşünmek faydasız sayılmazdı. Nihayet, memleket davası... Düşünmekte ne mahzur olabilir?

Reis, dokuzuncu maddeyi okudu:

— "Bu teşriî devrede İttihat ve Terakkî Fırkası bir taraftan memlekette muntazam bir idare teşkiline gayret sarfedeceği gibi, kurtulan vilayetlerin imârı ile yersiz yurtsuz kalmış ahalînin iskânını ilk vazifeler bilecek ve bu uğurda hiç bir fedakârlıktan geri kalmayacaktır..." diyorsunuz. Demek ki, tasavvur edilmiş şeyler var, yalnız tatbiki kalmış, o da iktidara geçince olacak... Bu madde, hakikaten çok dikkate şâyandır.

— O toplantıda bulunanlardan kim mebus olursa, bunu o tatbik ettirmeğe çalışacaktı.

— Fakat İsmail Canbolat, sorulan bazı suallere cevaben: "Hükûmet merkezi İstanbul olacaktı." demişti. Bu hususta Hüseyin Cahit'in makâleleri var. Eğer dediğiniz gibi olsaydı, yani bunu, Meclise gidecek olanlar müdafaa edecek olsaydılar böyle sistemli çalışılamazdı.

— Tekrar ediyorum, ancak mebus olanlar Mecliste savunacaklardı...

— Siz evinizde toplantılar yaparak komite halinde çalıştınız...

— Bir defa onları toplayan ben değilim. Kara Kemal çağırmış. Ben de kapımı yüzlerine kapayamazdım ki. Evimi onlara iâre ettim, toplandık. Kara Kemal'in sözleri etrafında konuştuk. Malûm esasları tesbit ettik. Toplantının hakiki safhası budur.

— Pek iyi amma, kongre toplamak selâhiyetini size kim verdi? Baksanıza Cahit Bey de makalesinde ne diyor?

— İttihat ve Terakkî namına söz söylemeye kimsenin selâhiyeti yoktur, Reis Beyefendi!..

— Cahit Bey söylüyor, demek ki, kendisinde o selâhiyeti bulunuyor, fırka vardır, lideri yoktur, diyor.

— Hayır Reis Beyefendi. Liderle beraber fırka da kaybolmuştur. İkisi de yoktur artık.

— Cavit Bey!.. Siz bu programı İttihat ve Terakkî namına yapmadığınız mı? Demek, Teceddüt Fırkasını kabul etmiyorsunuz. Tezatlar içindesiniz!

— Bir nokta var... Evet İttihat ve Terakkî, Teceddüd'e kalboldu, ancak bunu kabul etmiyenler çoktu. Ben esasen buna girmemiştim.

— Fakat buna rağmen arkadaşlarınız hâlâ ne diyeceksin? Son sözünüzü bekliyorum!

— Aman efendim, nasıl inkâr edebilirler, hepsi birlikte bulunurken yapılmıştı bu...

— Tuhaf değilmi, aynı toplantıda bulunan Doktor Rüsuhi Bey bilmiyor, Vehbi Bey bilmiyor, Hüseyinzâde Ali Beyle, Hamdi Baba da; "İttihat ve Terakkî'nin varlığı veya yokluğu münakaşa edilmişti, programı falan değil", diyorlar. Halbuki bu netice İttihat ve Terakkî'nin varlığını kabul ettiklerini gösteriyor. Mantıkî netice budur, değil mi?

- Efendim, arzetmiştim. Bu program, mebus olacak arkadaşların takip ve müdafaa edecekleri fikirleri ihtivâ etmektedir.

Burada savcı Necip Bey, müdahale ederek:

— Cavit Beyin ifadelerinden birş ey anlamadım. Diyorlar ki: Biz orada seçimler etrafında görüştük ve bu program, siyasî fikirlerimizin züpdesi olarak Gazi Paşaya arzedilmek üzere yazılmıştı. Birinci maddeyi okursak görürüz ki kurulacak bir fırkaya esas olmak üzere değil, toptan kurulmuş bir fırkanın umdesini ifade etmektedir. "İstanbul sularında düşman donanması varken biz Gazi Paşa'ya karşı cephe alamazdık," diyen Cavit, Beyin, görülüyor ki ifadelerinde samimiyet yoktur. Çünkü o vakit Gazi Paşa Hazretlerinin umdeleri neşredilmişti. Bundaki esas, milletin bütün kuvvetlerini Meclis'te topluyordu. Cevit Beyle arkadaşlarının fikirleri ise ber'kistir. O taraf hükûmet merkezi Ankara olacaktır derken, bu taraf İstanbul olmalıdır, diyor. Kanaatim şudur ki: Bu toplantı, on onbeş kişiden ibâret bulunmasına rağmen bir kongredir.

Cavit Bey cevap verdi:

— Bu bir kelime meselesidir.

Reis sordu:

— Peki öyle ise nedir?

— Bir içtimâ'dır... Sadece bu kadar...

— Yani bir komite içtimâı?..

— Hayır... Üç beş kişinin arkadaşca içtimâı...

— Bu günkü suikast meselesi olmasaydı, bu sözünüzü kabul edebilirdik. Cavit Bey. Fakat bu içtimâ'dan sonra mütemadiyen gizli çalışılmıştır.

— Hayır efendim... Böyle şey olmamıştır... Kat'iyen...

— Siz bu toplantıyı Gazi Paşa ile mülâkat neticesi olarak yaptığınızı söylüyorsunuz amma Gazi Paşa böyle demiyor...

— Efendim, Gazi Paşa ile konuşan ben değilim! Kara Kemal Beydir ve hepimizi toplayan da odur.

— Gazi Paşa, bir program yapılmasını mı istemiş?

— Hayır... Ama fikirlerimizi sormuş... Biz de düşüncemizi bu şekilde tesbit ettik.

— Daha hakikate doğru gelmiyorsunuz, Cavit Bey! Hüseyin Cahit Beyin makâlesinden beş altı gün evvel Gazi Paşanın umdeleri ilân olunmuştu. Biliyorsunuz dokuz umdedir. Sizin program da dokuz maddedir. Bunların umdelere karşı yazılmış olduğunu kabul etmez misiniz?

— Reis Beyefendi, hangisinin daha evvel yazıldığını neredenbilebiliriz?

— Sizin evdeki toplantılardan başka, Kara Kemal'in-yazıhanesinde toplantı yapıldı mı?

— Ben başka bir toplantı bilmiyorum.

— Peki...Neden sizin evde toplanılıyor?

— Daha rahat, daha sâkin.

— Yani gizlice bir komite...

— Ne münasebet... Herkesin gözü önündeki bir ev...

— İddianız veçhile, bu toplantı neticesinde alınan kararları Kemal Bey Gazi Paşa'ya söylemiş midir?

— Sulh'tan sonra idi. Kemal'e sordum, o da: Gazi Paşaya arzettim. (Şimdilik dursun. Artık lüzum kalmadı) cevabını verdi" dedi...

— Terakki Perver Fırka kurulacağı hakkında Rauf Bey size bir şey söyledi mi?

— Hayır... Hiç bir şey söylemedi.

— Neden icap etmiş bu muhalif fırkayı yapmak?

— Ya arkadaşlar düşünememiştir. Yahut ayrı prensipler takibine başlamışlar, başka ne olabilir. Hem ben ne bilirim?

— Size hiç müracaat etmediler mi?

— Hayır...

— Nasıl olur? Siz de hazırsınız, programı yapıyorsunuz? Bunlar da programı tatbike hazırlanıyorlar... Sizi çağırmamaları imkansızdır. Sizi davet etmez olurlar mı?

— Tabihi olurlar, ben siyaseti bırakmıştım, bunu biliyorlardı...

— Şükrü, Kara Kemal, Canbolat bir yol tutuyorlar, faaliyete geçiyorlar ve siz haberdar olmuyorsunuz? Bu olur mu Cavit Bey.

— Beyefendi, haberdarım. Fakat işte o kadar... Kat'iyen alâkadar değildim.

— Ama Kara KemalBeyle sık sık görüştüğünüzü söylüyorsunuz...

— Bundan ne çıkar... Eski bir dost... Evime gelir. Onun gibi sık sık konuştuğumuz başka dostlarım da var...

— Cavit Bey, bunu iyi bilin ki: İstiklâl Mahkemesi şahsî kanaatine göre hüküm verir! Sizin bu ifadeleriniz bizi iknâ etmemiştir. Kara Kemal gibi bir şahısla her gün görüşürsünüz de neler yaptığınızdan nasıl haberdar bulunmazsın?

— Bilmiyorum... İnsan her sık görüştüğü kimsenin her yaptığından haberdar olabilir mi?

—Şükrü'nün suikast teşebbüsünü nasıl karşıladınız?

— Suret-i kat'iyede fena, meş'um...

— Pek âlâ... Şükrü Bey, böyle bir teşebbüse tek başına, yalnız nasıl atılabilir?

— Ben ne bileyim. Böyle şeylere aklım ermez. Belki arkadaşları vardı...

— Merak etmeyin, bunların hepsi bulundu, siz de buraya geldiniz! Rahmi Bey'in Sarı Efe Edib'e mektubu var. Cahit ve Selâh Cimcoz Beylerin mebus çıkarılmalarını tavsiye ediyor.

— Cahit Bey, kat'iyen mebus olmak niyetinde değildi.

— Bu mektup Edip ile temasta bulunduğunuzu anlatmaz mı?

- Anlamıyorum Reis Beyefendi! Rahmi Beyin yazmış olduğu bir mektup, benim adını bile şimdi işittiğim bir insanla temasımı nasıl gösterir?

— Madem ki Cahit Bey mebus olmak istemiyor, Rahmi Bey niçin onun mebus olması için çalışıyor?

— Bu da Rahmi Beyin bileceği bir iş... Kimbilir, belki birkaç arkadaşının Mecliste bulunmasını arzu etmiştir.

Reis burada maznunlardan Kör Ali İhsan Beyin ilk ifadesinden bir parçayı okudu. Burada Ali İhsan Bey Almanya'da bulunurken, Kara Kemal Bey'in Anadolu'ya müdahale fikri olmadığı halde, İstanbul'a geldikten sonra Şükrü ve Cavit Beylerin tesirleri altında kalarak fikrini değiştirmiş bulunduğunu söylüyordu.

Reis Cavit Bey'e sordu:

— Dinlediniz mi? Bakın ne diyor: Kara Kemal'i sizinle Şükrü'nün bu işlere sevkettiğinizi ifade ediyor.

— Kâmilen hayaldir. Tahayyül ediyor. Rica ederim, Müddeiumumî Bey'in de iddianamesinde tasvir ve tarif ettiği gibi bir adım, öyle maksatlar besleyen bir Kemal Bey, nasıl olur da benim tesirim altında kalabilir? Böyle şey olur mu?

— Doktor Nazım Bey'in faaliyeti hakkında ne biliyorsunuz?

— Hiçbir şey bilmiyorum...

— Bakın Nasım Bey, Şükrü Bey'e neler yazmış:

Hep Millî Mücadele aleyhinde, Gazi Paşa Hazretlerine târizler... O da sizin gibi hiçbir şey bilmediğini söylüyor... Fakat bu mektubu kendisine okuduğumuz zaman dona kaldı...

— Reis Beyefendi, ilk ifademde de arzettiğim gibi, bazı kimseler İttihat ve Terakkî Fırksını ihya etmek isterlerdi. Kara Kemal de bunlardan biri idi. İhtimal ki Doktor Nazım Bey de aynı fikirde idi.

— Pek iyi... Demek onlar daima bu fikirleri taşıyorlardı. O halde daima İttihat ve Terakkî'yi diriltmek fikrinde olan bu adamlarlà evinizde toplanarak başbaşa yaptığınız program, dediğiniz gibi ehemmiyetsiz bir şey olabilir mi?

— Bence ehemmiyetsizdir, hafiftir. Çünkü toplantılarda ben böyle bir fikirde değildim. Onlar da bu fikri izhar etmediler. Yalnız, o günkü vaziyete göre düşüncelerimizi hülâsa ettik, program da bundan doğdu.

— Büyükada'daki evinizde Rauf, Adnan Beyler ve Refet Paşa ile hiç toplandınız mı?

— Hayır Efendim. Bunlarla hiçbir zaman toplanmadık.

— Gelmezler mi idi?

— Gelirlerdi... Fakat olarak... Ziyaret maksadile...

— Sorgulamanız bugünlük yeterli.

SAVCI CAVİT BEY'İN İDAMINI İSTİYOR

Mahkeme heyeti tarafından sorgusu bitince Denizli milletvekili savcı Necip Ali Bey, Cavit Bey'i ceza kanununun 17 ve 55'inci maddelerine dayanarak idam cezasıyla cezalandırılmasını talep ediyordu. Savcı Necip Ali, ithamnamesinde şunları söylüyordu:

"İzmir'deki vak'ada suikast hâdisesinin en faal ajanı ve bütün tertipleri meş'um bir maharetle idare eden şahsiyetin, İttihat ve Terakki Cemiyeti Umumî Merkezi âzâsından esbak İaşe Nâzırı Kara Kemal olduğunu arz ve izah eylemiştim. Dâvanın esrar ile alûde perdelerini de kaldırdıktan ve en ince noktalarını vüzûh ile aydınlattıktan sonra, vicdanî kanatimi bir kat daha teyit ile ilk evvel konulan teşhisin aynı hakikat olduğunu görmekteyim. Bu gibi mütemadi karakteri haiz olan cürmün, doğrudan doğruya mahiyetini tetkik etmezden evvel, ne gibi ruhî âmil ve sebeplerin tesiri altında hazırlanıp tertip ve inkişaf ettiğini tetkik etmek icap eylediği cihetle, cürmü evvela bu nokta-i nazardan tahlil edeceğim:

Evvelce iddianamede de arzettiğim vechile; Reisicumhur Hazretlerine yapılmak teşebbüsünde bulunulan suikast, onun şahsına karşı bir kin ve garezin vücûda getirdiği nefsâni husumet ve garezden ziyade, hükûmeti devirmek ve yeniden seçim icrasile iktidar mevkiine gelmek hevesi ve emelinden neş'et etmiş bir fiili cürümdür.

Dâvanın tetkikinden pek güzel anlaşıldığı üzere vaktile ve bilhassa Umumi Harp esnasında iktidar mevkiini daima ellerinde bulundurmaya ve her neye mal olursa olsun ellerinde muhafza etmeye karar veren İttihat ve Terakkinin bâzı rüesâsı, geçirdikleri acı ve tatlı bir takım tecrübelerden istihsal eyledikleri kuvvetli bir kanaatle, içtimai hey'etlerde pek az insanların idealist olduğunu ve her gün sayıları çoğalan gayertkeşler için bazılarını tatmin cihetini düşünüp, bazı iktisadî müesseseler vücuda getirmişlerdir!.."

Müddeiumumi bundan sonra, Meşrutiyeti istihsal eden ihtilâl zümrelerinin, mütârekeye kadar memleketi nasıl idare ettiğini, koca Osmanlı İmparatorluğunun mukadderatını meçhul bir Alman amiralinin nasıl oyuncağı haline getirdiğini ve İttihat ve Terakki erkânının milleti binbir felâkete sürükledikten sonra ceplerini doldurarak nasıl kaçtıklarını ve tekrar iktidar mevkiine gelmek için dışarda durmaksızın tahrikâtta bulunduklarını ve en son defa, dokuz maddelik programlarile, üstleri çamur ve kanla mülemma olarak tekrar siyaset sahnesine çıkmak arzusu gösterdiklerini beyan etmekte ve bu adamların takip ettikleri yolun nihayet Cumhurreisi Hazretlerine suikaste kadar vardığını beyan ederek sanıklardan her birinin cürmî durumlarını teşrih ile her biri hakkında cezalar isterken, Cavit Bey için de aynen şöyle demekte idi:

"Meşrutiyet devrinin en iktidarlı Maliye Nâzırı olan ve borcun, faziletkâr terbiyeci olduğunu söyleyen Cavit Bey, harbin iptidasında istia etmiş ve nihayetlerine doğru tekrar Maliye Nâzırı olmuştur.

Avrupa'daki kaldığı müddet zarfında fiilî siyasete katılmadığı anlaşılmakta ise de, İsviçre'den dönüşte İttihat ve Terakki'yi yeniden ihyâ maksadile vâki olan toplantıların hepsi, kendisinin Şişli'deki evinde yapılmıştır.

Cavit Bey bu toplantıları, Kara Kemal Bey'in İzmit'te Gazi Paşa ile vâki olan mülakat esnasında arkadaşları adına söz söylemek selâhiyetini haiz olmadığından,arkadaşlarının rey ve fikirlerini almak üzere, sâbık İttihat ve Terakki erkânını topladığını ve seçim işleri üzerinde müzakere edildiğini ve program ile bu dokuz maddenin bir takım umumi esaslardan başka bir şey olmadığını, meselede İttihat ve Terakki'nin ihyası bahis mevzuu olduğunu ileri sürmektedir.

Cavit Bey, Kara Kemal ile her zaman sıkı münasebette bulunduğunu ve hatta bazı zamanlar da Kara Kemal ile birlikte Şükrü Bey'in Ada'daki köşküne geldiklerini ve beraber öğle yemeği yediklerini beyan eylemiştir.

Bu toplantıların da alelâde, yalnız Kemal Bey'in davetile vâki olan bir istimzaç (bir fikir danışma) mahiyetinde olmayıp, bir kaç gün devam ettiği ve her toplantıda umumi mevzular üzerinde konuşulduğu içtimada hazır bulunanların ifadeleriyle sabittir.

Kendisinin eskidenberi arkadaşı olan Ali İhsan Bey ise mazbut ifadesinde: "Kara Kemal siyasiyat ile iştigal etmek fikrinden vazgeçtiği halde, kendisini siyasete imale tahrik ve teşvik eden Cavit Beyle Şükrü Bey'dir." diyor.

Bu kadar delliller ve şahitler muvacehesinde Kara Kemal'in şebekesine Cavit Bey'in dahil olmadığını kabul etmek mümkün müdür?

Binaenaleyh, Cavit Bey'i de aynı veçhile itham ve Nail, Doktor Nazım, Ardahan eski Mebusu Hilmi Beylerle beyaber Ceza Kanununun 55 inci maddesi delâletile 17 inci maddesine tevfikan cezalandırılmalarını talep ediyorum..."

CAVİT BEY KENDİSİ SAVUNUYOR...

İzmir Suikastı davasında İstiklâl Mahkemesinde yargılanan Cavit Bey savcının iddianamesinde "ceza kanununun 55'inci maddesi delaletiyle 17'inci maddesine tevfikan cezalandırılmalarını talep ediyorum" demesinden sonra savunmasını yapacaktı...

İdam istemine karşın nasıl bir savunma yapılabilirdi ki!..

Hem yapılacak bu savunma, kararı daha baştan verilmiş hissi uyandıran bir mahkeme heyetini ne kadar ikna edebilirdi ki...

Cavit Bey, bütün bu olumsuz koşullara rağmen savunmasını yaptı.

Savunmasını iki bölüme ayırdı: Biri genel savunma, diğeri de şahsi savunma...

Cavit Bey'in aşağıda okuyacağınız savunması ne yazık ki onu idam edilmekten kurtaramadı. O da İstiklâl Mahkemesinin zulmünden nasibini alanlara katıldı. Savunmasında mahkeme heyetine dönerek "sözlerime inanmış iseniz, pek âlâ, inanmamış iseniz, ne yapayım, mukadderat!..." diyen Cavit Bey'in savunması savcının iddianamesine de cevap niteliği taşıyor... Ama ne yazık ki dikkate alınmayan bu savunmada Cavit Bey aynen şunları söylüyordu:

— Muhterem Hâkimler, yıllardanberi devam ettiği söylenen ağır bir cürümle maznun olarak, altmış üç gündür ki adâletiniz emriyle mevkuf bulunmaktayım.

Tevkif olunduğum gündenberi, İzmir ve Ankara'da yapılan sorgu ve muhakemelerde dinlediğim iddia ve ittihamnamelerden mülhem olarak kendimi müdafaa edeceğim. Bu müdafaayı, Müddeiumumî Bey'in iddianamesinde olduğu gibi, ikiye ayıracağım. Biri umumî, diğeri hususî müdafaadır. Uzaktan yakından bu muhakemeye temas ettirdiğiniz noktalara temas edeceğim.

Müddeiumumî Bey, biraz düşmanca bir tarzda tasvirimi yaptı. Şahıslarımızın bir ehemmiyeti olmayabilir. Fakat vaktiyle işgal eylediğimiz mevki dolayısiyle biraz itina edeceklerdi. Müddeiumumî Bey'den beklerdim ki bu davayı meselâ, kimyevî evsaf tahlil ve teşrih eyleyen bir romancı gibi tetkik etsinler ve geçtiğimiz yollardan ne gibi duygular ve âmillerle mütaharrik olarak geçmiş olduğumuzu göstersinler, her nedense bu derece derin tahlillere lüzum görmediler.Adeta bir rızaziye tahlili ile ittihamnamelerini serdettiler.

Müddeiumumî Bey, burada bulunan ve bulunmayan şehit veya gaip rical hakkında da harp mesuliyeti ileri sürdüler. Harp mes'uliyeti içinde üç kişi varsa, ikisinden birisi, bir kişi varsa o biri, benim Harp mes'uliyetinden bana isabet edebilecek hiçbir vicdanî hisse yoktur.

Hâkim Efendiler, harp yapanlara, "Mısır'ı alacağız" diyenlere, Bizim ruhumuzda biri Adana, diğeri Irak gibi iki Mısır vardır" dedim. "Kafkasya'yı istilâ edeceğiz" diyenlere: "Toprak almakla ne kazanacaksınız?" dedim.

Türk mefkûresinin en büyük iddiacılarından biri

olan Ziya Gökalp'ın da hazır bulunduğu bir mecliste harbi kolaylaştırmadığım söylendiği zaman: "Bu memleketi muhtaç olduğu şey toprak değil, insandır!" dedim. "Bu zarar karşısında bunu karşılayacak hangi zafer, hangi muvaffakıyet vardır?" dedim. Suallerim cevapsız kaldı. Üç ay sonra da bu harbe girmek isteyenlere ne zorluklar çıkardım.

Kısaca, üç sene onlar benimle, ben onlarla uğraştım. İtilâf sefirlerine gittim. "Sulh taraftarlarına davalarını müdafaa edecek kadar mühlet veriniz." dedim. Kendilerinden Osmanlı İmparatorluğu'nun mukaddesatının bahis mevzuu olmayacağına dair müşterek taahhütname aldım, Fransız ve İngiliz Hariciye Nazırlarına olan telgrafı okursanız görürsünüz.

Nihayet 24 Teşrinievelde (Ekim) Karadeniz faciası tazuhûra geldi, fikrimin cereyânının gösterdiği veçhiye takip ederek, ittihamlara maruz kaldım. Beni öldürmek istediler. Hain diye gösterdiler. Mithat Şükrü "Sokağa çıkma!.." dedi. Buna rağmen çekinmedim. Kazanılması ihtimali olmayan bu harbe girilmemesi için sonuna kadar çalıştım. Okuduklarım, gördüklerim, bana bu yolda hareketi göstermişti.

Akdeniz'den Basra Körfezine kadar bütün vatanımın bir kale gibi kuşatılacağını, biliyordum. Reis Bey tekrar ediyorum ve tarihin kabul ettiği bir hakikattir ki ben bu işte masumum. Keşke ben hatâ etseydim de vatan kurtulmuş olsaydı.

Mütteiumumî Beyin İttihat ve Terakki ricaline ikinci itablı (suçlamak) hitabı, şirketlere aitti. Bendeniz İttihat ve Terakki'nin bir iktisat mütehassısı ve belki de memleketin zayıf bir iktisat mütehassısı olduğu halde bu şirketler hakkında bana bir fikir soran olmamıştır. Ve ben bunları teşvik etmemişimdir.

Hüseyin Hilmi Paşa ile Ali Fethi Beylerden evvel, gaye ne kadar makbul olursa olsun, fırka erkânına (Kemal Bey'in, para işlerine kat'iyyen karıştırılmamasını) söylemişimdir. Bütün harp zamanında da bu gibi işlerle ne yakından ve ne de uzaktan hiç alâkadar olmuş değilimdir.

Üçüncü itiraz olmak üzere iaşe meselesini bahis mevzuu edeceğim.

Harbin son senelerinde menkup vaziyette idim. Talât Paşa kabinesine girdiğim zaman iaşe işlerinin hususî ellerde görülmesinin doğru olamıyacağını söyledim. Ve buna muvaffak olarak İaşe Nezaretinin kurulmasını temin ettim. Hiçbir vicdan tasavvur edemem ki bunlardan dolayı beni kusurlu bulsun.

Sonra Müddeiumumî Beyefendi, harp facialarını anlatarak, buyurdular ki "harpte Türk neferleri budut boylarında ölürlerken, vatan diyarında çocuklar, kadınlar açlıktan helâk olurlarken, bir takımları da kadın ve sehafat peşinde koşuyorlardı"

Hayatta hiçbir zevke meftun değilim. En âdi zamanlarda bile hayatımın intizamı herkesçe malûmdur. Böyle şeyler, benim hayatımda hiçbir zaman yer almamıştır.

Beyefendiler, bunları yapanlar her zaman, her fırkanın başına musallat olan tüfeyli haşarattır ki yaptıklarının mes'uliyetini hem fırkalarına hem de millete çektirirler. İşte İttihat ve Terakkinin harp idaresindeki mes'uliyetlerinin bana sıçrıyabilecek şeylerini arz ve izâh ettim.

Müddeiumumî Bey, bütün siyasî hayatımı tatsız bir cümle ile izâh ederek anlatmağa başladılar. Borçların tesbiyet-i faziletkâranesini ileri sürdüler.

Bütün on senelik maliyeci hayatımdan kalan bu mu

idi? Hem ben böyle söylememiştim. "Bütçe açığının tesbiyet-i faziletkâranesi vardır" demiştim ve bu sözüm be nim için değildi ve bunu 1327 bütçesinin başına koymuştum. Bu bütçe açığını yapan ben değildim, koca nazırlar ve mebuslarımızdı.

Garip bir tecelli, ne zaman bir istikrâz meselesi çıksa, arkasından Cavit'in ismi zikrolunur. Halbuki bütün hayatımda iki istikrâz yaptım. Hepsi de on iki milyon liradır. Yüzde dört faizle yaptığım bu istikrâzın dört milyon lirasını Abdülhamid'in bıraktığı borçların temizliğine hasrettim.

Beş milyon lirasını ordumuzun teçhizatına ait olmak üzere Mahmut Şevket Paşa'nın emrine verdim. Üst tarafını da ilk defa olarak memleketin malî vaziyetini ıslâha hasrettim ve bunun neticesi olarak dağ-taş başlarında her memura günü gününe maaş verdim. Müteahhitleri, "paramız bankara duracağına maliye hazinesinde kalsın." diyecek bir hale getirdim. İşte o küçük miktarlarda bu maliye idaresinin temelleri atıldı.

Bu istikrazları hayatımın en büyük iftiharı olarak, Kırım muharebesinden beri görülmemiş şartlar içinde yaptım. Bu istikrazlarda İstanbul ile Berlin arasında teati edilen telgraf paralarından başka hiçbir gayr-i meşru para verilmemiştir. Dünyanın en büyük kuvvetleri ile, Fransız malî mahfelleri ile arkadaşlarım bile bu işin yürümez bir şey olduğunu söyledikleri halde, tek başıma mücadele ettim. Tardieux gibi bir adam, "Cavit Bey Fransa'nın tekliflerini kabul etseydi, parlamentosunun karşısına açık alınla çıkacağını" söylemişti. Halbuki bu adam için, tekliflerini kabul etmeyişim üzerine, cehennemden başka gidecek yer yoktu.

Mülkiye Mektebinden çıkıp da, üçyüz kuruş maaşla Ziraat Bankasına girdiğim zamandan beri bütün hayatım, kazancım kayıtladır. İşte hayatta kâğıt değil, milyonlarca altın ile oynayan benim gibi adamın, bu gün dikili bir taşı yoktur.

Bu iftihara şayan bir şey değildir. Beyefendiler, fakat bunu size söylemek mecburiyetindeyim, hayatımın Umumî Harpten beri nasıl geçtiğini arzedeceğim. Harp oldu, menküp oldum, iki sene hiç bir şey ile meşgul olmadım. Bazan da arkadaşlarım müşkilâta uğradılar, çağırdılar, gittim. Nefer gibi çalıştım.

Müddeiumumî Beyin iddianamelerinde söylediği gibi muahedede hiç bir kayıt olmadan, onların geniş yar dımlarını temin ettim ve bir gün haber aldım ki Alman banknotlarının Türkiye'de tedavülü hakkındaki teklifler, heyeti vükelâda müzakere ediliyor. Derhal Talât Paşa'ya koştum, "Ne yapıyorsunuz?" dedim. Alman sefirine koştum, "Bu teklifle Kartal damgalı banknotların Anadolu içlerinde sürülmesini istemekle, halka kamçı indirmek istiyorsunuz. Yapmayın!" dedim. Ve nihayet vazgeçtiler. Bu sûretle, bu günkü millî servetimizi kurtaracak bir muvaffakıyet gösterdim. Fikrimi her yerde, her zaman ve mekânda müdafaa ettim. Talât Paşa hükûmetine geldim. Ne şartlarla geldiğim malumdur.

Eğer hükûmete gelmiş olmasaydım, beşyüz, altıyüz, milyon liralık evrakı naktiye basılmış olacaktı. Bu gün de bunun tesiri altında kalacaktık.

O felâket günü için ben sulh hazinemi yaptım. Hâlü hayatta bulunan mumelât ve hazine müdürlerinin malûmatları altında fakat sadrazamın da, Harbiye Nazırının da malûmatları olmadan, Osmanlı Bankasında onbeş milyon lira biriktirdim. Nihayet o felâket dakikası geldi Ordular, müdafaa ettikleri hudut boylarından geri dönmeğe başladılar.

Ne hükûmet ne de fırka kaldı... Yeni bir hükûmet teşkiline teşebbüs edildi. İzzet Paşa geldi. O kabineye arzetmiş olduğum gibi hırs ile değil (sen gelmezsen kabine teşkil etmiyeceğim). demesi üzerine geldim. Mütareke şartları elbette fena idi. Fakat dünün o günkü şart larını bugünkü gözle değil, o günkü gözle görmek lâzımdır.

Yoksa tenkid kolaydır. "Bir an evvel sulh yapılsın" diye ordulardan alınan telgraflardan Harbiye Nazırı bizi haberdar ediyordu. Mütareke şartlarını, o günkü ahval ve şartlar göz önüne alınarak muhakeme etmek lazımdır. Bütün ordulardın bir an evvel mütareke yapınız diye telgraflar geldiğini ve Harbiye Nezaretinin bütün şubeleriyle "Mütareke" diye feryat ettiğini Harbiye Nazırı kabinede bize söylüyordu.

Mütarekenin fenalığı, mütareke şartlarından ziyâde iktidar mevkiine gelen zevatın düşman emellerine boyun eğişleridir. Mütareke şartları, kabinede, hiç bir itiraz olmaksızın kabul edildi. Benden hangisine itiraz ettiğimi sordunuz. Hatırlamadım şimdi hatırlıyorum. Nihayet İzzet Paşa kabinesi, Padişahın münasebetsizliği, Kanun-u Esasiye riayetsizliği ve bir gün dediğini ertesi gün red etmesi gibi halleri yüzünden istifa etti. Ben de bir kenara çekildim. Ve mütarekede üç ay bir kenarda kaldım. Nihayet Tevfik Paşa kabinesinden sonra Damat Ferit Paşa kabinesi geldi. Ve ben yüz yetmiş beş gün gizli kaldım. Burada bana bir ahlâkî cürüm tevcih ettiniz... Niçin Anadolu'ya geçmediğimi sordunuz.

Reis Beyefendi, siz şahsen memlekete ne yapmış olursanız yapınız, hangi hizmette bulunursanız bulununuz, bir mislini daha yapamayacağınız bir iş düşmana kurşun atmak fazilet ve ulviyetini gösterdiğiniz zaman, daha sonra size katılan arkadaşlarınız İstanbul kaldırımlarında dolaşıyorlardı. Kimi Damat Ferit kabinesinde âza bulunuyor, kimisi o zaman mantar gibi peyda olan fırkalara girip çıkıyorlardı. Hiçbir kimsenin o zaman Anadolu'ya firar ettiğini görmedim.

Artık namusuma tevdi edilmiş bir şey olmamkla beraber söyleyiceğim. Bir akşam Temmuz ortalarına doğru idi, tanıdığım bir zattan aldığım bir tezkerede deniliyordu ki, "Yarın İstanbul murahhası olarak Sivas'a gider misiniz?"

O zatı nihayet aradım, bulamadım. Nakiye Hanımı çağırdım. Dedim ki: "Şöyle bir tezkere aldım. Gidebilir miyim; Bu selâhiyete haiz miyim?" dedim. Bu işlerle meşgul Doktor Adnan Bey ve Halide Hanıma gönderdim. Onlardan aldığım cevapta "bu işlerle meşgul mahafil sizin murahhas olarak gitmenize muvafakat etmemektedir." denilmekte idi. Ve iki gün sonra da İstanbul'a kaçtım. Kaçtığım zaman, saklı olduğum ev basıldı.

Daha sonra Damat Ferit Paşa kabinesi beni Ermeni tehciri ile alâkalı göstererek mahkum etti. Nihayet bir gün (Düyunu Umumîye) ye haberim olmaksızın, kendim talip olmaksızın beni intihap etmiş. Dostlarıma bu işle alâkadar olanlara ben, Hüseyin Cahit Beyi tavsiye etmiştim. Bir mâni zuhûr etmiş, beni seçmişler.

Bu intihap üzerine kalktım, geldim. Şunu arzedeyim, memlekete gelişim, Düyûnu Umumîye'ye intihap edilişimden dolayı değil, bana bu imkânın verilmiş olmasındandır. Memleketin toprakları düşman çizmesi altında idi. Fakat bu çizmelerin defolup gitmesi yakın olduğu için gittim."

Cavit Bey, İttihat ve Terakkinin hiç bir kararına iştirak eylemediğini ve sulh ve selâmet adamı olduğunu tekrar eyledikten sonra sözlerine devamla demiştir ki:

— "Kemal Bey dostumdur. Bu hareketlerini size söylemesi lâzımdır. Bunun aksi nasıl mümkün olabilir, diyorsunuz. Dünyada bir çok mantıksızlıklar olduğu gibi filhakika bu da bir mantıksızlıktır. Fakat ne yapayım. Bu böyle olmuştur.

Kemal Bey, eğer bir şey yaptı ise bilmiyorum. Bana kat'îyetle bir şey söylememiştir. Bu mevzuda söyleyecek başka bir sözüm yoktur.

Şimdi karar sizin, yüksek heyetinizindir. Vereceğiniz karar, mes'ud zamanlarınızda bir istifham işareti ve bir sual şeklinde vicdanınızı rahatsız etmesin. Sözlerime inanmış iseniz, pek âlâ, inanmamış iseniz ne yapayım?.. Mukadderat!.."

CAVİT'İ ASACAĞIZ!

Mahkeme Reisi Ali Bey bu kararı duruşmalardan çok daha evvel vermiş ve gizlemek lüzumunu da duymamıştı.

DÜN ve BUGÜN Mecmuasında Mahkeme Heyeti Başkanı Ali Çetinkaya'nın daha karardan bir buçuk ay önce söylediği söz mahkeme heyetinin olaya nasıl peşin hükümlü baktığının en büyük delili...

DÜN ve BUGÜN Mecmuasının bu bölümüyle sizleri başbaşa bırakıyoruz...

İzmir Suikastı hâdisesinde, mâsum olduğu biline biline İstiklâl Mahkemesince tevkif ile bir ay ihtilattan men edilen tanınmış İttihatçılardan —Bektaşi lakabile anılan— Hüseyin Bey ile yaptığımız bu konuşma, bu mahkeme reisinin nasıl peşin kararlar vermek itiyadında olduğunu belirten bir vakıayı da açıklamaktadır. Sayın Hüseyin Derer ilk sualimizi şöyle cevaplandırdı:

— İzmir Suikastı meselesinde sırf İttihatçı olduğum için, beni de tevkif ettiler. Halbuki hiçbir şeyden haberim yoktu.. ve asıl garibi ise bu gibi teşebbüslerle zerre kadar alâkam olmadığını ve olamayacağını çok iyi bilenlerin en başında da bizzat bu İstiklâl Mahkemesi reisi Ali Bey (Çetinkaya) vardı.. Öyle iken gene, tevkif edilmiştim.

— Bu garabeti izah eder misiniz? Evvela mahkeme reisi, sizin bu gibi şeylerle alâkadar olmadığınızı nereden biliyordu?

— Ali Bey Ankara'da benim komşumdu. Ben Ankara'da Şengül Hamamının yanındaki evde otururdum. Ali Bey de karşımızdaki evde kiracı idi. Bir müddet sonra aynı yerde kendine bir ev yaptırdı. Bu evi yaptırırken, komşuluk saikasile ben de elimden gelen yardımı esirgemedim. Bu suretle yakınlığımız ve samimiyetimiz arttı. Hemen hemen her hal ve hareketim kendisince malumdu. Nitekim, tevkif edildiğim gün de, benim şüphe edilecek bir hareketim olmadığını bizzat Ali Bey refikama açıkça söylemiş bulunuyordu.

— Bu daha garip... Nasıl olur?

— Anlatayım: Ben mütareke esnasında İstanbulla alakayı keserek, İttihatçı arkadaşlardan —ve eski kâtibi mes'ullerden— Vehbi Selahaddin ve Ali İhsan Beylerle birlikte Anadolu'ya geçmiştim. Erkânı Harbiye haritalarını da Ankara'ya götürüyorduk. Anzavur hadisesinden dolayı Kandırada kalmağa mecbur olunca, Mustafa Kemal Paşa'nın emrile kolaylık gösterilerek yolumuza devamımız sağlanmıştı. Bu vaziyette Ankara'ya varınca da Mustafa Kemal Paşa'nın yakin alaka ve teveccühüne mazhar olmuştuk. Ben de İttihatçı kalmakla beraber, artık politikadan elimi eteğimi çekmiş iş hayatına atılmıştım. Şimdi Sümerbank merkezinin bulunduğu yerdeki meşhur (Taş Han)ın altında (Tesanüt) isimli yazıhanemiz vardı. 1926 Temmuzunun başında, hasta yatan çocuğuma ilaç almak üzere bu yazıhaneden çıkarken bir sivil memur geldi: «Sizi Dilaver Bey görmek istiyor» dedi. Dilaver Bey Polis Müdürü idi. Gittik. Daha görür görmez: «İstiklâl Mahkemesinin emrile sizi tevkif ediyoruz» diye, beni doğru Cebeci hapishanesine gönderdi. İşte bu esnada evde ilaç bekleyen refikam Sara, gecikişimi merak edip, başıma geleni öğrenince beyninden vurulmuşa dönerek, pürtelaş doğru Ali Bey'in evine gidiyor: «— Ne yaptın sen Ali Bey? diyor. Hüseyin Beyin böyle şeylerle alâkası olmadığını bilmez misin? Nasıl yaptın bu işi?»

Ali Bey de teskin etmeğe çalışarak: «Merak etme Sara abla diyor, sakin ol... Hüseyin Beyi bırakacağız. Amma Caviti asacağız...»

Ben hapishanede diğer mevkuflar gibi ihtilâttan memnu bulunduğum için tabiî bu haberi ancak yirmi dokuz gün sonra serbest bırakıldığım zaman alabildim. O sırada Cavit Beyle diğer İttihatçıların muhakemesi henüz devam ediyordu. Fakat biz, refikamla neticenin neye varacağını çoktan öğrenmiş bulunuyorduk. Ancak, bunu, pek tabiî olarak, kimseye söyleyemiyorduk. Söyleseydikte, kendi başımızı belâya sokmaktan başka kime faydası olabilirdi?

— Peki.. siz nasıl kurtuldunuz?

— Ben yirmi dokuz günlük mevkufiyetim esnasında yalnız bir defa sorguya çekildim. O da mahkeme huzurunda eski merkez memurlarından İhsan Bey tarafından ifadem alındı. Bilhassa Cavit, Nail Hilmi ve Doktor Nasım Beylerle yakından temasım olup olmadığı, yani son zamanlarda İstanbul'a gidip gitmediğim meselesi üzerinde duruluyordu. Halbuki mütarekede Ankara'ya gelişimden beri hiçbir tarafa gitmemiştim. Biraz evvel söylediğim gibi, mahkeme reisi Ali Bey de bunu biliyordu. Öyle iken gene bu mesele üzerinde ısrarla durdular. Nihayet anladılar. Hakikaten politikadan tamamen el çekmiştim. Yalnız diğer eski İttihatçılar gibi ben de Mustafa Kemal Paşa'ya canla başla bağlı ve O'nun muvaffakiyetine duacı idim. Bu noktada hiç kimsenin şüphesi olmamalıdır.

Esasen Enver Paşa da, Talat Paşa da aynı hislerle mütehassıstılar. Ben Ankara'da tifoya tutulmuştum. Bunu haber alan Talat Paşa Berlinden gönderdiği bir geçmiş olsun mektubunda bana: «... Meşrutiyetin ilanında biz nasıl Enveri bayrak yaptıksa, siz de şimdi Mustafa Kemal'in etrafında öyle toplanın...» diyordu..

— Peki Hüseyin Bey... Kara Kemal Bey için ne dersiniz?

— Eminim ki o da aynı vaziyette idi. Onun da Mustafa Kemal Paşa'ya vatan kurtarıcısı gözile baktığından ve sonsuz bir minnettarlıkla bağlı olduğundan zerre kadar şüphem yoktur. Fakat nedense İstiklal Mahkemesi heyeti ona karşı besledikleri şüpheden kurtulamadılar.. Nitekim,. ifadem alınırken hakkımda cidden çok nazik davranan Kılıç Ali Bey, o esnada masanın üstündeki bir gazetede basılmış olan Kemal Bey'in resmini göstererek bana: «Bu işler hep bunun yüzünden oldu..» demişti.

Lakin takdir edersiniz ki; o hengamede, benim buna cevap verebilmeme imkan yoktu.

— İmkan olsaydı, meselâ ne derdiniz?

— Kemal Beyin suikast teşebbüsünden tamamen uzak bulunduğunu belirtecek mahiyette söylenecek şey ler çoktu. Meselâ yalnız birini söyleyebilseydim derdim ki; Kemal Bey, Avusturya'daki bir ticaret işi için Viyana'ya gitmek üzere pasaport çıkartmıştı. Hadiseden hayli evvel çıkartmış olduğu bu pasaportunun müddeti henüz geçmemişti. Hadise patlak verdiği sırada Kemal Bey henüz yazıhanesine gidip gelir ve serbest bulunurken ne olur ne olmaz bu pasaportla Viyana'ya gidip bir müddet memleketten uzaklaşmasını tavsiye edenlere, Kemal Bey aynen: «Ne münasebet? Ben çiy yemedim ki kaçayım» demiş ve gitmemişti.

RAUF ORBAY
İZMİR SUİKASTINI ANLATIYOR

İzmir Suikastına adı karıştırılan kişilerden biri de Rauf Orbay idi... Kurtuluş savaşı yıllarında ülkeye pek çok faydası dokunan bu önemli kişi tıpkı Kazım Karabekir Paşa gibi, Terakkiperver Cumhuriyet Fırkası safında yer alınca adeta "harcanmak" istenmişti...

Bu kişilerden "rahatsızlık" duyuyorlardı.

Kendine güveni olmayan, arkalarında halk desteği bulunmayan kişiler, halk tarafından çok sevilen ve takdir edilen bu insanları bir takım "ayak oyunları" ile saf dışı bırakmak istiyorlardı...

Kazım Karabekir Paşa'nın başına gelenler, Rauf Orbay Bey'in başına da geldi... İtham edildi, halkın gözünden düşürülmek istendi, iftira edildi ve İzmir Suikastı nedeniyle de İstiklal Mahkemesi tarafından ebedi sürgün cezasına çarptırıldı...

Memlekete hizmet etmenin bedeli, "ebedi sürgün" olmuştu ne yazık ki...

Rauf Orbay'ın Emre Yayınları tarafından,"Cehennem Değirmeni" ismi altında neşrolunan verdiği iki ciltlik eserinde hatıralarını anlatırken, İzmir Suikastına da değinir ve gerçekleri kendi ağzından anlatır...

İstiklal Mahkemesi heyetini "eşkıya yatağı" olarak niteleyen Rauf Orbay Bey, suikast girişimiyle uzaktan yakından ilgilerinin olmadığını satırlarla ifade eder:

— "Ben ve bir kaç yakın dostum menfur ve deni suikast teşebbüslerine gidecek kadar ikbal ve mevki düşkünü insanlar olsaydık, ayrılığa hiç bir sebep kalmaz. Kanaat-ı vicdanını satmak suretiyle maddî hayatın azami derecede refahına kavuşur ve Mustafa Kemal'in hayatta kaldığı müddetçe düğün-dernek ve hava safaları içinde yaşar dururduk..."

Rauf Orbay'ın anlattıkları gerçekten çok ilginç şeyler...

Okuyunca sizin de içiniz burkulacak...

Yapılan haksız uygulamalara isyan edeceksiniz... Bu kadar da olmaz" diyeceksiniz!..

Ama bütün bunların hepsi oldu bir dönem.. Bunlar bu ülkede yaşandı ne yazık ki...

Şimdi sizleri Rauf Orbay Bey'in İzmir Suikastı ile ilgili hatıralarıyla başbaşa bırakıyoruz.

"Lâkin uluorta ithama alışmış olanlar, bu kadarla kalmamışlar, çok geçmeden bizleri bir de Cumhurreisine suikaste teşebbüs ile itham etmek de istemişlerdi. Hele bu ithama nasıl cür'et ettiklerini insanın havsalası almaz.

Fırkamızın, maruz kaldığı muameleden iki ay kadar sonra ben, rahatsızlığım dolayısiyle Sıhhiye Heyetinden aldığım rapor ve Büyük Millet Meclisi Riyasetinin müsadesiyle tropik malarya tedavisi için, Avusturya'nın bu sahada meşhur olan "Bad Gatştayn" kaplıcalarına gitmiş, oradan döneceğim sırada da İngiltere'de bulunan Doktor Adnan Bey'le Halide Hanım'ı ziyaret etmek maksadiyle, Londra'ya gitmiştim. İşte, bu suretle Londra'da bulunduğum sırada, bir gün, İzmir'de kurulduğu anlaşılan İstiklal Mahkemesi'nin Londra Büyükelçiliği vasıtasiyle bana göndermiş olduğu bir tebliği aldım. Bunda:

"Cumhurreisine karşı İzmir'de tertiplenen suikast teşebbüsünde müşevvik bulunduğum tahakkuk ettiğinden" denecek kadar akıl ve havsalanın alamayacağı bir garabet ve cüretle, benim gidip kendilerine teslim olmam lüzumu bildiriliyordu. Halbuki, bahis mevzuu olan bu İzmir hadisesinden aylarca evvel, Ankara'da vukua gelmek üzere olduğu sonraları yayınlanan muhakeme zabıtlarında görüldüğü gibi -iddia edilen yine Cumhurreisi aleyhindeki diğer bir suikast teşebbüsünün- Erzincan mebusu Sabit Bey'in beni durumdan haberdar etmesi üzerine, bizzat müdahalem ile tatbik sahasına çıkarılamadığı -yine aynı İstiklâl Mahkemesince ilân ve bu yüzden de Sabit Bey alenen tebrik edilerek sorumsuz (suçsuz) sayılmıştır. Öyle iken aynı mahkeme beni on sene sürgün cezasına mahkum ediyor.

Bu ne biçim akıl, mantık ve adalet anlayışıdır ki şayet var idi ise bir suikast teşebbüsünü haber alıp bana da haber veren Sabit Bey'i, tebrik ile serbest bırakır da, aynı Sabit Bey'in haberdar edişiyle, müdahale edip, bu teşebbüsün tatbik sahasına konmamasını temin eden beni, on seneye mahkûm eder?

Bütün ömrüm boyunca, nâmertçe ve sefilce bir hareket saydığım suikast denen sapıklığın herhangi bir tezahürüne nerede ve ne zaman şahit oldu isem daima nefretle red ve meneylediğimi beni yakından tanıyanların hepsi pek âlâ bildikleri gibi bilhassa beni bu hususta ithama kalkanların, herkesten iyi bilmemelerine imkân yoktur. O kadar ki içlerinde teşebbüs ettikleri suikastlar, tarafımdan muhalefetle men edilmiş olanları bile vardı.

Kısaca ve tarih huzurunda kat'i olarak tekrar edeyim ki; Bizim tarafımızdan hiç bir suikast teşebbüsü vâki olmamıştır. Hatta böyle bir şey hiç bir zaman hatır ve hayalimizden dahi geçmemiştir.

Aksine, gerek yurtta bulunduğum zaman tekrar tekrar gerekse dışarıda yaşamak zorunda kaldığım son yıllar zarfında, bizzat benim aleyhime üç defa suikaste teşebbüs edilmiş olduğunu isbat edecek vesikalara malik bulunmaktayım.

İşte durum bu merkezde iken, Ankara İstiklâl Mahkemesi Riyasetinden gelen tebliğ üzerine, tabîi ve kanunî merciim olan Türkiye Büyük Millet Meclisi riyasetine,aşağıdaki yazı ile müracaat ederek, Teşkilât-ı Esaseyi Kanununun kat'i sarahatine rağmen, bahis mevzuu suikast teşebbüsü mahalline, günlerce uzak mesafede mukim bulunan bazı mebusların, teşrîî masuniyetleri ref edilmeden tevkif edilmelerinin, bu kanunun ortadan kaldırılmasına müteveccih bir irticaî hareket, bir hükûmet darbesi olduğunu ve binaenaleyh selâhiyeti dahilinde bulunan ve vazifesi olan (Meclisi toplantıya davetle) gayr-i kanunî ve irticaî mahiyetteki bu gibi hareketlere mâni olmasını talep ve istida ettim.

Büyük Millet Meclisi Riyaset-i Celilesine

Londra 30 Haziran 1926

"Bugün nezdime gelen Londra Sefareti Başkâtibi Mehmet Ali Şevki Paşa'nın ibraz ettiği varakada, taklib-i hükûmet gayesiyle yapılmak istenen suikastta müşevvik vaziyetinde bulunduğum tebeyyün ettiğinden, hakkımda tevkif müzekkeresi isdar edildiği ve İzmir'deki (Ankara İstiklâl Mahkemesi'ne müracaat etmekliğim yazılı bulunuyordu.

Taklib-i hükûmet gayesiyle herhangi bir suikastte müşevvik olamayacağımı söylemeye zait addederim. Ancak sıhhî sebepler icbariyle ve resmî mezuniyetle, iki aya yakın zamandan beri Avrupa'da bulunduğum halde, Teşkilât-ı Esasiye Kanunu ile müemmen teşriî masuniyetimin ayaklar altına alınarak, bu mertebe açık surette taarruza uğramasına hayret ve teessüf eder ve bu muameleyi reddetmeyi bir vatanî vazife addederim.

Bir zamandan beri vatanda, vatandaşların vicdan ve fikir hürriyetlerini boğmağa mâtuf teşebbüsler vukua gelmekte ve bu hususta hâdiseler ve vesileler icat ve ihzar edilmekte idi. Hattâ yalnız şahsî hürriyet ve masuniyetin ilgasına değil, vicdanî hislere bile taarruzdan çekinilmemekte idi. Matbûat hürriyeti ilga edilmiş ve mukaddes olarak ilân edilen fikir ve vicdan serbestisi Meclis haricinde boğulmuş idi.

Yalnız milletvekillerinden müteşekkil ve milletin mukadderâtına yegâne hakim olan Büyük Millet Meclisi, şeklen ve zahiren olsun bu gibi taarruzlardan masun gösteriliyordu.

Teşkilât-ı Esasiye Kanununun sarahatine rağmen vâki olan bu son tevkif teşebbüsü ile, milletin sesi de tamamen boğulmuş ve esasları aynı Teşkilât-ı Esasiye Kanunu ile muayyen ve Cumhuriyet idaresi aleyhine taklib-i hükûmet cürmü îkâ edilmiştir.

Kanun mucibince, Yüksek Meclisce tetkike tâbî tutulmadan, hadiseden iki aya yakın bir zaman evvelden beri, hariçte bulunan bir mebusun tevkifine teşebbüs ve tevkif müzekkeresinde de "müşevvik olduğu tebeyyün eden" ifadesiyle, muhakemeye değil, suale bile lüzum görmeden hüküm veren İstiklâl Mahkemesi'nin, ne gibi âmiller ve tesirler altında vazife îfâ eylediğine dikkat nazarınızı celbederim.

Her millet ferdi için mukaddes olan söz ve vicdan hürriyeti ve bunları kâfil Teşkilât-ı Esasiye Kanunu ve münakaşa serbestisi masun olsa idi, bir dakika bile sürmeyecek zaman içinde, vicdanen emin bulunduğum mutlak masumiyetimin tahakkuk edeceği şüphesizdi. Her türlü kanunî kayıtlar ve şahsî mukaddesatımın ayaklar altında çiğnendiği, bu son hâdiseler ile tahakkuk ettikten sonra, mürettep siyasî tezvirlere ve şahıslarımıza müteveccih suikasta cevap verebilmek için, Heyet-i Ummiyesi, siyasî hasımlarımızdan mürekkep ve âzâsının bazısı ise şahsî düşmanlarım olduğu -kendi ifadeleriyle- müsbet bulunan kimselerden mürekkep bir mahkeme huzuruna çıkarak siyasî ihtiraslarını ve şahsî garezlerini tatmin için tevkifhaneye ve dolayısiyle kurulan tuzağa nefsimi ilka etmeyi muvafık bulmadım.

Çünkü: Masuniyetine kasem ettiğim Teşkilât-ı Esasiye Kanununun ihlâline, bilerek muvâfakat suretiyle yardım etmeyi, vatan ve milletime karşı hıyanet telâkki ederim.

Reis Paşa Hazretleri!

İstiklâl Mahkemesi'nin, Teşkilât-ı Esasiye Kanununa ve Cumhuriyet idaresine karşı yaptığı bir suikast ile, irtica ve taklib-i hükûmete cesaret ettiği tezahür ettiğinden, Teşkilât-ı Esasiye Kanunu ile, Cumhuriyet idaresi aleyhine irtica yapan bu cür'etkârlar ve bu irticâa muvâfakat ve müzâharet eyleyen İcra Kuvveti - yani hükûmet- hakkında taraf-ı devletlerinden, kanunî selâhiyetinizin istimâli zamanı gelmiş ve belki de geçmekte olduğuna nazar-ı dikkat-i âlilerini celbeder ve bu hususta tereddüt buyurulmayacağı kaydiyle te'yid-i hürmet eylerim efendim.

İstanbul Mebusu
Hüseyin Rauf

Bu mektubuma Büyük Millet Meclisi Reisi Kâzım Paşa'nın verdiği cevap şudur:

İstanbul Mebusu
Rauf Beyefendiye

Ankara 9/8/926

"30 Haziran 926 tarihli mektubunuz alınmıştır. İstiklâl Mahkemesi'nin hakkınızda tevkif müzekkeresi isdar etmesi ve mahkemeye müracaatınızın tebliği münasebetiyle beyan ettiğiniz mütalâalar, kanunî ahkama muvafık değildir. Mebusların teşriî masuniyetlerinin ne gibi ahvalde dikkat nazarına alınmayacağı Teşkilât-ı Esasiye Kanununda sarahaten mezkûr olduğundan bu hususta tafsilâta girişmeyi zait addederim. Kanaatiniz delillere müstenid değil ve yanlıştır. Son vak'alar üzerine elde edilen deliller ve vesikalar, kanaatinizin aksini isbata kâfi bir derece ve ehemmiyettedir.

Taklib-i hükûmet gayesiyle suikast tertiplerinin devam ettiği anlaşıldığına nazaran, hâdiseler ve vesileler hazırladığını iddiada musir olamayacağınızı ümid ederim.

Büyük Millet Meclisi'nin kabul ettiği kanunların hükümleri haricinde yapılmış bir muamele yoktur. Türkiye'de hürriyet-i kelâm mukaddes ve müemmendir, buna şüphe etmeyiniz. Büyük Millet Meclisi tarafından seçilmiş ve onun namına vazife yapmakta olan İstiklâl Mahkemesinin adaletinden emin olarak, huzurunda isbat-ı vücud etmekten ictinab etmemenizi tavsiye ve muhakemeniz neticesi olarak milletin muvacehesinde masumiyetinizin tezahüratını temenni eylerim efendim."

Türkiye Büyük Millet Meclisi Reisi
Kâzım

Bu mektuba Paris'ten, 12 Ekim 1926 tarihide şu cevabı verdim:

Türkiye Büyük Millet Meclisi Riyaset-i Celilesine:

"9/8/926 tarihli cevabî tahriratınız teahhürle alındı. Türk vatandaşı olarak, Türkiye'de carî kanunlardan başka hiç bir tesir, kuvvet ve ilham ile âmil ve müteharrik olmakla me'luf bulunmadığından ve tahriratınızda ileri sürdüğünüz beyanat ve mütâlâalarınız hâdiseler ve ahvalin hakikatine tamamen mugayyir bulunduğundan, bu gibi hallerde riayet edilmesi gereken kanun ve mevzûatı aramak ve dermeyan etmek için cevap vermekte maateessüf bir müddet gecikmek mecburiyetinde kaldım.

30 Haziran 926 tarihli resmî müracaatname ile dermayan ettiğim hususlar ve mütâlâalar tamamiyle kanunîdir. Tekrarını ve teyidini bu nokta-i nazardan vazife addederim. Çünkü 1341/1925 tarihinde tab' ve neşrolunan Türkiye Büyük Millet Meclisi Teşkilât-ı Esasiye Kanunu ve Dahili Nizamnamesinin teşriî masuniyete dair olan on yedinci maddesinde aynen: "Hiç bir mebus, Meclis dahilindeki rey ve mütâlâasından ve beyanatından ve Meclis haricinde irad ve izharından dolayı mes'ul değildir. Gerek intibaından evvel ve gerek sonra aleyhinde cürüm isnad olunan bir mebusun, maznunen isticvabı veya tevkifi veyahut muhâkemesinin icrası Heyet-i Umumiyenin kararına mahduttur. Cinaî cürm-ü meşhud bundan müstesnadır. Ancak bu takdirde makamı aidî Meclisi derhal haberdar etmekle mükelleftir. Bir mebusun intihabından evvel veya sonra aleyhinde sâdır olmuş cezaî bir hükmün infazı, mebusluk müddetinin hitamına kadar ta'lik olunur. Mebusluk müddeti esnasında mürûr-u zaman cereyan etmez." diye masuniyet kâfi sarahatle yazılmış ve Türkiye Büyük Millet Meclisince de

bu maddeyi -sonradan nakzeder bir kanun çıkarılmamış olmasına rağmen- cevabî tahriratınızda, İstiklâl Mahkemesi'nin mebusların teşriî masuniyetleri hakkında sarih olan yukarıdaki kanunî yayıtları ihmal ve ilga suretiyle tevkif müzekkeresi isdar ve İcra Heyetinin (Yani Hükûmetin) bu müzekkereler ahkamını infaz eylemelerini kanunî görevinizi ve bilhassa milletin mukadderâtına yegâne hâkim ve kanunların masdarı olan Büyük Millet Meclisi Riyaset Makamından tarhına da ol veçhile iş'arda bulunmanızı kanun, akıl ve mantık ile telif imkânı bulamadım. Mütegalibenin cebr ü şiddeti altında, fikir ve vicdan hürriyeti sindirilmemiş, mevzu kanunları mütâlâa ve anlayacak kadar maariften nasibi olan her vatandaşın benim bu kanaatimi tasdik edeceğinden şüphem yoktur.

Teşkilât-ı Esasiye Kanununun bahsettiğim madde-i mahsusatının bir fırkasında "Cinaî cürm-ü meşhud bundan müstesnadır" diye yazılı bulunmuş olmasının, kanuna ve dolayısiyle Cumhuriyet idaresine vurulan sarih darbeyi örtmek için bir tevil fürcesi olarak gösterilmesi uzak ihtimaline karşı da Usul-ü Muhakemat-ı Cezaiye Kanununun cürm-ü meşhuda dair olan otuz sekizinci maddesinde aynen "İcra olunmakta veyahut henüz icra olunmuş olan cürüm, cürm-ü meşhuttur. Velvele-i nas üzerine atılan veyahut cürmün irtikâbını müteakiben onun faili veya şeriki bulunduğu müeyyit olan eşya ve esliha ve evrak ve edevat ile derdest edilen eşhasın mürtekip oldukları cürümler, cürm-ü meşhut kabilinden addolunur." diye tefsire yer vermeyecek ve Türkçe okuyan ve anlayan kimsenin kat'i sarahatle göreceği veçhile yazılıdır ve işbu madde-i mahsusa ile cürm-ü meşhut ve cürm-ü meşhudun en uzak ihtimalleri tafsil edilmiştir. Bu kanunî sarahate ilaveten ve bu maddenin kat'iyet derecesini tevsikan, Büyük Millet Meclisi'nin ikinci içtima devresi zarfında mebuslardan bazıları tarafından îka edilen cürümler hakkındaki takibat da berveçhiâtî zikrolundu:

İstanbul'da bir matbaada muharrir bir mebusun kafası, diğer bir mebus tarafından kırıldığı halde (1) carihler Meclisin içtima halinde olmasından ve kanûnî mesağ bulunmamasından dolayı tevkîf ve muhakeme edilmemişlerdi.

Meclisin geçen seneki tatili esnasında, aynı İstiklâl Mahkemesi, Maraş Mebusu Tahsin Bey'in, intihâb dairesinde irtikâp edilen cinayete müşevvik ve mürettip olarak isticvâbına lüzum görmüş ise de Meclis Riyasetine müracaat etmiş ve Meclisin içtimaa başlamasında mesele Heyet-i Umumiyede müzâkere edilerek, maznunun masuniyetinin ref'ine karar verildikten sonra muhakeme edebilmiştir.

Ardahan Mebusu merhum Halit Paşa, meclisin toplantı halinde bulunduğu bir zamanda, mebusların ve zabıta heyetinin gözleri önünde Meclis koridorunda dört mebus arasında (2) katledilmiş ve fakat bu efendiler de tevkif olunmamış ve aksine günlerce serbest ve bir arada bulunarak, nihayet mes'uliyetsizlik ve beraat kararı almağa muvaffak olmuşlardır.

Çünkü; fikri, vicdanı hür hayatî emin olarak Millet Meclisinin riyaset makamını ihraz eden bir zatın, bu gibi menfur haller karşısında yapacağı yegâne iş, bu konudaki sarahatine itaat ile, kanunun hâkimiyetini temin edip; gâsıb ve mütegallibenin, heves ve ihtiraslarına âlet etme-

(1) Kafası kırılan mebus İleri Gazetesi sahibi ve başmuharriri Celal Nuri, kıran mebus da Kılıç Ali Bey'di.

(2) Bunlar da Afyon Mebusu Ali Çetinkaya, Rize Mebusu Rauf, Bozok Mebusu Avni ve Gaziantep Mebusu Kılıç Ali Beyler'di.

k istedikleri devlet kuvvetlerini ellerinde diledikleri gibi kullanmalarına mümanaat ve bu suretle vatandaşların ve memleketin hayat ve şerefini siyânet eylemekti. Aksi takdirde, devletin ve milletin kurtuluş ve selâmetini sağlayan kanunların hâkimiyeti emr-i mühimmi mânâsız kalır ve bu yüzden vatanın varlığı tehlikeye maruz kalacağı da şüphesiz bulunurdu.

İşte bu kanaat ve mülâhazadır ki, beni bir Milletvekili sıfatiyle ve vazifeten, makamınıza derhal müracaata mecbur etti ve sizin kanundan başka dayanağınız bulunmayacağı ümidiyle, felâketin devamının men'ine muvaffak olacağınız zannı hasıl olmuştu.

Halbuki, hâdiseler aksi olarak tecelli etti ve siz sarih olan hükûmet darbesine boyun eğmekle kalmadınız, gönderdiğiniz resmî tahriratla, bunu bana meşrû göstermeğe de çalıştınız...

Şu halde, ya Büyük Millet Meclisi Reisi bulunmanıza rağmen, sizin de Millet Meclisi esas kanunlarını ilgaya teşebbüste muvaffak olan, haricî heyetle birlik bulunduğunuza veyahut hareket fikir ve vicdan hürriyetine mâlik ve sahip olmadığınıza, hatta hayatınızın tehlikeye maruz bulunduğuna hüküm etmek zarureti hasıl oluyor.

Birinci şıkkı, aksi tamamiyle sabit oluncaya kadar, kabul etmek istemiyorum. İkinci şık varid olunca Büyük Millet Meclisi Reisinin dahi fikir ve vicdan hürriyetine mâlik olmadığı ve dolayısiyle şahsî mukaddesatından mahrum edildiği bir ülkede, fikir ve vicdan hürriyeti ve mal ve can emniyetinden bahis dahi abes, hatta gülünç olur ve bu suretle de cevabınızda bahsettiğiniz "Türkiye'de hürriyet-i kelâm ve vicdan mukaddes ve müemmendir" fıkrasını, bizzat sizin içinde bulunduğunuz vaziyet, redd-i gayr-î kabil bir surette cerh eder. Hülâsa: Ya irtikâp edilen hiyânetkârane taklib-i hükûmet (hükûmeti devirmek) cürmüne taammüden iştirakinizi, yahut da başta siz bulunduğunuz halde, Türkiye'de vatandaşların fikir, kalem ve vicdan hürriyetlerinin cebir ve kahır ile ilga edildiğini itiraf etmeniz lâzım gelir. Ben şahsen, henüz hakkınızda ve memlekette ikinci şıkkın varlığına kânî olanlardanım.

Her cümlesi, devletin mevzu kanunlarına müstenid olan bu hakikatleri, mütâlâa ettikten sonra, hükûmet darbesine, hainâne bir tarzda teşebbüs ve maalesef -muvaffak da olan üstelik de- Büyük Millet Meclisi adına icrayı kaza (yâni vatandaşları muhakeme eylediğini) iddiadan utanmayan ve bu hiyanetkârâne cürme teşebbüsleri anından itibaren, kendiliğinden vazifeden sâkıt ve binaenaleyh gayr-i meşrû olarak (İstiklâl Mahkemesi) ismini kullanan kimselerin, kanun dışı bir bâğîler heyeti ve bu bağîlere müzaharet veya yardım eyleyen bu günkü hükûmet azalarının da şakî yataklarından mürekkep olduğunu ve keza cinaî teşebbüsleri anından itibaren - velev aralarında Cumhur Reisine suikast fikrinde olanlar bulunsa bile- bu hususta bu heyetin ittihaz ve infaz eylediği cezaî hükümlerin kâtil ve zulümden başka bir fiil olamayacağını kat'iyetle kabul etmek kanunî ve mantıkî bir zaruret olur.

Sizce başka şekilde gösterilmesinin, bence ancak bir suretle tefsiri kabildir ki, o da vatanın bir çok namuskâr vefakâr evlatları gibi sizin de hayatınızın mütegallibe ve mütehâkkimlerinin elinde tehlikeye mâruz bulunmakta olmasıdır. Bu halde bile cevabî yazınızda; İstiklâl Mahkemesi'nin adaletine dair verdiğiniz teminatı ve bu yolla millet muvacehesinde beraat eylemem suretiyle iğfal tarzındaki teminat ve mütâlâalarınızın mânâsını anlamak, maalesef, bence mümkün olmamıştır.

Sizin gibi eski bir asker -velev vazife mecburiyeti dolayısiyle olsa dahi- birkaç defa hayatını cephelerde istihkâr etmiş bir zat için kendi hayatı mukabili olsa dahi (Fidye-i Necât) olarak bir vatandaşı şakîlerin dâm-ı iğfaline sevk ve ilkaya teşebbüs, en iptidaî ahlâk kaideleriyle telif edilemez, pek ağır bir harekettir.

Reis Paşa!.. Tahsilimi ikmâl ettikten sonra yirmi sekiz senelik hayatım, fâsılasız bir surette daima fiilî millet ve devlet hizmetlerini yapmakla geçmiştir. Bu hayatın her dakikası hakkında, herhangi meşrû bir heyete, her zaman hesap vermek benim için mûcib-i şeref olur. Vatan ve millete musallat olan, fikir ve vicdan hürriyetini ve hatta mal ve can emniyetini îfâya maalesef -şimdilik- muvaffak da olan bâğî bir idarenin yıkılışında, bu vazifeyi de îfâ eylemek benim için şerefli bir hadise olacaktır.

Fakat sizin tavsiye buyurduğunuz gibi, hunhar ve gâsıp bâğîlerden mürekkep ve her birinin gözünü hırs ve ihtiraslarının kanı bürümüş gayr-i meşrû bir heyet ile bunların müzahirlerine karşı böyle bir mecburiyetten hamdolun müstağnîyim.

Bir zamandan beri, örüp kurdukları iğfal şebekesine düşürdükleri bazı vatandaşların, maruz kaldıkları gibi bağîlerin elinde katledilirken dahi faciayı, boğulan sesiyle milletin umumî vicdanına duyurup anlatmağa çalışmak mecburiyetinden, kaderin sevkiyle henüz vâreste bulunuyorum. Buna rağmen bu heyetin müstekreh ve türlü tedhiş ve tazyik vasıtalarına müracaatla, gûya aleyhime olarak ilan eyledikleri hususları kısaca bir tahlil gözünden geçirmek, belki hâlâ beyaza siyah demekle hakikaten siyah olacağı batıl zannında, gerçeklerin ilânihâye gizlenebileceği ve güneşi çamurla örtebilecekleri ham hayalinde bulunan bazı gafiller için intibah vesilesi olabilmesi itibariyle faydalı olacağını zannediyorum. Geçmişteki bazı vak'alar dolayısiyle, sizce de malumdur ki; hatta fikir halinde olsa dahi suikast denen şey, bence menfurdur. Malûm hadise üzerine İzmir'de sanıkları muhâkeme için değil, (Evvelden tertip edilmiş usul ve dereceler dairesinde ve tasmim olmuş bulunduğu gibi) mahkum etmek için bir araya gelen ve fuzulî olarak (İstiklâl Mahkemesi) adı verilen heyetin, ilk toplantısından malûm mukarreratı ittihaz eyledikleri zamana kadar, maalesef acı facialarla dolu safhalarından ve vakî müsafahattan, bugünkü vaziyetim dolayısiyle görüp okuyabildiğim kadarından hülâsa edebildiğim zevat, çıkarılan tevkif müzekkeresinde feveran beyan eyledikleri -hiçbir delile müstenid bulunmayan (müşevvik) olduğum hususun- her ne suretle olursa olsun teyidine imkân bulamamışlardır. Çünkü, böyle birşey yoktur ve olamaz. Bu müsafahatın İzmir safhasında, yüksek Meclis toplantı halinde ve ben Ankara'da bulunduğum sırada Erzincan Mebusu Sabit Bey, birlikte ikâmet ettikleri arkadaşlariyle bir eğlence âleminde cereyan eden bazı müphem ve imâlı ifadelerden; Reisicumhur Hazretleri'ne karşı suikast fikrinin mevcudiyetinden şüphe ediyor ve ertesi günü de bu şüphesini bana naklediyor.

Şüphe ve tahmin derecesini geçmemekle beraber, bu malûmat üzerine, benim hareketim derhal; Ordu Mebusu Faik Beyi bularak, Sabit Bey'in en kuvvetli delil olarak: (Ankara'da bulunmuş olmasını gösterdiği) Ziya Hurşit Bey'in, filhakika orada bulunuşunun sebebini öğrenmek ve Sabit Bey'in şüpheleri hakkında sorup soruşturmak ve Faik Bey'in kat'iyen haberdar olmadığını görünce de (Bazı askerlik işlerini takip için Ankara'ya geldiğini) söylemiş olan kardeşi Ziya Hurşit Bey'in -kendisinin de tedbir olarak tavsiye eylediği veçhile- her türlü şüphe ve tereddütleri izale için derhal Ankara'dan uzaklaştırılmasını teklif ve temin etmek oluyor. Bu hareket tarzını ve tatbikatı daha ileri götürerek, aynı günde, Sabit Bey'den de ihbar eylediği suikast fikrinin sadece şüphe üzerine olduğunu ve ihbarından sonra yaptığı ba zı tetkikler neticesinde, böyle bir işin herhangi bir delile müstenid bulunmadığına, kendisinin de kanaat getirdiğini bizzat kendisinden işittim.

Bunlar, hakikatin hülasasıdır. Daha evvelleri, hattâ kendi şahıslarımız aleyhinde düşünülmüş ve tevcih edilmiş ve teşebbüse geçilmiş suikastler ve bazılarının tarafımdan nasıl men edildiği hakkındaki, sahih malûmata müstenid hususların açıklanmasını, bazı kimselerin, zalim heyet içinde gadre ve felâkete uğramamaları için - bugün vatanın başına çöken- bâğî ve gâsıb idarenin zevaliyle, kanunların hükümran olacağı zamana tehir ediyorum.

Heyetin İzmir'deki tahkikatları neticesinde, Sabit Bey'in şüphesinden beni haberdar etmesi keyfiyeti kendisi için beraat ve tebriki mucib olmuştur. Şöyle bir tasavvur mevcut idi ise Sabit Bey'in şüphesini bildirmesi üzerine benim fiilen harekete geçerek her türlü suikast ihtimalini önleyecek şekilde tedbirler almam suretiyle vakî olan sarih ve dürüst hareketim neden cezalandırılmama mucib oluyor ve mahkum edilmem isteniyor?

Hâlâ hâkim sıfatını muhafazada inad ve temerrüd eden hey'et azası ise hapis veya sürülmeleri istenen aralarında benim de bulunduğum beş kişiden ellerine geçirdikleri üç Milletvekilini katl ve benimle bir buçuk seneden beri memleket dışında bulunan sabık bir Milletvekilinin hükmünü, devam ettirdikleri facianın Ankara safhasına naklediyorlar.

Memleket ve milletin felâketi pahasına olsa da, ikbâl telâkki eyledikleri hırs ve ihtiraslariyle, hunharca intikam hislerini tatmin ve temin eyleyerek gaspettiklerini muhafazada ısrâr eden bu zatlar Ankara musafahatı esnasında ise İttihat ve Terâkkî rical ve rüesasının gûya kötü idarelerini teşhir ve tescile de çalıştılar ve o idare zamanında, mesleğimde vatanıma hizmet etmekten mahrum edilecek kadar mergup olmayıp, itimada şayan görülmeyen şahsımı da bahis mevzuu ederek benim şimdi İttihat ve Terîkkî Cemiyetini ihyâya teşebbüs etmiş olduğumu göstermek istediler. Fakat, unuttular ki heyetin -yani mahkeme heyetinin- bizzat reisi bulunan zat, mütarekenin imzalanışiyle İttihat ve Terakkî ricalinden bazılarının vatanı terkettikleri zaman ve hattâ İttihat ve Terâkkî Hükûmetinin yerine gelen kabinenin -vukuf peydâ ederek- İttihat ve Terâkkî Teşkilâtını ilga ettiği ana kadar, memleketi terk eden ricalin şahıs ve makamlarını muhafaza için malûm askerî teşkilat dışında müretteb ve gizli bir silahlı kuvvetin mühim bir kısmının kumandanlığı vazifeleriyle müşerref bulunuyordu. Ve keza aynı mahkeme heyeti azasından olan ve her nedense hâlâ - asıl adı yerine- müsteşar isimle yad edilen bir diğeri de harp zamanında mülâzim teğmen rütbesiyle Enver Paşa'nın kardeşinin emirleri ve daha sonra vefat eden sabık Padişahın bendegânından ve muhafızlarından bir maiyet zabiti idi.

İdare şeklinin değişmesine ve vatan ve millet hesabına bunca felâketler kaydedilmesine rağmen, hâlâ mütenebbih olmayarak, itiyad hasebiyle sabık mesleklerinde devam eden bu efendiler, beni İttihat ve Terakkî Cemiyeti'nin ihvâya teşebbüs fiilinden başka bir de, Birinci Büyük Millet Meclisi'nde (ikinci grup)... teşekkülüne delâlet ve nihayet-intihar eden- Kara Kemâl Bey'le gizli müzakereler yapmak suretiyle- yukarıda beyan edilen maksadın- istihsaline çalışmakta ittiham ve malûm şekil ve surette güya mahkum ediyorlar.

Halbuki o zaman -yani Birinci Büyük Millet Meclisince intihabat- kararlaştırılıp ilan edildiği âna takaddüm eden günlerde ve sulh imza edildiği vakte kadar ben, münhasıran devletin çok hassas ve hayatî olan dış işleri ve umumî meseleleriyle gece gündüz meşgul olmak mecburiyetinde bulunuyordum. O kadar ki uydurulan tarzda ve siyasî hizipler şu veya bu zatla müzakere için değil, bunları dinlemeye bile vaktim yoktu. Bu keyfiyet, o zaman, aynı kabinede çalıştığımız sizce de itiraf olunur zannındayım. Gene sizce de malûmdur ki intihabat esnasında faaliyette bulunmak üzere teşekkül eden komisyona o zaman mesai arkadaşlarımın hemen hepsi iştirâk ettikleri halde yalnız ben iştirak edememiştim.

Şu halde İstiklâl Mahkemesi Müdde-i Umumî ve Heyetinin ve bunlara müzaharet veya yardım eden İcrâ Heyetinin (Yani Hükûmetin) bahsettiğim mevzu kanunlar hilâfına hangi kuvvet ve mücbir mağlûben mutavaat ile Büyük Millet Meclisinin emniyetini, caniyâne bir surette su-i istimâl ve aynı Millet Meclisinin vâz eylediği kanunu ilga suretiyle hiyanet-i vataniye cürmünü irtikâba cesaret eylediklerini sormak bihakkın varid olur.

Türk vatandaşlığı mevki ve iddiasında bulunan her millet ferdinin, tâbî olması lâzım gelen kuvvet, kanundur. Türk Cumhuriyetinin temel taşı yalnız ve ancak kanunların mutlak hâkimiyetidir. Aksi takdirde ahlâkî ve kanunî kayıtlardan beri ve aldatma yoliyle Hükûmet kuvvetlerini eline geçiren cür'etkâr gâsıplar, muzahirler tufeyliler tarafından en kızıl müstebitlerin yüzünü ağartacak surette zûlüm ve cinayete müstenid bir kahır idarenin husûl ve teessüsüne meydan verilmiş olacağına kaniyim.

Bundan dolayıdır ki Londra elçiliği vasıtasiyle İstiklâl Mahkemesinin icrâ eylediği malûm tebliğiyle, ahvalin hakikatine vâkıf olunca vakit geçirmeden yukarıki kanun maddelerinden hak ve selâhiyet iktisâb ederek derhal makamınıza müracaat ettim.

İstiklâl Mahkemesi Heyeti ile,bunlara müzaharet veya yardım eden İcrâ Heyeti tarafından irtikap olunan Taklib-i Hükûmet hainâne cürmüne dikkat nazarınızı celb ile aynı kanun maddeleriyle mecbur bulunduğumuz veçhile selâhiyetlerinizden biri ve en basiti olan Meclis-i içtimaa davet suretiyle vukû bulmakta olan cüratkârâne teşebbüse derhal mâni olmanızı talep ve istida eyledim.

Bu tarzda dürüst hareketinize ne gibi tesirlerin ve saiklerin mâni olabileceğini cevabınızı aldıktan sonra düşündüm ve sizin de fikir ve vicdanınızın boğulmuş ve hürriyetinizin gasp edilmiş, hatta hayatınızın emniyeti su-i istimal sûretiyle hükûmet kuvvetlerini ele geçirenler tarafından tehlikeye maruz bulunduğu fikir ve mülahazalarına vasıl oldum.

Bu hareket tarzım, bugün beni imhâya kadar ileri giden zatlar tarafından kötüye tevil edilerek nifakçı tezvirlere vesile olmuştu.

Birinci Büyük Millet Meclisinde, ikinci grubun teşekkülü sebebine gelince, sizce de unutulmamış olacağı veçhile (Müdafaa-i Hukuk Grubu) içinde -bugün mahkeme riyasetini işgal eden- zatın da dahil bulunduğu muhalif ve gizli bir komitenin teşkili ve gizli müzâkerelerde bulunarak ve gruptaki diğer arkadaşlarının iyi niyetlerini ve emniyetlerini kötüye kullanarak grup mukadderatına (mütehakkim ekalliyet) şeklinde tesir yapmağa kalkışmaktan ibarettir.

(Kara) Kemal Bey'le münasebetlerime gelince, ben bu zatı ilk defa, Mondros Mütarekenâmesi akabinde, Ordu Kumandanı Mustafa Kemâl Paşa'nın İstanbul'da -bugün müze olan- Şişli'deki evinde ve kendileri vasıtasiyle, çok mahrem müzakereleri esnasında tanıdım. Ondan sonra Malta'da müşterek esaret hayatımızdaki münasebetlerimizin, içtimai nezaket derecesini geçmediğini, o zaman orada bulunan ve bugün bana bühtan eden zatlar da çok iyi bilirler.

Fecî bir sûrette katl ve şehit edilen İsmail Canbolat Bey merhum, çok sevdiğim ve muhabbetlerinden ziyade vatanî hakimiyeti ve ahlâkî seciyesine hürmet ettiğim pek aziz bir dostumdu. Merhumu Milletvekili seçtirmek hususundaki tavsiyemi, suikastla alâkalı gösterecek kadar iftiraya cür'et, mukabele edemeyecek surette susturulmuş namuslu insanlara, âhirete göçmüş mağdurlarla istihzâyı, bir nevî fazilet sayan bu zatlar bilirler ki, merhum İsmâil Canbolat Bey, benden evvel, çok daha evvel, Selânik'te Kolağası Mustafa Kemal Bey'in arkadaşı ve dostu idi. Mütarekeye takaddüm eden günlerde, Halep'te Ordu Kumandanı bulunan Mustafa Kemal Paşa, zamanın hükümdarına çektiği telgrafnâmede memleketenin selâmeti için teşkilini teklîf ettiği kabineye merhum İsmâil Canbolat Bey'in behemehal sokulmasını isteyecek kadar, kendisini muktedir ve bilhassa emniyete lâyık görüyordu.

Mütarekeyi takib eden günlerde Mustafa Kemal Paşa'nın evindeki devamlı içtimâlarda tevkif edildiği güne kadar merhum Canbolat Bey de hazır bulunuyordu.

Malta'dan -benden evvel kurtulup vatana dönen

merhum, Meclis Reisi bulunan Mustafa Kemal Paşa ile samimî münasebetini idâme etmiş ve intihabat esnasında, seçim komitesinin de Reisi bulunan müşarünileyh tarafından fikir cereyanlarını takip ve is'al vazifesiyle gönderildiğini, bugün Ziraat Vekili bulunan Sabri Bey söylemişti. İstanbul Mebusluğuna seçilmesi, mezkûr komitece kararlaştırılmış olan merhumu, intihâbatı idare eden kimselerden birine, tarafımdan tavsiye kadar meşrû ve tabiî ve kanun nazarında cürüm teşkil etmesi imkânı olmayan başka ne gibi bir hareket tasavvur edilebilir?

İzmit Mebusu Şükrü Bey merhum ile ilk defa Malta'daki -müşterek- esaret hayatımızda görüştüm.

Aramızda husûsiyet ve mahremiyet bulunmadığını, bana isnatta bulunan zatlar da pekâlâ hatırlarlar, Merhum Malta'dan döndükten sonra, İzmit'te "Müdafaa-i Hukuk Cemiyet" reisliğine seçilmiş bulunuyor -ve işittiğime göre- idare teşkilâtındaki gayret ve faaliyeti, merkezdeki rüesaca takdir ile yâd ediliyordu. Bir aralık komitece Ankara'ya davet olunarak, o zaman nâzik ve hassas saydıkları Trabzon Vilâyeti intihabatını idareye memur edildiğini de zannederim, merhumun çok yakın dostu olan bizzat sizden işitmiştim. Daha sonra aynı Şükrü Bey'in bu Trabzon Vilâyeti Valiliğine tâyin edilmesi de Dahiliye Vekâletinin lüzum görerek, inhâsı üzerine olmuş idi ki bütün bunlar, merhumun hizmetlerinin takdire şayan görüldüğünü gösteriyordu.

Bir cürüm olmamakla beraber, Mebus seçilmesi için Şükrü Bey hakkında hiç kimseye ne ağızdan ne de yazı ile hiç bir tavsiyede bulunmadım. Bu konudaki iftira da ötekiler gibi halis yalandır. Şükrü Bey'in mebus seçilmiş olduğunu ise ancak yerine diğer bir valinin tâyinine sırf resmî vazife dolayısiyle muttalî olunca öğrendim.

Bu hakikatlerin hepsi - bizzat siz de dahil olduğunuz halde- bugün iş başında bulunanların ve İstiklâl Mahkemesi âzâlığı iddia edenlerin bir çoğu tarafından pekâlâ bilinen şeylerdir.

Büyük Millet Meclisinin ikinciiçtima devresinde bir fırka teşkili hakkında şu veya bu zat ile vâki olan ve şimdi ittihamı mucib görülen hasbihallerine gelince; Bugün kabine riyasetinde bulunan zatın (alenî ve resmî bir fırka teşkil etmemiz için) vâki olan feryad ve ısrarına ve o sırada Dahiliye Vekili bulunan zatın bir aralık Matbûat Cemiyetine verilen ziyafette:

"Cumhuriyet idaresinde fırkalar zarurî ve elzemdir. Yok ve yapılmıyorsa kabahat bizim midir?" tarzındaki tasvib edici mütalâasına ve herşeyin üstünde olarak bu baptaki kanunî mesağa rağmen, benim, yâni, medenî haklarına sahip bir Türk vatandaşının bu husustaki konuşmalarını, töhmeti mucib bir hareket gibi görebilmek, ancak kanunları pervasızca küçümseyerek ilga ve hırs ve hevesleri uğruna vatandaşlarının mukadderatına taarruz eyleyen ve -aslâ meşrû olmayan- makamlarının kuvvetinden istifâde ile âlemi hapis ve katil eylemeği kendilerine meslek ve zevk edinen, kanunî idareden hilkaten kaçınır olan cebbar azınlık) suretinde hayat ve kuvvet bulunan Ortaçağ zihniyetli bu insanlarca mümkündür.

Bu, İstiklâl Mahkemesi denilen heyet ittihamnâme şeklinde millet ve umûmî efkârına arz etmek cüretinde bulunduğu hezeyânnâmede, aleyhimdeki fesâd karıştırıcı yalanları arasında Bursa ve İzmir suikast teşebbüslerinden evvel, sıhhî mecburiyet dolayısiyle Avrupa'ya giderken, benim gûya: "Ben gidiyorum,siz ne yaparsanız yapınız!" diyerek hareket ettiğimi ifade ediyor ve bunu suikasta taraftar olduğuma bürhan olarak göstermek istiyorlar ve saçma (delili) şahsen kat'iyen tanımadığım, ismini de ilk olarak bu hâdise dolayısiyle gazetelerde gördüğüm bir bedbahta, kim bilir ne kadar tazyikler -hatta idam edilirken söylediği veçhile, hayatının bağışlanması vaadi gibi- ne kadar teşvikler karşısında söylettirildiği kuvvetle maznun ve diğer bir mevkufun - yine böyle asıl ve esası olmayan- ifadesine mâtuf beyânâtına istinad ettiriyorlar.

Ben, bu sözü güya, Ziya Hurşit Bey'e söylemişim. Her türlü teşebbüs ve tertibatı tereddüt etmeden pervâsızca ikrâr eylediği söylenilen, Ziya Hurşit Bey merhum, benim hakkımda bu yolda beyanatta bulundu mu? Hayır, bulunmamıştır, bulunamazdı. Çünkü bu ifade mürettep ve şeni bir iftiradır. İcra Vekilleri Riyasetinde bulunduğum zaman, grupları maharetle teşkil ve idare eylediğim isnadı ise pek gariptir. Filvâki, hâlâ fuzulî olarak hakim sıfatı taşıyanların ikisinin dahil bulunduğu gizli zümre daima silahlı bir mücadele ile neticelenmek istidadını gösteren tehdit ve tedhiş havası tesisine çalışıyorlardı ve bazen bu yoldaki cüretlerini Meclis müzakereleri esnasında salon kapılarını elleri tabancalarında olduğu halde, tutarak serkeşçe tavırlarla müzakere ve münakaşa serbestliğini men'e teşebbüs derecesine kadar vardırıyorlardı.

Kendileriyle, aynı cür'eti gösteren diğerlerini men'e ve tehdide maruz kalanları da teskin ve temin eyler ve bu efendilerin bugün icrâsına muvaffak olabildikleri zulüm ve i'tisâfa, o zamanlar da teşebbüs etmelerine meydan vermezdim.

Dahilî ve haricî vaziyetin o zamanki fevkalâde hassasiyet ve ehemmiyetine rağmen tasavvur ve irtikâbına tevessül eyledikleri bâğiyâne hareketleri, bazen uzlaştırıcı tedbirler ve bazen de kanunların şiddetli hükümlerine müracaatla meneyledim. O zaman muvaffak olamadıklarına bugünkü icrâ heyetinin himaye ve müzaharetlerini kazanarak Büyük Millet Meclisinin emniyetini, şen'i bir surette su-i istimale ve kanunları ilgâya bugün maalesef, muvaffak olmuş bulunuyorlar. Hiddet ve garezleri, bu günkü elîm mevkie düşünmeye kadar kendilerine muhalefet ve mümânaatım dolayısiyle zayî ettikleri zaman fırsatlardan doğmakta ise doğrudur ve böyle olunca da kendi nokta-i nazarlarından haklıdırlar.

Buraya kadar anlatmak mecburiyetinde bırakıldığım vak'alara ve hakikatlere müstenit malûmâtımı, hiçbir kanunî sıfat ve mevkii kalmayan bâğiler heyetinin isnadlarına karşı, kendimi müdafaa ile yazmıyorum. Çünkü, kanûnî harekât rehberi ittihaz eden, ne bir hükûmet, ne de içtimaî bir heyet veya fert müvacehesinde şekavetkârane mukarreratlarının kıymet ve ehemmiyeti yoktur. Ancak, bu zalimlerin zulüm ve itişaf sebepleri içinde namus ve mevcudiyetleri her an tehlikede bulunan vatan evlâtlarının şeref ve namuslarını korumağa medar olur dşüncesiyle, milletin mukadderâtının yegâne hâkimi olan Büyük Millet Meclisi âzâlarına hitâben, senelerden beri tasmîm edilmiş ve Teşkilât-ı Esasiye Kanunu ile Cumhuriyet idaresi aleyhine ve bu idare şeklinin değişti terilmesine müteveccih bir (ferdî hâkimiyet ve azınlık teşebbüsü)nün hainâne maksat ve tertibâtının bir kısmını söylemek istiyorum.

Reis Paşa! Bu heyet ve müzahiri olan İcrâ Kuvveti Teşkilât-ı Esasiye Kanunu ile Cumhuriyet idaresi aleyhine taklib-i hükûmet cürmü irtikâb etmiş ve bu gün için bu teşebbüsünde muvaffak olmuştur ve yine bu Heyet, Meclisin tatil zamanını ganimet bilip, bu babtaki madde ve kanunî sarâhate kat'i surette aykırı olduğuna bakmaksızın, Mebuslardan bazısını tevkîf ve bazısını da feci bir surette katletmiş ve hiç bir maddî menfaat ve mükâfat beklemeksizin daima vatan ve milletin saadet ve selâmetine hayatını vakfetmiş ve millî istiklâlin kurtulmasına muhtelif cephe ve vazifelerde tebcile değer hizmetler görmüş olan bir kısmını da tehdit ve tedhişe cür'et ve haklarında tertip olunan menfur iftiraları matbûat vasıtasiyle ilân suretiyle de teşhir küstahlığında bulunmuştur.

Aziz vatanda bugün carî ve hâkim olan idare ve zihniyet ile, aziz vatandaşların her an mâruz bulundukları tahammül edilmez ıztırâb ve tehlikelerin hakikî mürtesemi işte bu kara levhadır. Bu feci felâkete çaresâz olabilmek için tek meşrû yol ve çare, Büyük Millet Meclisi âzâlarının, bu derece mühim ve hayatî tehlike karşısında olsun her türlü şahsiyât ve fırkacılık hislerinden sıyrılarak, cihanın hayret nazarları önünde, milletin mes'ud azîm ve celadetinin mahsûlü olan (İstiklâl) ini onun için muhakkak bir tehlike teşkil eden bu zalimlerin kahhar pençesinden bir an evvel kurtarmağa teşebbüs eylemeleridir.

Arka arkaya ve çok acı tecrübelerde edindiğim ve İkinci Büyük Millet Meclisinin toplantı devresinde meclis kürsüsünden mükerreren ifâde eylediğim kanaat; Millet ve vatanın saadet ve selâmeti ancak, (hükümrânlık haklarını ferâğ ve tecezzi kabul etmez bir sûrette şahsiyetinde toplanan ve millet mukadderâtına yagâne hakim bulunan) Büyük Millet Meclisinin, esaslı hatları Teşkilât-ı Esasiye Kanunu ile tâyin edilmiş (Cumhuriyet idaresi)ni her nevî şahsiyetlere, zümrelere -ve derecesi ne olursa olsun- mütecaviz kuvvetlere karşı, tereddütsüz ve kat'iyetle müdafaa ve bu kuvvetin, en ufak birkısmını dahi tatil ve halelden korumasiyle mümkündür.

Aksi takdirde; Teşkilât-ı Esasiye Kanunu ve idâri tarzı, dahil ve hariçte haysiyet ve ciddiyetini ve haiz olduğu fazilet ve emniyet hassasını kaybederek, bugün görüldüğü gibi bir oyuncak derecesine düşer.

Memlekette, asrın ilmî ve amelî telakkileriyle taayyün etmiş fikir ve vicdan hürriyetini te'min ve tatmin edecek, vatanı sükûn ve refah yolunda saadet ve selâmet gayesine ulaştırmağa çalışacak olan Millî Hâki-miyet İdaresinin, her kuvvet ve şahsiyet üstünde bulundurulması esası ihmal ve zaif ile kuvvetliye, fakir ile zengine eşitçe tatbik edilmesi şart olan kanunların hâkimiyeti ihlâl edilirse, evvelce de bilvesile söylediğim gibi bir devresine şahit olduğumuz zalim ve cür'etkâr bir azınlığın intikamcı idaresini mümkün kılan meşhur müstebit Kızıl Sultanların yüzünü ağartacak bir istibdât hükümfermâ olur ve ezilen fikir ve boğulan vicdan sesleri -her zamanda, her yerde olduğu gibi- suikast teşebbüsleriyle ve menfur gizli komitelerin teşekkülleriyle neticelenir ve bundan sonra da, sırasiyle irticalar ve ihtilaller doğar ve âfetler vatanın selâmetini milletin emniyet ve istiklâlini -belki de artık kurtarılması kabil olmayacak surette- inhilâl çukuruna sürükler. Bunu görmek ve bilmek için ne dehâya ve ne de cihân tarihinde pek derin vukûf ve behreye lüzum vardır.

Vatan ve milletimizin on sekiz seneden beri mâruz kaldığı felâketlerin, her şuurlu vatandaşla husûle getirdiği acı tecrübeleri ve millet efrâdının mübarek kanlariyle kıpkızıl hâle gelmiş levhayı, bir an için şahsiyet ve menfaat gibi her türlü ihtiraslardan sıyrılarak, ciddiyetle tetkik ve tahlil eylemek kifayet eder.

İlk Kanunu Esasînin, zamanın hükümdarı tarafından nasıl tâdil edildiği, Meşrutiyet devrinde de kezâ Kanunu

Esâsinin millî hâkimiyeti esasından sarsacak bir tarzda nasıl tâdil olunduğunu ve bu ikinci cür'et neticesi olarak millî istiklâl ve vatan selâmetinin ciddî bir tehlikeye mâruz kaldığı hayatî anda, hükümdarın Millet Meclisini nasıl bir hamlede ilga suretiyle Millî hakimiyeti darbelediği malûmdur.

Bugün şahidi olduğumuz teşebbüslerle tatbikat da tıpkı ve fakat daha vahim ve mühlik bir vaziyeti hazırlayıp doğuracaktır. Derhal lâzım gelen teşebbüslerde bulunarak, bu haller kaldırılıp ve kayıtlardan şartlardan münezzeh ve Millî Hâkimiyet İdaresini en hassas kıskançlıkla muhafaza edecek hür, adil ve kanunî bir hükûmet esasları vaz'olunmaz ise, müstebit azınlıkların zalim ve kahredici idaresi yüzünden millet, hâkimiyetini tamamen kaybedecek, vatan muhakkak bir tehlikeye düşecektir. Hakikî vaziyet şâyet tarafsız olarak mütalâa olunursa, bu mertebe ciddî ve hayatî olduğu görülür.

Yegâne çareve ümit, tekrar edeyim ki, Büyük Millet Meclisinin kanunî hakkını derhal istimal ile herşeyden evvel millet efradının hayat, hürriyet ve namusiyle, vatanı bu zalim türedilerin gasıb ellerinden kurtarmasındadır.

Teşebbüs edildiği söylenilen suikastta ve fikir hürriyetlerini imhayı şiar edinen bu idârenin daha ziyade devamı halinde millet ve vatanın zararına olarak doğacak fevkalâde vahim ahvâl ve hadisât için sebepler ve menbalar aramak icap ediyorsa, bunu hile ve desiselere tevessül ve vaziyeti tertip edilmiş plân dairesinde i'zam ve tevsî suretiyle yüksek meclisi iğfâl ederek, gayrî vazih ve müzakeresi esnasında bizzat mecliste de söylediğim veçhile - sükûnu (takrir) yerine (İhlâl) edecek bir kanuna mâlik ve bu kanunu şahsî heves ve ihtiraslarını te'mini ve intikam hislerini tatmin edecek şekilde tatbika hevesli icrâ heyeti ile bunun cürüm ortağı olan İstiklâl Mahkemesi ismini taşıyan malûm takımın, teşebbüs ve icrâatında aramak lâzım gelir.

Sarsılmaz bir kanaat halinde muhafaza ettiğim mütâlâalarımı, meclis kürsüsünden ifade ve izah etmek vazife ve şerefinden, hükûmet kuvvetlerini meşrû olmayan bir tarz ve surette bugüne kadar ellerinde tutmağa muvaffak olan mütegallibe zümresi tarafından menedilmiş bulunuyorum.

Mebus olarak vazifemi, bilmecburiye yazıyla îfâ suretiyle, kanunî hak ve selâhiyetimi kullanmağa teşebbüs ve yüksek meclise keyfiyeti arzeyliyorum.

Büyük Millet Meclisi âzalarına, millet ve vatanı felâketten kurtaracak olan karar ve icrâatında muvaffakiyet ve hayatımı şeref ve istiklâlin yükselip masûn kalmasına vakfettiğim ve her türlü muhalefet ve mümanaat karşısında bundan böyle de aynı meslek ve yolda devam ile dâima hizmetlerimi, minnettarâne arzedeceğim mübarek vatan ve aziz milletime saadet ve selâmet dilerim efendim."

Büyük Millet Meclisi Reisinin teklifine elde mevcut ve mer'i kanunların sarih hükümlerini şahit gösterip ve kendine İstiklâl Mahkemesi hüviyeti vermek isteyen mahut heyetin bütün birmilet muvacehesinde pervasızca yapmaya cür'et ettiği keyfî, hunharca ve esasen âzasından bazılarının, resmî vesikalarla sabit olduğu veçhile, şahsî düşmanlarım olan böyle heyete müracaatımda mâzur bulunduğumu bildirmekle cevabı kâfi görmeği, masuniyetine ahit ve kasem ettiğim kanunlara riayetkâr kalmak nazarından mecburdum.

Vatan ve milletin mâruz bulunduğu ve cidden nazik

ve çok elîm vaziyette, asabıma hakim olamayarak, insanlık halinin bir anlık zaafiyle, beni Allah esirgesin karşımdakiler seviyesine düşürebilecek herhangi bir şahsî hırsa kapılmadan, başka türlü bir hareketi umumî menfaate uygun bulmayarak, sabır ve tahammüle karar verdim, fakat cevapnâmeme, vatanda söz, fikir ve vicdan hürriyetinin hüküm süreceği herhangi bir anda yalnız bu gibi isnad ve iftiralara değil, otuzyıllık resmî ve millî hayatımın her anına ait her istenecek hesabı, adlî mahkemelerde vermek fırsatını bulduğum zamanı, ömrümün en mes'ut bir anı telâkkî ile kabul edeceğimi de bilhassa ilâve ettim.

Bu (zaman) bir müddet sonra geldi ve ben, hamdolsun, daha kendim bizzat adaletin tecellisini temin için herhangi bir teşebbüse geçmeğe vakit bulamadığım bir sırada, Anadolu Ajansı ile gazetelerde CHP Genel Başkan Vekili ve Başvekil Doktor Refik Saydam imzasiyle, aynen şu haberin yayınlandığını gördüm: (Boşalan Kastamonu Mebusluğuna eski İstanbul Mebusu ve eski Başvekil Rauf Orbay'ın Genel Başkanlık Divanınca namzetliği kararlaştırılmıştır.

"Rauf Orbay'ın hakkında evvelce İzmir İstiklâl Mahkemesi tarafından verilmiş olan mahkûmiyet kararının ref'i için vâki müracaatı üzerine yapılmış olan hukukî tetkikler, araya girmiş olan umumî af kanunları, isnat olunan fiili bir taraf ettiği gibi muhâkemenin iadesini de gayr-i mümkün kılmış ve esasen muhâkeme iade edilebilseydi beraatinin muhakkak olacağı kanaatine varılmış olduğu görülmüştür. Sayın ikinci müntehiplere bildirir ve ilân ederim."

Bu, yalnız benim için böyle değildi. Aynı mahkemenin kurbanı olan daha bir çok kıymetli arkadaşlar vardı ki sağ olsalardı, onlar için de (esasen muhâkeme iade edilseydi, beraatleri muhakkaktı) deneceği şüphesizdi.

Ve bu durum böyle iken, verdikleri caniyane hükümlerle, pek kıymetli namuslu ve cidden vatan sever bazı memleket evlatlarını en âdi iftiralarla lekelemeğe yeltenerek katletmiş olanlar, şimdi CHP'sinin ve hükûmetin "beraat" ilânı karşısında sanki kendileriyle ilgili bir şey olmamış gibi tamamiyle sessiz ve kayıtsız bulunuyorlar ve hâlâ insanlar arasında kollarını sallaya sallaya dolaşmaktan olsun, utanmıyorlardı.

Ben, bu vaziyette, hâlâ Mustafa Kemal Paşa'ya (suikast teşebbüsünde bulunmamız gibi bir isnadın) nasıl akla gelebilmiş olmasına hayret ediyorum.

Bütün Millî Mücadele imtidadınca baş olarak kabul ve sonuna kadar en yüksek samimiyet, itimadı nefs ve feragati ile mu'in ve müzahiri olduğumuz Mustafa Kemal Paşa'nın selâmeti ve emniyeti bahis mevzuu olunca vatan ve milletin selâmet ve emniyeti derecesinde kıymet vererek, icabında kendi hayatımı siper etmekte tereddüt etmediğimi bizzat kendisinin herkesten iyi bilmesi icap ederdi. Ben kendisinin, memleketi kurtarmak için en yüksek kudreti haiz bulunduğunu bilerek, öteki açık sözlü ve açık yüzlü, samimî arkadaşlarımız gibi kendisiyle tam bir anlaşma halinde fikir ve gaye ortaklığı ettim. Ne yazık ki, sulhün akdinden sonra, etraflarında peyda olan kendilerine inanarak samimiyetle değil, fakat mideleriyle bağlı menfaat düşkünü kimselerin yavaş yavaş tesirleri altında kaldıklarını üzülerek görmeğe başladık. Pek yüksek fikirler ve ümitlerle başlanan ilk hürriyet harekâtının fecî bir surette iflâsını mucip olan amiler hemen hemen ayniyle bu defa da kendini gösterecek aynı kaçınılmaz neticeye sürüklenilmesini mukadder kıldılar. İptidadan beri pek samimî ve candan yardımcı olanbazı arkadaşların da ayrılığı, sebebini, bence, yalnız ve münhasıran bu noktada aramak lâzımdır. Sun'î vezayıf hâdiseler icadı ile efsaneler tertibine lüzûm yoktur.

Ben ve bir kaç yakın dostum menfur ve şenî suikast teşebbüslerine gidecek kadar ikbal ve mevki düşkünü insanlar olsa idik, ayrılığa hiç bir sebep kalmaz, kanaat-i vicdanını satmak suretiyle maddî hayatın azamî derece refahına kavuşur ve kendilerinin hayatta kaldıkları müddetçe düğün-dernek ve hava safaları içinde yaşar dururduk.

Gazi Paşa aleyhine benim ve kendisiyle en ümitsiz ve karanlık günlerde kudretini takdir ile en yüksek samimiyet ve vefa duygularıyle işbirliği yapan belli arkadaşların tarafından suikast tasavvuru için, dünyevî ve uhrevî herhangi bir sebep varit ve bahis mevzuu olamaz. Kaldı ki, her birimizin mazîdeki hayatları, suikastlerden daha müteneffir ve böyle şeylerin şiddetle aleyhtarı olduğumuzu ispat eden delilller ve vak'alarla doludur. Fakat benim ve birkaç arkadaşımın aleyhlerine müteveccih suikast bahis mevzuu olunca, mesele tamamiyle berakis olur. Çünkü:

Zaman ve eşhas göstererek ispat edebileceğim veçhile, Mecliste başlayan iftiralarla bizleri tahrike müteveccih, menbaı iktidarın en yüksek mevkilerini işgal eden zevat olan âdi teşebbüslerden başka bizzat benim Avrupa'da ikamete mecbur kaldığım müddet zarfında aleyhime müteveccih tertiplerle tahrik ve iğzap edici hareketleri gerektiğinde vesikalarla da isbat edebilirim.

TÜRKİYE'DEKİ ABD BÜYÜKELÇİLİĞİ'NİN İZMİR SUİKASTI İLE İLGİLİ RAPORLARI...

Şimdi olduğu gibi o dönemlerde de Amerika, Türkiye'nin "içinde" ve her olayı, her gelişmeyi adım adım izliyor...

Mustafa Kemal'e bir suikast girişimi olur da ABD buna seyirci kalır mı?

Elbette kalmaz?

İzmir Suikastı girişimi sonrasında Türkiye'deki Amerikan Büyükelçiliği arka arkasına iki rapor, bir telgraf gönderiyor ABD Dışişleri bakanlığına...

Raporun ilkinin tarihi 22 Haziran 1926. Dönemin büyükelçisi "Mark L. Bristol" imzasını taşıyan raporda suikastın nasıl olduğu kabaca özetlendikten sonra şu gözleme yer veriliyor:

— "Dolaşan bir söylentiye göre hükümet ya böyle bir suikastı uydurmuş ya da siyasal olmayan gerçek bir-suikastı, artık sert iç yönetime rağmen, susturulamayan genel muhalefet karşısında Terakkiperver Parti yöneticilerin gözden düşürmek için kullanmıştır..."

3 Ağustos 1926 tarihini taşıyan ikinci raporda ise İstiklal mahkemelerinin kararları üzerinde duruluyor. Kim-

lere ne cezaların verildiği Amerikan Dışişleri Bakanlığı'na bildiriliyor. Aynı zamanda dönemin gazetelerinde olayla ilgili çıkan haber ve yorumlar da merkeze aktarılıyor.

İkinci rapordan sonra ABD'ye çekilen telgrafta da Cavit Bey, Dr. Nazım, Nail ve Hilmi Bey'lerin İstiklâl Mahkemesince verilen idam cezaları duyuruluyor...

Bu rapor ve telgraflardan da anlaşıldığı gibi Türkiye'deki Amerikan Büyükelçiliği ülkemizdeki elişmeleri günü gününe izliyor ve Amerika'daki ilgili yerlere rapor ediyordu...

İzmir Suikastı girişimine Amerika'nın nasıl baktığını anlamak açısından önem taşıyan bu iki rapor ve bir telgrafı tarihi bir belge olarak sizlere sunuyoruz:

RAPOR

ABD Büyükelçiliği İstanbul

22 Haziran 1926

Sayın Dışişleri Bakanı,

Washington D.C.

Efendim,

Daha önce 18 Haziran tarihinde gönderdiğim ve Cumhurbaşkanının hayatını almaya yönelen bir suikast girişiminin ortaya çıkarılması konusundaki telgrafıma ilişkin olarak ayrıca saygılarla belirtmek isterim ki basında yapılan yayınlar, suikastin Terakkiperver Partisinin ve milliyetçi akımın ilk günlerinde Mustafa Kemal'e muhalefet eden milletvekillerinden kurulu eski ikinci grubun, önde gelen üyelerince düzenlendiğine işaret etmektedir. Belirtildiğine göre suikastçılar, daha önce, işlerini Ankara'da ve Gazi'nin uzatılmış gezisi sırasında Bursa'da gerçekleştirmek istemişlerdir. Sonunda, yakındaki Sakız ve Midilli gibi kaçılması kolay Yunan adaları dikkate alınarak İzmir kenti seçilmiştir.

Bildirildiğine göre on gün kadar önce, suikast eylemini yönettiği öne sürülen İzmit Milletvekili Şükrü Beyin kartını taşıdığı için gümrükte denetlenmeyen valizlerle, bir küçük grup suikastçı, İstanbul'dan İzmir'e gemiyle hareket etmişlerdir. Bu valizlerle otomatik tabancalar ve el bombaları taşıyorlardı. Bu bombalar Gazi, Bursa'dan 16 Haziran'da İzmir'e geldiğinde, istasyondan otele giderken çiçek buketlerinde saklanıp atılacaktı. Suikasçılardan biri dikkatsiz davranarak, 1922 yılındaki Türk-Yunan savaşı sırasında kendi yönetimindebulunan bir eski askeri de görevlendirilmiş, bu asker de söylendiğine göre, İzmir Valisine suikast hazırlığını bildirmiş, böylece eylemi önlemiştir.

Yoksa geliştirilmiş hazırlıklar amacına ulaşabilir, Cumhurbaşkanının öldürülmesi sağlanabilir ve Terakkiperver liderliği ve öbürlerinin yönetiminde yeni bir hükümet kurulabilirdi.

Suikastı düzenlemekle suçlanan tutuklanmaları ve onların yaptıkları açıklamalar sonunda,çok sayıda siyasî kimselerin ve muhalefet mensuplarının ülkenin çeşitli yerlerinde bunların etkilediği, elliye yakın kişinin göz altına alındığı ve İzmir'e gönderildiği, Ankara'dan İzmir'e gelen İstiklâl Mahkemesinin bunların duruşmalarına başladığı bildirilmiştir.

Gazi'nin görünmez bir tehlikeden kurtulması şerefine 20 Haziran'da Ankara'da, İstanbul'da ve İzmir'de bu kentlerin üniversite öğrencilerinin yönetiminde büyük mitingler düzenlenmiştir, bu mitinglere okul çocukları, sivil dernek üyeleri ve çok sayıda vatandaş katılmıştır.

Dolaşan bir söylendiye göre, Hükûmet ya böyle bir suikastı uydurmuş, ya da siyasal olmayan gerçek bir suikastı, artık sert iç yönetime rağmen, susturulamayan genel muhalefet karşısında Terakkiperver Parti yöneticilerini gözden düşürmek için kullanmıştır. Bildirildiğine göre muhalefet, musul anlaşmasının tamamlanmasından sonra güçlenmiştir. Terakkiperver Parti bu anlaşmayı, Türk haklarından gereksiz yere ödün vermek biçiminde yorumlayıp reddetmektedir.

Mark L. Bristol

RAPOR

ABD Büyükelçiliği İstanbul

3 Ağustos 1926

İzmir duruşması konusunda daha önce verdiğim bilgilere ek olarak şunubelirtmek isterim ki 14 Temmuzdaki idam cezalarının infazı, Cumhurbaşkanına karşı düzenlenen suikast olayı duruşmalarının ilk faslını kapatmış olmaktadır.

11 Temmuz'da savcı, kişisel her olayı genel olarak anlattıktan sonra, mahkemeden, sanıklardan 19 'unun ölüm cezasına, altısının mahkemece kararlaştırılacak sürelerde hapis cezasına, duruşmalarına Ankara'da devam edilecek olan az sayıda sanıklar dışında, geri kalanların beraatına karar verilmesini istedi. Mahkeme heyeti kararını 13 Temmuz'da açıkladı. Savcının isteklerini genel olarak yerine getirdi. Ancak şu farkla ki Savcı İsmail Canbulat Bey, Rüştü Paşa ve Halis Turgut Bey için hapis cezası istediği halde, mahkeme heyeti bunların da ölüm cezasına çarptırılmasına karar verdi. Ertesi sabah erkenden yerine getirilen idam cezalarına çarptırılanların listesi şudur:

1. **Şükrü Bey,** İzmir Milletvekili,
2. **İsmail Canbulat Bey,** İstanbul Milletvekili,
3. **Arif Bey,** Eskişehir Milletvekili,
4. **Abidin Bey,** Saruhan Milletvekili,
5. **Halis Turgut Bey,** Sivas Milletvekili,
6. **Rüştü Paşa,** Erzurum milletvekili,
7. **Ziya Hurşit,** eski Lazistan milletvekili,
8. **Hafız Mehmet Bey,** Eski Trabzon milletvekili,
9. **Laz İsmail,**
10. **Gürcü Yusuf,**
11. **Çopur Hilmi,**
12. **Sarıefe Edip Bey,**
13. **Emekli albay Rasim,**
14. **Kara Kemal Bey,** eski gıda bakanı-gıyaben,
15. **Abdülkadir Bey.** Eski Ankara valisi-gıyaben. (Polis tarafından tutuklanırken 27 Temmuz'da intihar etmiştir.)

Konya'da on yıl sürgüne mahkum edilenler:

1. **Vahap Bey,** Hafız Mehmet'in yeğeni,

Duruşmalarına daha sonra Ankara'da devam edilecek olanların listesi ise şöyledir:

1. **Rauf Bey,** İstanbul Milletvekili (yok),
2. **Adnan Bey,** Eski İstanbul Milletvekili (yok),
3. **Rahmi Bey,** Eski İzmir valisi (yok),
4. **Hilmi Bey,** Ardahan eski Milletvekili,
5. **İhsan Bey,** Ergani Milletvekili,
6. **Cavit Bey,** Eski Maliye bakanı,

7. **Selahattin Bey,** Mersin eski Milletvekili,

8. **Kara Vasıf Bey,** Sivas eski Milletvekili (Cezada adı geçmemiştir.)

9. **Hüseyin Avni Bey,** Erzurum eski Milletvekili.

Savcının önerilerini bir yana bırakıp mahkeme'nin, **Halis Turgut, Rüştü Paşa** ve **İsmail Canbulat**'ı niye ölüme mahkum ettiği şimdiye dek ortaya çıkmamıştır. Bu konuyu düşünmenin nedenleri vardır: Türk İstiklâl Mahkemelerinin başlıca özelliklerinden biri, savcı ile yargıçların oy birliği ile davranmaları olmuştur. Bu durumda savcı ile üç yargıç arasında görüş ayrılıkları olduğunu düşünmek uzak bir olasılıktır. Geçerli bir teori şu olabilir: Duruşma sürerken yarı-resmî gazetelerde çıkan bir takım yazılar mahkemeyi duyarlı kılmış ve yasal geçerliliğini göstermek için, gerçek bir mahkeme havasına bürünmek zorunluluğunu duymuştur. Ancak böyle safça bir davranışla, mahkemenin, herkesi başka türlü düşünmeye yöneltmesi olasılığı da, kavranabilir gibi değildir.

Rauf Bey ve **Adnan Bey** dışında, mahkeme tarafından 13 Temmuz'da okunan cezalar ve beraat kararları, Terakkiperver Parti liderleri konusundaki bütün davaları kesinlikle çözümlemiştir. Hükümetle Rauf Bey arasındaki davaya özel bir önem verildiği ve bu davanın denetlendiği görüşü halk arasında yaygındır. Halk arasında söylenenlere göre Rauf Bey, Ankara'da son günlerde kullanılan deyimle, önemli ölçüde gericidir suikast işine karışmasa da İttihatçı topluluğun gizli eylemlerine katkıda bulunmuştur ve şimdi iktidarda olanlar kıskançlık değilse bile ondan kuşku duymaktadırlar. Aynı suçlamalar bu sonuncular dışında daha az ölçüde Adnan Bey'e de yöneltilmektedir. Rauf ve Adnan şimdi İngiltere'dedirler. Gerçi onların geri gönderilmesinin istendiği söylenmekte ise de yakın bir gelecekte Türkiye'ye dönmeleri için çok az bir olasılık vardır.

İstiklâl Mahkemesi tarafından verilen idam cezaları ve öteki cezalar, Türk kamuoyunda bir yandan buruk bir eleştiriye kadar uzanan kuşku ve korkuyla, öte yandan ferahlama gibi bir duygunun karışımı biçiminde bir tepki yarattı. Önceki görüşle·ilgili olarak, bir çok Türk, ve yabancıların hemen hepsi Hükümetin Canbulat ve Halis Turgut'u ölüme mahkum ettirmekle çok ileri gittiği duygusuna kapıldılar ve bu gibi cezaların, Kemalist diktatörlüğe başka bir Abdülhamit rejiminin niteliklerini kazandırdığı kanısını öne sürdüler. Daha soğukkanlı ve yapıcı eleştiride bulunmak isteyenler, Türk devriminin, bu gibi ek güç gösterilerine gerek duymayacak ve başvurmayacak bir noktaya geldiğini bunlara başvurulursa, hoşnutsuzluk doğurabileceğini belirttiler. Bu konuyla ilgili olarak Hükümetin ya da Hükümete yakın milletvekillerinin görüşü ise bu ikisinin gerçekte İttihatçı oldukları, gizli eylemlerine araç yapmak için Terakkiperver Partisine girdikleri, ölüm cezalarını, hem geçmişteki eylemleri hem de bu günkü suikast sorunu içinde yer alarak hak ettikleri yolundadır. Terakkiperver Partisinin göze batmayan bir üyesi olan **Rüştü Paşa**'nın idamı ise pek yorum uyandırmamıştır. Cezaları izleyen kimi eleştiriler, Canbulat ve Halis Turgut'un kin ve kuyruk acısı kurbanı oldukları biçimindedir. Ayrıca kimi gerici eğilimli Türkler, o kadar ileri gitmişlerdi ki İzmir'de suikastın gerçekleştirilmesi için görev alanlar dışında kalanların kişisel düşmanlık nedeniyle idam edildiklerini öne sürmüşlerdir. Kimi zaman, mahkemenin verdiği ağır cezaların bir bölümünü, İsmet Paşa'nın İttihatçı aleyhtarı olmasına bağlıyanlar ve onun mahkeme işlemlerinde asıl kararı veren olduğunu söyleyenler olmuştur. Bu varsayımda bir gerçek payı olabilir ama belki yıllar boyunca bunu ortaya çıkarmak mümkün olmayacaktır.

Tümüyle incelendiğinde, İzmir duruşmaları hem yasal, hem de siyasal yönden ilginç olmuştur. Yasal yönden, Devlet Başkanının hayatına kasteden bu suikast girişimi yargının önüne getirilmiştir, hiç olmazsa Hükümetin görüşü ve Türk basınının görüşü budur. Batı kavramlarına göre ölçüye vurulduğunda, bu noktada Türk yargılama biçimleri, gerek delillerin inandırıcılığı, gerekse duruşmaların sürdürülüşü açısından çok ince bir yargılama olarak görülmüyor. Yerleşmiş kurallardan en önemlisi uzaklaşma, sanıkların savunma için avukat bulamayışları ve temyiz haklarının olmayışıdır. Siyasal bakım dan, parlamento politikası açısından, duruşmaların önemi, Terakkiperver önderlerinin yeniden sevgi kazanabilmeleri için yıllar geçmesi gerekecek ölçüde gözden düşmüş olmalarıdır. Duruşmalar sürerken, Terakkiperverler arasında en önemlileri olan **Ali Fuat Paşa** ve **Kâzım Karabekir** saygı görmüşler ve zaman zaman ulusal amaçlara yaptıkları katkılara değinilmiştir. Bununla beraber, hem yargı yönünden hem de basın yönünden sürdürülen eleştirilen halk üzerinde etki yapmıştır. Mahkemenin, Paşalara karşı sürdürdüğü eğilim öyle iyi örtülmüştür ki, beratları okunduğunda herkes derin bir soluk almıştır. Onların özgür bırakılması üzerine Hükümet, bu gibi önde gelen vatanseverlere idam cezası uygulamanın yaratabileceği sorunları görmüş ve onları göze batan güvensizlik lekesiyle özgür bırakmayı böylece hem onların etkisini çürütmeyi hem de ilerde tüm bir barışma sağlanması olanağını sağlamayı yararlı bulmuştur. Nedenleri ne olursa olsun, bu liderler özgür bırakılınca ferahlayacaklar ve bundan böyle hükümet partisinin uygun önerilerini, eski deneylerini dikkate alarak kabul edeceklerdir.

İzmir duruşmalarının nasıl yönetildiği konusunda lehte ya da aleyhte akademik bir takım görüşler öne sürülebilir. Mahkemenin davranışlarının, hukuk dışı,kestirme ve keyfî olduğu konusu tartışılamaz. Ama şunu hatırda tutmak gerekir ki «İstiklâl Mahkemeleri» temelinden hep böyleydi, dolayısıyle bu noktayı tartışmak bir ilke sorununu ortaya koymaktadır ki, bu günkü durumun nedenleriyle bir ilgisi yoktur. Türk devriminin, normal yasal işlemlerin yeterli olacağı bir düzeye erişip erişmediği konusunda, her Batılı Türkiye'de iktidarda olanlarla görüş ayrılığına düşecektir. Bu gerçeğin dışında, bizim eşitlik anlayışımıza göre, hukukun iyiye yöneltici etkisi bakımından çok az dikkat harcanarak bu yargılamalar yürütülmüştür. Bu noktada, Hükümetin davranışını az da olsa desteklemek olanağı vardır. İdam edilen kişiler, Canbulat ve Halis Turgut da dahil komitaı (committadji)nitelikdedirler, hepsi kamuya karşı suç işledikleri kanıtlanmış kimselerdir, içlerinden çoğu (Canbulat dahil) birinci dereceden adam öldürme suçunun sanıklarıdır. Dolayısıyle Türkiye, toplumsal bakımdan, bu kişilerin yitirilmiş olmasından pek zarar görmeyecektir. Hükümetin daha şiddetli baskı yöntemlerine gidip gitmeyeceğini söyleyebilmek için ise insanın Yakın-Doğu'da bir siyasal gözlemciden daha ilerde bir görüş yeteneğine sahip olması gerekir. Siyasal idam cezalarının uyandırdığı tepkiyle duygularının değiştiğini kabul etmekle birlikte, kişisel olarak Ankara'nın satılmış katillerle onlara yön verdiği saptanmış olan **Şükrü** ve **Arif**'in idamıyla yetinmesi daha yerinde olurdu inancındayım. Benim görüşüme göre böyle ortalama denilebilecek bir çözüm yolu, yasanın gereklerini karşılar veilerdeki eylemli siyasal çabaların etkilerinden de halkı korumuş olurdu. Tabiî Türkler, kendi halkının davranışlarını daha iyi bildiklerinden ve alınacak önlemleri bir yabancıdan daha iyi saptayabileceklerinden bu konuda daha fazla birşey söyleyebilmek güçtür.

Ankara'da bu gün başlıyacak duruşmalar ise, bir çok yönden İzmir'dekinden farklı olacaktır. İzmir'dekiler bir devlet adamının hayatına yönelmiş bir suikastın yasal bakımdan (söz gelişi) incelenmesiydi, Ankara'dakiler ise uzun süren siyasal görüş ayrılıklarının temizlenmesini sağlayacak ve bundan böyle Türk devriminin ne yol izliyeceği sorununu çözümleyecektir. Son iki yılda ortaya çıkan yıkıcı eylemler, örneğin Kürt isyanı, şapka ayaklanması vs., ciddî gerici gösterilerdi ama belki de bunların, Kemalist grupla eski İttihatçılar arasında yıllarca süren temel sorunlarla, özellikle İzmir duruşmalarında ortaya çıkanlara bakılırsa, en azından İttihatçılar yönünden gerçekten ciddî nitelik taşıyan sorunlarla, ancak ikinci dereceden bir ilgisi bulunmaktaydı. Hükümet, Türkiye'yi Batılı güçler düzeyine çıkarmaya çaba harcayan ve bu konuda araç ve inanca sahip tek kuruluş olma iddiasındadır. Dolayısiyle Hükümet, İttihatçılara, Abdülhamit dönemindeki gibi özel çıkarlar için çalışan bir grup gözüyle bakmaktadır. Ankara'nın partizanları, daima triumvira İttihatçıları ile millî harekete katılmış olan İttihatçılar arasında ayrımı işaret etmeye dikkat etmektedirler. Onlara göre, bugün duruşmalarla ilgili olarak kullanılan deyim, eski rejimin üzücü bir kalıntısı olarak, kafasında ülkenin gelişmesi için hiçbir programı olmayan, vatansever duygulardan uzak, sadece kişisel çıkarları düşünen siyasal kişilikleri kapsamaktadır. Şimdi Ankara'da duruşmayı bekleyen ittihatçılar için Hükümetin ne düşündüğünü, 12 Temmuz'da Dışişleri Bakanı ile yaptığım görüşmede geçen bir sözle açıklayabilirim. Bana dedi ki İzmir duruşması, Türkiye'yi Batı uygarlığının siyasal ve toplumsal düzeyine eriştirmek isteyen bu günkü Türk'ün isteklerine ters düşen ve kökleri Selçuklulara kadar giden bir görüşün son kalıntıları ortaya koymuştur. Türk devrim tarihinin kanla ve idamlarla lekelenmesinden üzüntü duyduğunu, ancak bunların kaçınılmaz ve koşullar nedeniyle zornulu olduğunu belirtti.

Sanıkların eylemlerinin Lozan Anlaşmasında belirtilen tarihten sonraya ait olduğu öne sürülerek bu anlaşmanın af hükümleri teknik bakımdan bir yana bırakılmaktadır. Ankara İstiklal Mahkemesi, şimdi İttihatçıların, Mondros Mütarekesinden hemen önce ve sonra yaptıklarını, Kurtuluş Savaşı ile ondan sonraki devrimci dönemden, İzmir Suikastına kadar olan süredeki eylemlerini incelemeye hazırlanmaktadır.

Ankara basınının haber ve yorumlarına göre, İttihat ve Terakki Partisi, Kasım 1334 (1918) de hemen mütarekeden sonra Kongre kararıyla feshedilmiştir. Liderleri yurt dışına sürülmüştür. Yine de bu partinin eski liderleri, aralarında gizli ilişkileri sürdürmüşler, İttihat'çılardan sonra kurulan İzzet Paşa kabinesini siyasal yönden etkilemeye devam etmişler, ülkenin denetimini yeniden ele almaya çaba harcamışlar, ulusal zafer sonra da şimdiki hükümet ve rejime karşı gizlice çalışmışlardır. Ayrıca, eski İttihat ve Terakki Partisinin önde gelenlerinin, yukarıda sözü edilen dönemlerde, siyasal karışıklık çıkarmaktan sorumlu oldukları konusunda Hükümetin elinde belgeler bulunduğu da belirtilmektedir.

Milliyet'e göre, Enver Paşa, İttihatçıların düşüşünden sonra Türk Ordusunu parçalanmaktan kurtarabilecek tek kişinin Kemal Paşa olduğunu belirtmiş, buna rağmen İttihatçı grup, İzzet Paşa kabinesinde Harbiye Bakanlığının Mustafa Kemal Paşa'ya verilmesini engellemiştir.

Aynı gazete, tutuklananların ifadelerinden ve dağınık bilgilerden şu sonucu çıkarmaktadır: İttihatçı önderler, özellikle Enver Paşa, milliyetçi akımın örgütlenmesinden sonra Kafkasya İslâm Ordusu (Batum Kongresi) nu kullanarak, zorla Anadolu'yu eline geçirme plânını izlemiş, ancak Sakarya zaferi bu girişimi önlemiştir.

Son olarak, milliyetçi akımın zaferinden sonra ülkeye dönen İttihatçıların düzenli biçimde Cumhuriyetçi Hükümeti gözden düşürmek için çalıştıkları öne sürülmüştür. Cavit Bey'in (Eski Maliye Bakanı) evindeki toplantılar, çeşitli meclis çalışmaları sırasında İttihatçı girişimleri, bir İttihatçı örgütü bulunduğunu kabul ederek «Gazi kabul ederse Halk Partisi ile işbirliğine hazır bir İttihatçı örgütü bulunduğunu kabul eden» **Hüseyin Cahit Bey**'in Tanin'indeki makaleleri, basın ve Meclisteki muhalefet, son olarak da İzmir Suikastı, bazı İttihatçıların, sürekli, Hükümete karşı girişimlerde bulunduğunun kanıtı olarak görülmüştür. Ayrıca İttihat ve Terakki Partisinin fonlarının tam olarak otadan kaldırılmadığı ve yaklaşık 300.000 Türk lirasının **Kara Kemal, Dr. Nazım, Mithat Şükrü ve Dr. Hüseyinzade Ali** Beylerin yönetimdeki bir dinî vakfa aktarıldığı, mütarekeden sonra Türkiye'den kaçan önderlere bir bölümünün dağıtıldığı yolundaki ifadeler de, aynı biçimde kuşkuları kanıtlıyacak nedenler olarak kabul edilmiştir. Aynı zamanda, İttihat ve Terakki fonlarının, İttihatçılardan kurulu bir takım şirketlere aktarıldığı ve bu şirketlerin eylemlerde merkez rolü oynadığı kuşkusu öne sürülmüştür. Yöneticilerin çoğunun tutuklandığı bu şirketler şunlardır:

1- Kantariye Şirketi

2- Millî Mahsulat Şirketi

3- Millî Ticaret Şirketi

4- Millî İktisat Bankası

5- Millî Mensucat Şirketi

6- Ekmekçiler Şirketi

7- Tesanüt

Bu şirketlerin hemen tümü kapatılmıştır. Hesapları dikkatle incelenmektedir.

İttihatçıların girişimlerinin psikolojik yönüyle ilgili olarak, **Cumhuriyet** Gazetesi, Mondros Mütarekesinden sonra eski büyük hataları nedeniyle, kimse kendilerine bir şey sormadığı için İttihatçıların cesaret bulduklarını öne sürmektedir. **Cumhuriyet** o görüştedir ki bu nedenle bu kişiler ülkenin, keyiflerine göre yönetebilecekleri «babalarının çiftliği» olduğuna inanmışlardır. Bu zihniyet, özellikle bazı İttihatçılar arasındaki yazışmalarda **«Ülkenin yönetimi Mustafa Kemal ya da başkalarına bırakılamaz.»** cümleleriyle ortaya çıkmaktadır. **Cumhuriyet**'in görüşüne göre Ankara duruşmaları, İttihatçı rejimin başlıca niteliği olan bencil ve çürümüş anlayışı ortadan kaldırmakla büyük bir yarar sağlayacaktır.

Milliyet ise İttihatçılardan vatan sevgisi yoksunluğu üzerinde durmakta, onların Türkiye saldırganlara karşı bir ölüm kalım savaşına girdiği sırada bile hıyanet niteliğindeki programlarından caymadıklarını belirtmektedir.

İttihatçılar konusunda, Ankara duruşmasının niteliği ile ilgili olarak, **Milliyet**'le **Cumhuriyet** arasında ortaya çıkan tartışma ilginç bir noktadır. **Milliyet** bu duruşmanın amacının İttihatçı sorununu tümüyle ortadan kaldırmak olduğunu öne sürmüştür. Bu gazetenin yazarları, **Falih Rıfkı** ve Burhan **Cahit** Beyler, İttihat ve Terakki partisinin tam anlamıyla suçlu olduğu, bu suçun hem bugüne, hem de geriye dönük nitelikte bulunduğu görüşündedir. Öte yandan, eskiden İttihat ve Terakki'de önemli bir mevkide bulunan Cumhuriyet başyazarı Yunus Nadi Bey ise hemen hemen bütün başyazılarında Ankara Mahkemesinin, ortadan kalkmış olan İttihat ve Terakki Partisini yargılamadığını, dolayısıyle duruşmaların, bu partiyi kötüye kullanarak, bugünkü rejimi yıkmaya ve Cumhurbaşkanını öldürmeye kalkan bir grup İttihatçıların gizli entrikalarıyla sınırlı kalması gerektiğini ileri sürmektedir.

Kısa süre önce, bu görüş ayrılıkları Ankara İstiklâl Mahkemesinin başkanınca verilen bir demeçle giderilmiştir. Ona göre, önderlerinin siyasal hataları ve içten vatansever üyelerinin ayrılıp Cumhuriyet rejiminde görev almaları nedeniyle İttihat ve Teraki Partisi kesinlikle ortadan kalkmıştır. İstiklâl Mahkemesi, eski İttihat ve Terakki adını alıp onu gizli bir örgüt biçimine sokan ve ne pahasına olursa olsun ülkenin yönetimini ele geçirmeye çalışan kimseleri yargılayacak ve cezalandıracaktır.

Savcının, bu yarı-resmî bildirisinin yayınlanmasından önce, Ankara İstiklâl Mahkemesinden **Kılıç Ali Bey**'in **Yunus Nadi Bey**'e verdiği demeç de, Ankara duruşmalarının niteliği konusunda, **Cumhuriyet**'in anlayışını doğrulamaktadır.

Vakit gazetesi ise **Falih Rıfkı** ve **Yunus Nadi** Beyler arasındaki tartışmalara değinerek, Ankara duruşmasının yasal yönü üzerinde durmakta, Lozan Anlaşmasının af'la ilgili hükümlerine dikkati çekerek, Ankara İstiklal mahkemesinin ancak İzmir Suikastıne karışanlarla af bildirisinden sonraki eylemleri yargılayabileceği görüşünü öne sürmektedir. **Vakit** düzenin sağlanması ile gizli ve yeraltı girişimlerinde bulunan örgütler konusundaki yasaları hatırlatmakta, İstiklâl Mahkemesinin, sadece bu yasaları çiğniyenleri yargılayabileceğini belirtmektedir.**Vakit,** gene de İstiklâl Mahkemesinin, bir takım İttihatçı'ların girişimlerini tam anlayabilmek için Af ilânından öncki eylemlerine de bakma yetkisi bulunduğunu kabullenmektedir.

Saygılarımla

Hizmetkârınız
Mark L. Bristol
Tuğamiral

Telgraf

İstanbul
27 Ağustos 1926

Dışişleri Bakanı,
Washington

Ankara İstiklâl Mahkemesinde dün aşağıdaki cezalar verildi, **Cavit Bey, Dr. Nazım, Nail** ve **Hilmi** Beyler ölüm cezasına, **Rauf** ve **Rahmi** Beyler gıyaplarında müebbed sürgün cezasına, **Ethem, Vehbi** ve **Hüsnü** Beyler bir süre için sürgün cezasına çarptırıldılar. Ötekiler beraat ettiler.Ölüm cezaları dün gece saat 11'de yerine getirildi.

Crosby

PAŞALARI İDAMDAN BİR GURUP SİLAHLI SUBAY KURTARDI...

İzmir Suikastı davasında bilindiği gibi İstiklâl mahkemesi tarafından tutuklananlar arasında Kazım Karabelir Paşa, Ali Fuat Paşa ve Rauf Orbay gibi çok önemli kişiler de vardı...

Suikasta adı karıştığı iddia edilen pek çok kişiye İstiklal Mahkemesi tarafından "idam" cezası verilirken, Başta Kâzım Karabelir Paşa olmak üzere diğer Paşalara "dokunulamadı".

Bunun sebebini ise Kâzım Karabekir'in damadı, Prof.Dr. Faruk Özerengin şöyle açıklıyor:

— "Bir grup silahlanmış subay sayesinde Paşaları asamadılar. Bunu da çok iyi biliyoruz. Mustafa Kemal Paşa Çeşme'ye çekiliyor. Fahrettin Altay vasıtasıyla mutamadiyen haberleşiyor. Bir an evvel bunları da temizlemek istiyor. Fakat mahkeme bir türlü karar veremiyor. Bunun üzerine, "silahlı subaylar var, çekin subayları" diyorlar. Orduya emir veriyorlar, tatbikat yapılacaktır. Çeşme'ye gelin... Ordu, askerler Çeşme'ye çekiliyor fakat bir grup subay çekilmiyor. Ordu'ya isyan ediyorlar. Şuna karar veriyorlar: Eğer Paşalara idam hükmü çıkarsa mahkeme heyetini temizleyecekler. Meşhur "üç Ali'yi" ve ondan sonra da komutanlarını dışarı çıkartacaklar ve isyanı başlatacaklar..."

Bu ilginç noktayı Kazım Karabekir'in damadı Prof.Dr. Faruk Özerengin, şimdi yayınlanmayan Teklif Dergisi'ne (1987/6. sayı) verdiği bir mülakatta anlatıyor...

Mülakatta, İstiklâl Mahkemelerinin nasıl çalıştığından tutun da Terakkiperver Cumhuriyet Fırkası'na, İzmir Suikastının bilinmeyen yönlerine kadar pekçok ilgi çekici konuya değiniliyor. Prof. Özerengin Bey'in değerli fikirlerini içeren söyleşiyi özetleyerek dikkatlerinize sunuyoruz...

Soru: Siz Kâzım Karabelir Paşa'nın damadısınız. Paşa hakkında en geniş malumata, belgelere sahipsiniz. İnkılap tarihi kitaplarında Kazım Karabekir ve arkadaşlarının kurmuş olduğu Terakkiperver Cumhuriyet Fırkası için doğrudan doğruya inkılaplara karşı kurulmuş bir parti olarak bahsediliyor. Bu partinin kurulmasını çekemeyenler de vardır. Demokrasi yolunda ilerleyen yeni Türkiye'nin, Cumhuriyet Halk Fırkası'nın karşısına Terakkiperver Cumhuriyet Fırkası'nın kurulmasına gerek var mıydı, diye kitaplarda yazıyor. Demokrasiyi tek particiliğe oturtma düşüncesi ne ile açıklanabilir; Çünkü bu parti halkin tasvibini de almıştı. Bu konuda neler diyeceksiniz?

Prof.Dr.Faruk ÖZERENGİN: Bu konuda çok şey söyleyebilirim. Türkiye İstiklâl Harbiri kazandıktan sonra M. Kemal Paşa'nın etrafında bu harpte emeği olmayan büyük bir dalkavuk kitlesi toplandı. Bunlar Ankara'da büyük bir dalkavuklukla M. Kemal Paşa'yı göklere çıkarıcı bir harekete geçtiler. Apaşikar görülüyor ki günün birinde de neşriyatı çıkınca görülecek ki devlet belgeleri açılırsa, tarihçiler buna eğilirse, görülecektir ki M. Kemal Paşa, bütün iktidarı avucunda toplayabilmek, Padişahlığı atmak, kendisi hem Büyük Millet Meclisi, hem başkan, hem halife olmak sûretiyle, bütün gücü elinde toplama hareketine girişti. Bunun üzerine İstiklâl Harbini yapmış olan belli başlı kişiler, bu kadar aşırılığı doğru bulmadıkları için bunu frenlemek için karşı durmaya başladılar. Keza mecliste de ilk muhalefetler ikinci grup falan denilen bu şekilde çıktı. Daha sonra birden bire fikirler değişti. Hilafet meselesi olmayınca, Kemal Paşa büyük bir yıldırım hızıyla, bir gece yarısı halifeyi bindirip göndermek suretiyle o fikirden vazgeçti. Bu sefer de laisizm ve aşırı din düşmanlığı şeklinde bir cereyan Ankara'da doğdu. Bu büyük zikzaklar, ileri geri gidişler, kararsızlıklar, bir grup insan; Bizim kendi öz kültürümüzü muhafaza ederek gelişelim fikriyle bu gruptan uzaklaşmaya başladı. Meclis dışı muhalefet, artık bir nazım-nizam koyan-rolü oynamak için bir parti kurma fikri ortaya çıktı. Ve o tarihte de Terakkiperver Cumhuriyet Fırkası kuruldu. Bunun bir maddesinde de, "Terakkiperver Cumhuriyet Fırkası dine hürmetkârdır" der ve tarihte de Türkiye Anayasası'nda, "Türk devletinin dini İslâm'dır" yazılıdır. Yani devletin dini İslâm'dır. Anayasa'da yazılıdır ve T.Cumhuriyet Fırkası, ötekilerin ismi Halk Fırkası idi. Bunun üzerine onlar da Cumhuriyet Halk Fırkası adını aldılar.

T.Cumhuriyet Fırkası kurucularından Cafer Tayyar Paşa'nın bizzat bana anlattığı gibi, "Biz iktidar hırsı düşünen insanlar değildik. Biz bir denge unsuru olmak istiyorduk. Ve Amerikan liberalizmini esas almıştık. O da dine hürmetkârdır. Devlet kapitalizmini değil, Amerikan liberalizmini esas almıştık. Ve onun için bu partiyi kurduk. Fakat bu parti birden bire büyük rağbet gördü. Bunu hiç söylemiyorlar ve seçimleri kazanma ihtimali büyük çapta belirti. Bunun üzerine Doğu'da bütün İstiklâl Harbi sırasında hiçbir isyan çıkmamışken, nasıl olduysa oldu, Doğu'da isyana yönelik kıpırtılar başladı. Bunu Dahiliye Vekâleti bildiği halde, gerektiğinde tedbirler alınmamak suretiyle isyana (Şeyh Sait İsyanı) dönüştü. Bunun üzerine Halk Partisi de "Takrir-i Sükun" kanunu çıkardı. Gayet sert bir kanun. Ve o kanun çıktığı gün, meclisi de tatile soktu. O tarihte Başvekil olan Fethi Bey, Halk Partisinin yaptığı ceberrutluğun aleyhinde idi ve istifa etti. İsmet Paşa Başvekilliğe gelir gelmez, ilk iş Takrir-i Sükun kanununu çıkardı ve meclisteki bütün gayretlere rağmen, meclisi o gün tatil etti. Meclis zabıtlarını çıkarırlarsa görürler. Takrir-i Sükun kararlarına dayanarak da bu partiyi feshettiler. Bunların demokrasiyle şunla alakası yoktur.

Bu adamlar iktidarı ele geçirmişler ve diledikleri gibi herşeyi yapma sevdasında olan insanlardı. Ne yapacaklarını da doğru dürüst bilmiyorlardı. Kimisi komünist olalım peşindeydi kimisi dindar olalım peşindeydi kimisi bilmem ne? Sonunda tabii bu güçlü grup, laiklik namı altında din düşmanlığına ve diktatörlüğe yürüdü. İslamî Cumhuriyetti ama yönetim tam şekliyle diktatördü. Tam diktatörlüktü. Bilindiği gibi, sonra da herşey yaptılar.

Bu Partiyi kurdurtan Atatürk müydü?

Hayır partıyı kurdurtan Atatürk değildi. Serbest Cumhuriyet Fırkası'dır. Onu danışıklı döğüşüklü olarak kurmuşlardır. Yani bir deneme yapmak için karşımızda bir muhalefet var da dışarıya demokrasi var diye gösteriş yapmak için kurulmuştur. Fakat değildir. Onlar tamamen bu grup Kazım Karabekir Paşa, Ali Fuat Paşa -geçen gün Cemal Kutay'ın dediği gibi- bunlar içinde bir tek Atatürk bu tarafta. Hepsi Terakkiperver fırkadadır. Bu adamlar bu kadar kötü müydü? İstiklâl Harbini yapan, Atatürk'ü başa geçiren, memleketi kurtaran bu adamlar bu kadar berbat adamlar mıydı? Kazım Karabekirler, Ali Fuatlar, Ali İhsanlar, şunlar bunlar.. hepsi vatanperver, hepsi dürüst insanlar, aşırılığa karşı çıkan insanlardır. Karabekir Paşa zaten söyler, "Biz tekâmül esasını kabul etmiştik. Bir topluma yol gösterirsin, aydınlatırsın, o toplum kendiliğinden tekâmül eder. Ama toplumu zorla, baskı altında bir yere götüremezsin, tekrar direnir" Nitekim, -benim görüşüm- bu baskılar yavaş yavaş II. Cihan Harbi geldi, 46 seçimleri, 50 seçimleri, baskılar ortadan kalkınca birdenbire bir keşmekeş içine düştük. karmakarışık olduk, ne yapacağımızı şaşırdık. İşte onun için de cereyanlar, akımlar kavgalar yıllar yılı sürüp gidiyor.

Hocam, hemen bağlantılı bir soru sormak istiyorum. Terakkiperver Cumhuriyet Fırkası içine ajanların sızdığını resmî tarih kitapları belirtiyor. Bu doğru mudur, doğruysa, bunların etkinlikleri nelerdir?

Terakkiperver Cumhuriyet Fırkası'nın tarihini kesin olarak bilmiyorum. Kısa bir süre oldu, ondan sonra da dağıtıldı. Ama o hallerde yüzde doksan dokuz ihtimalle, genellikle ajan sokulur. Nitekim İzmir Suikastı bunun güzel bir misalidir.

Hocam, İzmir Suikastı ile Terakkiperver Cumhuriyet Fırkasının kuruluşu, kapatılışı arasında herhangi bir bağ var mıdır açıklar mısınız?

Tamamen bağ var. Çünkü Terakkiperver Fırkaya, eski İttihadçılar da girmeye başladı. Hatta şimdi bile olduğu gibi teşkilatın tepesindekiler, buna hakim olamaz.

Haberleri olmadan eskiden hoşlanmadıkları, İttihad Terakki elemanlarının o partiye girdiği oldu. Fakat aslında dediğim gibi, Terakkiperver Fırka kapatıldı, Şeyh isyanı bahane edildi ve İzmir Suikastı oyunu oynandı. Ve İzmir Suikastı oyununda esas artık muhaliflere tamamen söz hakkını da kaldırmak, gerekiyorsa yok etmek. Bunun için Takrir-i Sükun kanunu kondu. İstiklâl Mahkemeleri teşkil edildi. Şimdi size bildiğim kadarıyla İzmir Suikastı hikâyesini anlatayım.

Ziya Hurşit isminde o tarihte Lazistan mebusu olan zat M. Kemal Paşa'ya müthiş düşman. Hatta onu öldürmek için fırsat arıyor. Kabadayı gibi bir adammış. Ve bunun aklı fikri M. Kemal Paşa'yı bir yerde temizlemek. Bu duyuluyor. Mecliste Kara Tahta'ya bile yazmış. "Bir millet ki putunu kendi yapar kendi tapar" diye, tahtaya yazmış adam. Dolayısıyla bunun, şunla bunla temasları falan gözaltına alınmaya başlanıyor, hareketleri adım adım takip ediliyor ve M. Kemal Paşa'ya Ziya Hurşit'in bir suikast tertipleyeceği meydana çıkıyor. O zamanki Ankara valisi olayları adım adım biliyor. Bu sırada söz ajandan açıldı, Sarı Efe Edip, Kazım Özalp'ın çiftliğinde baş kahya imiş ve bu Sarı Efe Edip de Ankara'da Kazım Özalp'ın adamı olarak çalışıyor. Ve onların bir nevî ispiyonculuğunu yapıyor. Sarı Efe Edip'i ne yapıp bu işin içine ajan olarak sızdırıyorlar. Ondan sonra suikast tertipleri başlıyor.

Belirli kişiler. Ankara'da yapamıyorlar. Aylar sürüyor. Sonra bir şey çıkıyor, Mustafa Kemal İzmir'e gidecek, kahvenin oradan geçerken, ordan filan yere gidecek diye program yapılmış. Bunu böyle haber alınca Ziya Hurşit ve hempaları, hemen suikast yapmak üzere bombalı silahlı adamları getirip Bel Kahvede otele koyuyorlar. Motorlarla kaçıracaklar. Aslında bu olayın hepsini hükümet biliyor. Sarı Efe Edip vasıtasıyla olayı günü gününe takip ediyor ve tertipten haberi var. Ama Ziya Hurşit'in yaptığı hakiki suikast. Bunu teşvik ediyorlar yapsın diye. Sözüm ona motorcu ihbar etti diye valilik haberdar oluyor. Halbuki valilik çoktan haberdar. Nitekim, M. Kemal Paşa da; gelirken, ani olarak yolunu değiştiriyor, suikast yapılacak mahalden uzaklaşıp gidiyor. Dolayısıyla bu ihbara dayanılarak -sözümona- baskın yapılıyor. Adamlar silahlarıyla, bombalarıyla yakalanıyor. Suikast tamamen vaki. Bunun üzerine Sarı Efe Edip verdiği ifadelerde temizlenmesi gerekenlerin hepsini bulaştırıyor. Falan da vardı, filan da vardı. O onla konuşmuştu... Ve yıldırım hızıyla Kazım Karabekir Paşa dahil, Ali Fuat Paşa dahil, Rauf Orbay dahil, Atatürk'ün en yakın arkadaşları dahil, bunlar muhalefete giriştiler diye bunların hepsi suikast ile ilgilidir diye tevkif edilip İzmir'de hapse tıkılıyor. Bu işleri tamamladıktan sonra Sarı Efe Edip - sözüm ona- suçlu gibi kendisini gösteriyor. Mahkeme heyeti bu işleri bitirdikten sonra karar: İDAM diyor. Sarı Efe Edip'i konuşturmamak için idam ediyorlar. Adam ciyak ciyak bağırıyor. Onun bağırtılarını niye yazmıyorlar. "Beni Mustafa Kemal'e götürün, ne yapıyorsunuz, beni bunun için mi çalıştırdınız?" Bağırta bağırta adamı götürüp astılar ki ilerde konuşmasın diye. İzmir Suikastının hikayesi budur. Sonra da bir grup silahlanmış subay sayesinde Paşaları asamadılar. Onu da çok iyi biliyoruz. M. Kemal Paşa Çeşme'ye çekiliyor. Fahrettin Altay vasıtasıyla mütemadiyen haberleşiyor. Bir an evvel bunları da temizlemek istiyor. Fakat mahkeme bir türlü karar veremiyor. Bunun üzerine diyorlar. Silahlı subaylar tatvar çekin subayları diyorlar, orduya emir veriyorlar, tatbikat yapılacaktır. Çeşme'ye gelin. Ordu, askerler Çeşme'ye çekiliyor fakat büyük bir grup subay çekilmiyor. Orduya isyan ediyorlar. Şuna karar veriyorlar. Eğer Paşalara idam hükmü çıkarsa mahkeme heyetini temizleyecekler. Meşhur üç Ali'yi ve ondan sonra da komutanlarını dışarı çıkaracaklar ve isyanı başlatacaklar.

Rauf Orbay o sırada yurt dışında olduğu için 10 yıla mahkum ettiler. Adamın hiçbir suçu yokken 10 yıllık bir ceza. Bilmem anlatabiliyor muyum?

Terakkiperver Fırkaya halk güvenmeye başlayınca, Halk ürktü, seçim yoluyla iktidarı kaybedeceklerini anlayınca işi zorbalığa döktüler.

Daha sonra devir değişti, af kanunu çıktı, gel dediler hayır dedi, ben suçsuzum. Beni yeni baştan mahkum edin, bunu istiyorum. Bunun üzerine o devirdeki başvekil Refik Saydam imzasıyla hükümet bir tebliğ neşretti ve burada da yapılan haksızlığı resmen itiraf ettiler. Çıkarılan af kanunları muvacehesinde yeniden muhakemesi mümkün görülmemekle beraber eğer muhakeme edilseydi, beraat edeceği muhakkak olduğundan muhterem Rauf Orbay'ın teşrifleri... Yani o mahkemede haksız karar vermişlerdi. Ben de onun için derim ki tarihçilerimiz bir tarih mahkemesi kurarak İzmir Suikastını tarihen mahkeme etmediler. Bunu Avrupalılar yapıyorlar. Demokrasi odur. Şu anda reisicumhur olan Kurt Veldheim'e vaktiyle, Nazi miydi değil miydi diye, tarih mahkemesi kurarak araştırma yapıyorlar. Adam reisicumhur, bizde olsa adamı hemen alıverirler. Terakkiperver Fırka'nın durumu budur. Yaşatmaya zaten imkan vermemişlerdir. Ondan sonra astığı astık kestiği kestik devri başlamıştır.

Terakkiperver Cumhuriyet Fırkasını kuranlar Kazım Karabekir Paşa, Ali Fuat Paşa, daha sonra Rauf

Orbay, Refet Bele, Adnan Adıvar da katıldı. İnkılap Tarihi kitaplarında bu partinin etkinliğinin birbirini tutmuyor olduğu yazılı, bu ne derece doğrudur?

Zaten bu partinin yaşamasına müsaade edilmedi ki etkinliği anlaşılsın. Ama son bir misal söyleyeyim. Refik Koraltan'ın hanımı ile TV'de mûlâkat yaptılar. Bir iki sene evvel dikkatli izleyiciler farkına varmışlardır. Orda diyor: "Kocam Ankara'da çok meşguldu. Bazı geceler hiç göremezdim. Çünkü o sırada seçimler yaklaşıyordu. Ve Terakkiperver Fırka'nın kazanma ihtimali çok kuvvetli diyorlardı. Kocam da uğraşıp duruyordu sabahlara kadar" diye söz etti kadın. Bundan da anlaşılıyor ki millet Terakkiperver Fırka'ya güvenmeye başlamıştı ve Halk Partisi bundan ürktü. İktidarı ele geçirmiş olanlar, seçimler yoluyla kaybedeceklerini anlayınca, işi zorbalığa döktüler. O sırada, az miktarda olan mebus adedinden faydalanarak Takrir-i Sükun kanunu çıkarttırdılar. Meclisi tatil ettirdiler. Ve Terakkiperver Fırkayı kapatıp ileri gelenleri güçlüleri yettiğince idam ettiler. Bunun için de millete hiçbirşey sormadılar.

Hocam, Kazım Karabekir ve arkadaşları tutuklanmıştı.Takrir-i Sükun Kanunu çıktı. İstiklâl Mahkemeleri kuruldu. Bu tutuklanmalar ile ilgili bir kaç olay veya hatıradan bahsedebilir misiniz?

Bazı şeyler vardır, neşir de edildi. Mesela idam etmişler kararı yazılmamış, sonra yazarız falan diyorlar. Adam idam edildikten sonra, bir karar bulup yazıyorlar. Bu olmuş vakadır. Bir seferinde adama idam kararı vermişler, vakit geç olmuş, kalsın demişler, yarın yapalım bu idi. Son anda bir vesileyle adamın suçsuzluğu meydana çıkmış, hatta mahkeme heyetinden biri "Yahu demiş az kalsın yanlış adamı asıveriyorduk." Bunlar olmuş vakıalardır.

Vicdanlılar da varmış demek ki!

Asacaktı da assa umurunda değil! O meşhur üç Aliler. Üç Ali'nin biri Kılıç Ali'dir, biri Kel Ali, biri de Necip Ali. Necip Ail'ye Bakkal Ali de derlerdi. İstiklal Mahkemesi hukuktan, hiçbir şey anlamayan, hukuk nedir bilmeyen, saniyede karar veren, iki üç tane ihtilalcinin elinde idi. Bir dakika size birşey göstereceğim. (Doktor Şükrü Tan'ın tarih kolleksiyoğnundan, İstiklâl Mahkemesi duruşmalarını ve idam edilen insanların fotoğraflarını inceliyoruz.)

Fotoğraflar kim tarafından çekilmiş?

Vaktiyle çekilmiş, tabii hükümet tarafından.

Bu yazılar?

İdam kararları. İdam kararları böyle bir levhaya yazılır, göğsüne asılır, öyle idam ederlerdi. Eskiden sokaklarda asarlardı. Ben de bir iki tane idam gördüm.

Halkın tepkisi ne olurdu?

Halkın tepkisi mi? Sinemaya gider gibi olurdu. İnanılır şey değil. Gazozcular, simitçiler toplanır, kahkaha atarlar. Adamı orada asarlardı. Kalabalığı böyle toplarlardı. Üç tane idam gördüm.

İstiklâl Mahkemelerinde konuşulanlar zapta geçiyor mu?

Zapta geçiyor, ama bizde bir kısmı var. İşte bunlar tarihçilerin meydana çıkarması lazım. Kim ne yaptı, ne müdafaa yaptı ne ifade verdi. Sarı Efe Edip ne söyledi, öteki ne söyledi, kim kime iftira etti, sonra bir kısmı kaçtı kurtuldu, bulunamadı. Ankara'da bulundu, orada idam edildi.

Bu Terakkiperver Fırka kurucularının hepsi mahke me edildi, değil mi? Üye olanlar da edildi mi?

Hepsi tabii.

UYDURAN BİZ DEĞİLİZ

Ziya Hurşid'in Ağabeyi Eski Ordu Mebusu Faik Gunday'la Zarurî Bir Hesaplaşma

Bu çalışmamızı yine 21 Eylül 1956 yılında yayınlanan Haftalık Yakın Tarih Mecmuası DÜN ve BUGÜN'ün 44. Sayısından aldığımız pasajlarla noktalıyoruz. Bu bölüm bir yerde eserimizin bir özeti niteliği taşıyor

Birbirini tutmayan ifadelerle (tarihi aydınlatmak) hevesine kapılınırken hiç olmazsa hakikata sadık kalmış olanların uydurmacılıkla ittiham etmemek nezâketi gösterilmeli değil mi?

İzmir Suikastı teşebbüsü elebaşılarından Eski Lazistan Mebusu Ziya Hurşid'in ağabeyi Eski Ordu Mebusu Faik Gunday aynı teşebbüste methaldar zannile tevkif ve muhakeme edilmiş oluşun verdiği yetki ile, bu hâdise hakkındaki hatıralarını neşrediyor ve şöyle başlıyor:

«Benim gibi bu vakıanın cereyan ettiği tarihte, tertipçiler arasında yaşayanlar, hakikati olduğu gibi açıklamak mecburiyetindedirler.

Tarihe malolmuş vakıayı naklederken, asla şahsî hislerin te'siri altında kalmamalıdırlar. Hatta şahsen mutazarrır dahi olsalar, tarihî hakikatleri tahrif etmemelidirler. Çeşitli hakikatleri tahrif etmemelidirler. Çeşitli iddiaların ortaya atıldığı şu günlerde ben gördüğüm ve bildiğim hakikatleri tarihe tevdî etmek için aradan otuz yıl geçtikten ve uzun bir zaman köşemde yaşadıktan sonra ilk defa konuşuyorum. Sözlerimde kimseyi suçlandırma maksadı yoktur.

Gayem tarihe hizmettir. Bu itibarla kimsenin üzülmemesini ve kuşkulanmamasını bilhassa isterim.

Şunu da belirteyim ki; şimdiye kadar bu hadiseye dair birçokları, birçok şeyler söyledi ve yazdılar kat'î olarak şunu söyleyim; ağzımdan dinleyecekleriniz hakikatin ta kendisidir. Bunun dışında söylenenler ve yazılanlar uydurmadır.»

Sayın Faik Gunday'ın daha başlarken vaki olan bu kat'î ifade ve iddiası karşısında benim için susmaya imkan yoktur.

Çünkü İzmir Suikastı mevzuunda şimdiye kadar yazılmış olan yazıların hemen hemen hepsi benim imzamı taşımaktadır. Gerek yıllarca evvel gündelik gazete ve haftalık dergilerde ve gerek geçen sene iki cild halinde basılan (İzmir Suikastının İç Yüzü) isimli kitaplarımla, bu mevzuu belli başlı ele almış olanın ben olduğum meydandadır.

Sayın Faik Gunday ise, bütün bunların uydurma ve ancak kendi ağzından çıkanların hakikatin tâ kendisi olduğu iddia ediyor.

Demek, okumuş ki, (uydurma) olduklarına hükmetmiş. Fakat; bu topyekün hükmü verirken hadisenin iptidasından beri işin içinde bulunanların ifadelerini, şehadetlerini ve muhakeme safhalarını, iddiaları, müdafaaları ve nihayet kararları asıllarına uygun bir şekilde nakleden yazıların nasıl (uydurma) olabileceğini bir lahza düşünerek ihtiyatlı konuşması gerekmez mi idi? Sayın Faik

Gunday bu ihtiyata riayet etmeden konuştuğu içindir ki, hatıralarında, bu uydurma olduğunu ileri sürdüğü vakaları tekrar edip durmak suretile, kendi kendini tezata düşürerek tekzip etmekte ve arada bir de ilavelere kalkışınca hakikaten inhiraf etmek gafletini göstermektedir.

Bu hali, hatıralarını takdim yazısında gazetenin de belirttiği rahatsızlığının sebep olabileceği hafıza zaafiyetine hamlederek mâzur görmek icap ederse de; ortada, bizzat kendilerinin de büyük bir titizlikle üzerinde durarak, gaye edindiklerini açıkladıkları (tarihi aydınlatmak) endişesi var ki, kudsiyeti itibarile -maalesef- mazeret dinleyemez.

Cevap Veriyoruz

Bu sebeple ve sadece (tarihi aydınlatmak) kaygusile, sayın Faik Gundayın hatıralarının tâ başlangıcında beliren -herhalde zuhul eseri, fakat mahiyeti itibarile hakikatleri tamamen tarif etmesi bakımından meskut geçilemiyecek derecede mühim ve büyük- hataları birer birer gösterip, düzeltmeği tarihe karşı bir vazife bildik:

1- Sayın Faik Gunday hatıralarının ikinci tefrikasında Rauf Bey'in (Orbay) ikazı üzerine pürtelaş gittiği Eski şehir Mebusu Arif Bey'in evinde, gerek Arif Bey'in ve gerek orada karşılaştığı İzmir Mebusu Şükrü Bey'in, Mustafa Kemal Paşa'ya suikast yapmağa karar verdiklerini itiraf ettiklerini ve kendisinin de hemen Meclise koşup bu itirafları olduğu gibi Terakkiperver Fırkası liderlerine bildirdiğini fakat bu liderlerin (yani Rauf Orbay ile Kâzım Karabekir ve Ali Fuat Paşaların buna layık olduğu ehemmiyeti vermediklerini yazıyor. Bu ifadeleri gayet sarihtir. Fakat maalesef hakikata zerre kadar uygun değildir, o kadar değildir ki, tekzip edenlerin başında bizzat kendileri vardır.

Bu uygunsuzluğu, hiçbir te'vil ve itirâza yer bırakmayacak bir şekilde isbat etmek için de, gene bizzat sayın Faik Gundayın kendi ifadelerini karşılaştırmayı kâfi görüyoruz: 4 Eylül 1956 tarihli tefrikada Faik Gunday imzası altında aynen şu satırlar vardır: «Arifin evinde, benim heyecanlı ve sert konuşmam karşısında, Eskişehir Mebusu Şükrü:

«—Canım efendim size ve arkadaşlara ne oluyor? Biri çıkar da Mustafa Kemal'i vurursa size ne sanki?» dedi ve nihayet suikast teşebbüsünü itiraf etti. Arkasından da:

«— Fakat bu sabah yaptığımız keşifte burada yapraklar açmadıkça suikast yapılamıyacağını anladık» sözlerini ilave etti.

Tam bu sırada Arif de içeriye girmişti. Önce bağını bellemeye gittiği hikayesini tekrarladı, ama suikast davasını inkâra lüzum görmeden esasa girdi. Yapraklar açılmadan suikast yapılamayacağını, hem arkadaşlarının hatırı için işi on gün sonraya tehir edeceklerini, çekinmeden söyledi.

Burada yapacak bir iş kalmamıştı. Ben doğru Meclise gittim. Arkadaşların bir kısmına vaziyeti olduğu gibi anlattım.»

İşte Rauf Bey'in, kendisini uykudan uyandırıp ikaz ve tahriki üzerine, hemen harekete geçerek evvelâ kardeşi Ziya Hurşidi görüp onun (hiçbir şey olmadığı) yolundaki te'minatı ile mut'main bir vaziyette Eskişehir Mebusu Arif'in evine giden Faik Gunday'ın, orada karşılaştıklarile vaki olan görüşmesini son hatıralarında anlatışı bu.

Şimdi bir de aynı Faik Bey'in, aynı hâdiseyi 1926 senesi Haziranının 29'uncu Salı günü İzmir İstiklâl Mahkemesi huzurundaki anlatışını görelim. O zamanki mahkeme zabıtlarından aynen aldığımız bu ifade şudur:

«— Ziya Hurşidin Ankara'ya gelişinden iki gün sonra idi. Rauf Bey evime geldi. Beni yataktan kaldırdı:"Sen uyuyorsun. Felâket var! Senin kardeşin ile Şükrü Bey suikast tertip etti. Bugün yapacaklarmış. Sabit Bey haber verdi. Bunun önüne sen geçeceksin!» dedi.

Eskişehir Mebusu Arif Bey'in evine gittim. Şükrü Bey de orada idi: «Ne yapıyorsunuz. Felâkettir!» dedim. Şükrü Bey de çıktı gitti. Sabit Bey'e gittim. «Bunlar inkâr ediyorlar» dedim. Rauf Bey'e de bunu söyledim. Fakat kanaatim, bir suikast yapacakları merkezinde idi.»

Demek ki, Ziya Hurşit de, Arif Bey de, Şükrü Bey de inkâr etmişler.. O halde şimdiki hatıralarda kat'î şekilde iddia edilen «itiraf» keyfiyeti nereden çıkıyor?

Aynı insan bizzat içinde bulunduğu aynı hadiseyi hemen vukuunu müteakip (beyaz) otuz yıl sonra da (siyah) gösterirse, hangisine inanılabilir? Hafıza, zamanla teferrüatta yanılabilir amma esasta bu derece yanılmak olur mu?

İkinci Zuhule Gelince

Bu bir... İkinci -en hafif tabirile hata veya zuhu veya- yanlışlığa gelince; Faik Gunday, yine son hatıralarının aynı yerinde şöyle diyor: «Arkadaşlar -yani kendilerinin de mensup oldukları Terakkiperver Fırka erkanı- Arifle başka birini konuşturdular. Arifin buna söylediklerini duymadım. Bilmem ama, konuşan zat, Arif'in böyle bir şey olmadığını söylediğini bildirmiştir. Bu vaziyet karşısında şu teklifte bulundum: «Derhal gurubu toplantıya çağıralım. Evvela Terakkiperver Fırkasının lağvı kararını alalım sonra da, suikast teşebbüsünü münasip bir dille hükumete ihbar edelim.»

Liderler (yani Rauf Beyle, Kâzım Karabekir ve Ali Fuat Paşalar) beni teskin etmeğe çalışıyorlardı. Ben de: «—Eğer bu tekliflerimi kabul etmezseniz vakayı hükumete ben ihbar edeceğim» diyordum. Nihayet şöyle bir teklifte bulundular: «— Çok haklısın fakat sizin gibi bizim de sinirlerimiz gerilmiştir. Sükûnete muhtacız. Bu heyecanla bir toplantı yaparsak iyi bir neticeye varamayız. Bize bir hafta müsaade et. O zaman toplanır, bu kararları alırız. Sözümüz sözdür.»

Ben de muvafakat ettim. Fakat sonra, vaad edilen toplantı yapılmadı ve tabiatile üzerinde durduğum hususlar hakkında da karar alınmadı.»

Bu da Öyle

Faik Bey'in bu ifadesi de hakikata uymamaktadır. Bu uygunsuzluğu da isbat için evvelâ; suikast yapılacağına -bugünkü kendi ifadelerile- kanaat getirmiş olan bir insanın, bunu önlemek için fırkası liderlerine yaptığı kat'î teklifler kabul edilmeyince derhal o fırkadan çekilip uzaklaşması gerektiği halde, Faik Bey'in bilakis sonuna kadar Terakkipherver Fırkada kalmış olmasını zikretmek kâfi ise de, elde daha başka ve kuvvetli deliller de vardır. Meselâ, Faik Beyin, kendilerine konuşup tekliflerde bulunduğunu iddia ettiği, Terakkiperver Fırka Liderlerinden Kâzım Karabekir Paşa, İstiklâl Mahkemesi huzurunda bu mevzudaki suallere aynen şu cevapları vermişti:

Reis: —Paşa Hazretleri, asıl davaya gelelim. Suikast hususundaki malumatınızı söyleyiniz?

Kâzım Karabekir Paşa: — Şükrü Bey'in yaptığını söylediğiniz bu teşebbüsten benim hiç haberim yoktur. Şükrü Bey adam getirmiş, Sabit Bey haberdar olmuş.. diyorsunuz. Eğer böyle ise, Sabit Bey'in vazifesi. bu vaziyet karşısında Fırkayı salih başına davet ederek derhal hükumeti haberdar etmekti. Bunu yapmayışına hayret ederim.

— Rauf Bey size haber vermedi mi?

— Hayır Rauf Bey de haber vermedi.

— Fırka işleri hakkında kimlerle görüşürdünüz?

— Yalnız Rauf Bey'le görüşürdüm. Başka kimse ile temas etmezdim.

(Rauf Bey'in Paşa'ya bu hususta bir şey söylememiş olmasının sebebi ise: Sabit Beyin şüphesi üzerine Faik Bey'i harekete geçirdiği gün karşılaştıkları Ziya Hurşidin katiyyen böyle bir şey olmadığını söyleyişine rağmen, kendisinin hemen o gün Ankara'dan uzaklaştırılmış ve aynı zamanda Şükrü ve Arif Bey'lerin de bu hususta teminat vermiş olmalarından dolayı, ortada dedikodudan başka bir şey olmadığı kanaatine varılıştandı.)

Yine Faik Bey'in iddiasını esasından cerh eder diğer bir ifade de. Terakkiperver Fırka liderlerinden Ali Fuat Paşa'nın aynı İstiklâl Mahkemesi huzurundaki şu sözleridir:

Reis: — Suikast hakkındaki malûmatınızı söyler misiniz?

Ali Fuat Paşa: — Bunu Sabit Bey, Şükrü Beyden işitmiş, gelip Rauf Beyle bana söyledi. Başka bir şey bilmiyorum. Fakat bu haber tebeyyün etmedi. Vatanın namuslu bir evladıyım. Beni tanıyanların da bunu bildiklerinden eminim. Şayet böyle bir teşebbüs olduğuna inanmış olsaydım. Namuslu bir vatan evladı olarak, meseleyi, derhal hükumete ve hatta bizzat Gazi Paşa'ya bildirirdim. Halbuki Şükrü Bey'i gördüm, sordum: «Sabit Bey'i kızdırmak için, sarhoşken böyle bir lâf ettim. Yoksa hiçbirşey yok» dedi.

— Bu hususta Faik Beyle konuştunuz mu?

— Hayır konuşmadık!»

Bir Şehadet Daha

Erzincan Mebusu Sabit Bey'in, gene aynı mahkeme huzurundaki şu ifadesi de Faik Beyi, bir daha tekzip eden ayrı bir şehadettir:

— Rauf Bey'e gittim, dedim ki: «Benim bir şüphem var. Şükrünün vaziyeti bir kaç gündenberi beni şüpheye düşürüyor. Arif Beyle eskiden o kadar samimi değillerken, şimdi gayet iyi görünüyorlar. Bunlar ya Gaziye, ya İsmet Paşa'ya suikast yapacaklar..»

Rauf Bey dedi ki:

— Bu ne namussuzluktur, ne çılgınlıktır? Ali Fuat Paşayı çağıralım...

Biz oradan çıktık. Rauf Bey Ziya Hurşidin kardeşi Faik Beyin evine, işi anlamaya gitti. Ben de Şükrü Bey'e gittim. Evde bulamadım. büsbütün şüphelendim.

Yolda Faik Bey'le Rauf Bey geliyorlardı.

— Şükrü Bey yok, mutlaka bir şey var. Herhalde Arif Bey'in evindedirler, dedim.

Nihayet Faik Bey'i, Arif Bey'in evine gönderdik. Biraz sonra Faik Bey geldi, bana:

— Yahu! dedi. Ortalığı velveleye verdin. Orada birşey yok... Arif uyuyor. Uykuda buldum. Sen emin ol. Hiç bir şey yok. Bunun lafı bile insana belâ getirir.»

Terakkiperver Fırkanın diğer bir rüknü olan Refet Paşa da yine mahkeme huzurunda kısaca: «Bu mesele hakkında hiçbir şey bilmiyorum» demiştir.

Bütün bunlar karşısında, sayın Faik Gunday'ın ne buyuracaklarını bilemeyiz.

Fakat, zühul mü, hata mı, tahrif mi, ne diyeceğimizi bilemediğimiz bu yanlışlıklar bu kadarla da kalmıyor.

Dahası var: Mahkemede Şükrü Bey'in ısrarla inkârları üzerine Reis Ali Bey, bir yüzleştirme yapmıştır. Bu yüzleştirmede Reisin:

— Faik Bey size bu işten vazgeçin, felâkettir, demedi mi? Sualine Şükrü Bey:

«— Hayır» cevabını verince reis bu sefer Faik Bey'e:

— O halde siz söyleyiniz Şükrü Beyle ne görüştünüz? diye sormuş Faik Bey de, aynen şu cevabı vermiştir:

— Demiştim ki.. Şükrü Bey!.. Bu yaptığınız felâkettir... Fakat inkâr etmişti..

Hayret Edilecek Bir İddia

Üçüncü tefrikada ise aynen şu satırlar var:

«Hükûmet de o günlerde bu vaziyetten bir şey öğrenemedi. Sonradan Dahiliye Vekili Tekirdağı Mebusu Cemil Beye Sağıroğullarından birinin ihbar ettiğini işittimse de tevsik edemedim.»

Görülüyor ki, sayın Faik Gunday, tesadüfün sevkiyle içinde bulunduğu hadiselerin en can alacak noktalarını yanlışlıklara sebep olacak derecede unutmuş veya birbirine karıştırmış olduğu gibi, yukarıki ifadesiyle de, bu hadisenin en mühim safhasından tamamiyle bîhaber kalmıştır.

Fakat Sayın Gunday: (Hükûmetin meseleden haberdar olup olmadığını tevsik edemediğini) itiraf edişine rağmen hatıralarının sonuna bakınız ne diyor:

«Netice olarak şunu söyleyim ki, şayet Ankara'da suikast teşebbüsüne ilk defa muttali olduğumuz zaman, fırkanın lağvı ve hâdisenin hükumete ihbarı hakkında yaptığım teklif kabul edilseydi, on dokuz vatandaşın hayatına mal olan İzmirdeki menfur hadise vukubulmayacaktı.»

Kendi Kendini Tekzip

Sayın Fakir Gunday'ın bu ifadesi üzerinde ehemmiyetle durmak lazımdır. Zira: «Suikast yapılacağını duyduğumuz zaman fırka liderleri Kâzım Karabekir, Ali Fuat Paşalarla Rauf Bey'e meseleyi derhal hükûmete haber verelim teklifinde bulunduğum halde, onlar bu teklifimi kabul etmedikleri için ondokuz kişi asılmıştır.» demek olan bu sözlerde; hatıralarının bazı yerlerinde kaydettiklerini (suikastı benden başka önlemek istiyen yoktu) iddiasını tevsik etmek hevesi kadar, ondokuz vatandaşın asılmasına, fırkası liderlerinin sebep oldukları iddiası da var.

Sayın Faik Gundayın vardıkları neticeyi belirten bu sözlerinden, başka bir mana çıkarmaya imkan yoktur.

Halbuki; yukarıda uzun uzadıya kaydettiğimiz gerek kendilerinin gerekse fırka liderlerinin mahkemelerdeki ifadelerine göre —Şükrü, Arif ve Ziya Hurşidin inkârlarına binaen- suikast teşebbüsüne inanılmadığından dolayı hükumete ihbar keyfiyeti de kat'iyen bahis mevzuu olmamıştır.

Şu halde sayın Faik Gundayın bir kısmı Allahın rahmetine kavuşmuş olan eski fırka arkadaşlarını durup dururken ağır bir şekilde ittiham edeceğine; «ah keşke o zaman inkarlara rağmen, şüpheme uyarak hükümeti ikaz etseydim.» demesi gerekmez mi idi?

Hattâ mahkeme huzurundaki ifadelerini unutarak bugün aksini söylerlerken dahi kendi kendilerine: «Haydi onlar teklifimi kabul etmediler, benim dilim yok mu idi ki, İhbar etmedim?» demeleri icap etmez mi idi?

Kaldı ki, gene bizzat kendi ifadelerine göre, bir zaman sonra hakikaten şüphelenerek müthiş bir endişeye düştükleri gün asıl ihbar etmeyenin bizzat kendileri olduğu anlaşılıyor.

Bu olay da, sayın Faik Gundayın «mutlaka bildikleri halde hükûmete ihbar etmeyen suçluları» ararken nasıl tezatlara düştüğünü sarahatle göstermesi bakımından cidden mühimdir.

Tezât ve Tenakuslar Bir Değil ki...

-İzah edelim: Neşredilmekte olan hâtıralarının bir yerinde aynen şu satırları görüyoruz: «Meclis tatil olduktan sonra Ankara'dan ayrıldım. Eskişehirdeki kardeşime uğradım. Orada Ziya Hurşid'in İzmire gittiğini öğrendim. Âdeta beynimden vurulmuşa döndüm. Hiçbir şey söylemeden hemen İstanbul'a hareket ettim. Kadıköy'de oturuyorduk. Eve gelir gelmez hemşireme Ziya'nın İzmir'e gidiş sebebini sordum. Bir tütün şirketi ile iş yapmak üzere gittiğini söyledi. Fazla bir şey bilmiyordu. Fakat ben merak ve endişe içinde idim. Ankara'daki hadisenin, son günlerin ağır havasından zaten hala kurtulamamıştım. Gerçi kendisine Ankara'da hayli nasihat vermiştim o da hiç itiraz etmemiş, kabul eder görünerek, beni tatmine çalışmıştı, Ama, bu İzmire gidiş zihnimi burkuyordu. Mustafa Kemal de o havalide seyahatta idi. Belki arkadaşları görür de, bir şey öğrenebilirim ümidile Beyoğluna geçtim. Sinirli sinirli dolaştım durdum. Maalesef bir şey öğrenmek mümkün olmadı. Ertesi sabah İstanbul gazetelerini görünce yıldırımla vurulmuşa döndüm. Artık düğüm kendiliğinden çözülmüş, ok yaydan fırlamıştı. Gazeteler Mustafa Kemal Paşa'ya suikast teşebbüsünün ortaya çıktığını tevkifler yapıldığını, bu arada Ziya Hurşidin de yakalandığını yazıyorlardı. O gün evimden çıkmadım. O gün öyle geçti. Sabahın erken saatlerinde, dört beş kişiden mürekkep bir taharrî heyeti evime geldi. Araştırma yaptılar. O gün de evimden çıkmadım gece olmuştu yatmak üzere odama çıkarken kapıyı çalındı. Pencereyi araladım. Sivil biri duruyordu. Kapıyı açtım, birden sekiz on komiser, polis, sivil evime doldu.»

Demek ki yakinliği, dolayısiyle kardeşi Ziya Hurşidin, hem de tam Mustafa Kemal Paşa'nın o havalide bulunduğu sırada İzmir'e gittiğini duyan yalnız kendileri olduğu ve bundan -yerlerinde duramayacak derecede-telaş ve endişeye düştüklerini halde, ihbar etmemişler, Eskişehir'den İstanbul'a gidip, Beyoğlunda filan dolaşmak suretile vakit geçirmişlerdir. Haydi Ankara'da ihbar teklifini kabul etmeyenler vardı diyelim. ya burada, şüphe içinde kıvranırlarken kendilerini ihbardan alakoyan kim ve ne idi?

Ya Allah esirgeyip te, o gün İzmir'de Giritli Şevki denen zat da ihbar etmemiş olsaydı da suikastçılar serbest kalsaydılar yapmaya kalkacaklarını müthiş cinayetin vebali biraz da kendilerine düşmiyecek mi idi?

Ya Allah esirgeyip te, o gün İzmir'de Giritli Şevki denen zat da ihbar etmemiş olsaydı da suikastçılar serbest kalsaydılar yapmaya kalkacakları müthiş cinayetin vebali bir az da kendilerine düşmiyecek mi idi?

Fakat, sayın Faik Gunday'ı savuşturdukları bu vicdan azâbından bütün bütün kurtarmak için imdada yetişen bir ifadesi bulunduğunu da hatırlatmak isteriz.

Vakıa bu da yine, (birbirini tutmayan ifadeler) örneklerinden birini teşkil etmekte ise de durumunu kurtarması bakımından işe yaramaz değildir:

İstiklâl Mahkemesinde Ziya Hurşid'in İzmir'e gidişi meselesi bahis mevzuu olurken, Reis ile Faik Bey arasında şu konuşma geçmişti:

— Ziya Hurşidin İzmir'e geldiğinden nasıl haberdar oldunuz Faik Bey?

— İstanbul'a eve gittikten sonra..

— Peki.. ne dediniz?

— Herhalde, ilk hatırıma gelen bu suikast olmuştur.

— Bunu hissettikten sonra bir şeye teşebbüs etseydiniz?

— Vakit kalmadı, çünkü sabahleyin polisler gelmişti.»

İşte mahkemedeki ifade aynen bu. Kimin aklına gelirdi ki otuz yıl sonra bu ifade de tamamen değişecek ve polislerin o sabah değil ancak üç gün sonra geldikleri ve (bir şeye teşebbüs etme imkanını bol bol veren) üç gün gibi uzun bir zamanın hiçbir şey yapılmadan geçirilmiş olduğu söylenecektir.

Hele Bu...

Sayın Faik Günday'ın bütün bu unutkanlıklarının sebebiyet verdiği yanlışlıklar görüldükten sonra artık Kâzım Karabekir Paşa'ya izafe ettiği bazı manasız sözlerin de hakikatle hiçbir alakası olamayacağını anlamakta güçlük çekilmeyeceği şüphesizdir. Nitekim, Kâzım Karabekir Paşa'nın Ankara'da bir gün kendilerine: «Mustafa Kemal Bursa havalisinde seyahatte bulunuyor. Bu sırada vefat ederse İsmet Paşa'ya karşı ben ne vaziyet alabilirim? Reisicumhurluğu İsmet Paşa'ya verelim mi?» dediği hakkındaki ifadelerinin de bir hayal veya rüya mahsulü olduğu muhakkaktır. Kâzım Karabekir Paşa'yı bizim gibi yakından tanıyanların hepsi pekala bilirler ki, onun, Faik Bey gibi nihayet fırkasında bulunmaktan başka bir yakınlığı ve bahusus samimiyeti olmayan kimselerle bu mevzularda fikir danışmak şöyle dursun, konuşmasına hatta tek kelime söylemesine bile imkân ve ihtimal yoktur.

Binaenaleyh, Faik Bey'in -zaten akla havsalara sığmayan- bu garip ifadesi de ötekiler gibi hakikatten tamamiyle uzaktır.

Faik Gunday Bunu da Bilmiyordu

Sayın Faik Gunday'ı da daha da tatmin edebilmek ve bu suretle vatanseverliklerinden zerre kadar şüpheye hakkı olmadığını bileceğinden emin olduğmuz, eski kıymetli mücadele arkadaşlarını nahâk yere töhmet altında bulundurmak zaafının azabından kurtarmak için, şunu da ilave edelim ki; suikast teşebbüsünden hükûmetin, -hem de kendilerinden evvel- haberi vardı!

(Uydurma) dedikleri eserleri şöyle biraz alâka ve dikkatle okumak zahmetine katlanmış olsalardı, kendilerinin tevsika muvaffak olamadıkları bu hususun da güzelce tevsik edilmiş olduğunu görerek bu mevzudaki bilgisizliklerini de gidermiş olurlardı.

Bu eserlerimizin birbirinden iktibas ettiğimiz Sayın Refik Koraltan'ın bize anlatmak lütfunda bulunmuş oldukları (ihbar) hadisesi aynen şudur:

«Mecliste bizden ayrılanlar tarafından teşkil edilen ikinci grup, şiddetli muhalefetini yapmış, arkasından Terakkiperver Fırka kurulmuş muhalefete bir başka şiddet vererek mücadeleye devam etmiş, derken Şeyh Said İsyanı baş göstermiş... ve bütün bunlar, Meclisteki muhalefetin elebaşılığını yapanların, iktidara geçmek ümitlerini parlatıp söndürdükten sonra. (onların peşinde gidenlerin) bir türlü sönmiyen, iktidarı ele geçirmek hırslarını tatmin için her halde başka bir şeyler yapmak hevesinde olacakları şüphesizdi. Hatta muhakkaktı. Boş duramazlar. behemehal bir şeyler yapmak isterlerdi. Ben bu şüphe ve endişemi bir gün Atatürk'e açtım. Meğer, aynı endişe onda da varmış. Bunu şöyle anlattı:

— Rauf Bey, geçenlerde bana geldi. Görüşürken dedim ki: Seninle şöyle biraz hasbihal edelim. Havayı beğenmiyorum. Şahsen bir garaz ve kine hedef olmak ihtimali olduğunu görüyorum.

— Ne demek istiyorsunuz, ne münasebet? Benden böyle bir şey umar mısınız?

— Hayır, sizin için değil, sizin kahraman.anlığımız mertliğimiz ve her türlü yüksek evsafınız cümlenin malumudur. Sizden böyle bir şey beklemek şöyle dursun, bunu aklıma bile getiremem. Amma muhitinizde bulunan öyleleri var ki...» deyişime de Rauf Bey teminat verdi. Onların da katiyen böyle bir şeye teşebbüs edebilmelerine ihtimal olmadığını söyledi.»

Atatürkle bu konuşmamızdan bir müddet sonra Meclis yaz tatili yaptı.

Ben Kalamışta oturuyordum. Bir Temmuz günü vapurla Moda iskelesine çıkmış oradan sandalla Kalamışa geçecektim.

İskelede, tanışmalarımdan tüccar Hüseyin Avni Beyi gördüm. Yanıma geldi.

Hoşbeşten sonra, rahatsız etmezsem, beraber gidelim dedi.

— Hay hay... Buyurun... Hava da güzel, yürüye yürüye gideriz. dedim.

Elimde kalın kiraz baston var... Böylece yürümeğe başladık. Biraz sonra yolun dönemeç yerinde. Modadan doğru gelmekte olan Ziya Hurşit göründü. Bize doğru yaklaşınca, beni görmemezlikten gelerek yanımdaki Hüseyin Avni Bey'e nümayişkârane bir tavırla, cakalı bir selam verdi ve bana o kendine has şımarık, mütecaviz edasiyle, arkasını döndü. Ben de gayrı ihtiyarî, yükselen bir kahkaha ile güldüm. Hemen şöyle öfke ile başını çevirdi:

— Gülersin ya!. diye dik dik baktı.

Ben de gözlerimi açarak, gözlerinin adesesine diktim ve onun gözlerinin içindeki manayı sezmeğe çalıştım ve sezdim. Dedim ki:

— Budala, beni niçin görmemezlikten geliyorsun?

— Sebebini biliyor musun? Dur hele... Takriri Sükun Kanununu çıkaran, İstiklal Mahkemelerini kuran sizlerden hesap soracağımız gün yakındır... Çok yakındır... dedi.

Hah, gözlerinden sezdiğim mana, şimdi dilinden dökülüyordu.

— Yahu!. dedim. Hesaptan kaçan kim? Biz her zaman her hareketimizin hesabını hem de millet huzurunda alnımızın akıyla vermeğe alışık... idealist insanlarız. Hesaptan kaçan kim?

Dedi ki:

— Geçti o Borun pazarı sür eşeğini Niğdeye...

— Neee? dedim, bakalım... görürüz...

Fakat bu kadar öfkeli ve mütecaviz, hatta muhakkirane konuşmasına benim olanca soğukkanlılığımı muhafaza ederek gayet mülayim, hatta tatlı ve yumuşak bir sesle, gülerek mukabelede bulunuşum, yanımdaki Hüseyin Avni Beyi hayrete düşürmüştü.

Ziya Hurşit'ten ayrılınca, bana döndü:

— Nedir bu celadet, bu tahakküm? Bu ne biçim konuşuş böyle? Hem de sokak ortasında. Elinde de baston var. Vallahi ödüm koptu. Bu küstaha sopayı indiriverirsin diye korktum Maazallah sokak ortasında birbirimize girerdik...

— Şaşarım sana, dedim, ben sokak kabadayısı mıyım? Benden böyle şey umar mısın ki?. Ben ondan öğreneceğimi öğrendim, lâzım olan da bu idi. Zamanı geldiği vakit sana söylerim. Unutma bu karşılaşmayı...

Yürüdük. Hüseyin Avni Beyden ayrılır ayrılmaz doğru eve gittim telefonu açtım... Polis Müdürü Ekrem Beyi aradım. Yoktu... Vakit de geçmişti.

Sabahleyin erkenden kalktım. İstanbul'a indim. Babıâli karşısındaki Polis Müdüriyeti binasına gittim. Ekrem Beyi buldum. «Seni dün akşam aradım, bulamadım. Mühim bir iş var. Ziya Hurşit denen biri var, tanır mısın?» dedim.

— Tanımam... kimdir? dedi.

— Bak!.. dedim, bu eski mebuslardandır. Muhalefetin en azgın elemanlarından.. Daha doğrusu ne yaptığını bilmez bir mahluktur. Dün kendisine tesadüf ettim. Görünüşünden çıkardığım manaya göre, Gaziye bir suikast tertip edilmiştir. Bu adam da bu işin içindedir. Bunu tahkik kolaydır. Zira bu adam günlerini meyhanelerde, barlarda geçirir. Aynı zamanda boşboğazdır. Dikkat edin!..

Ekrem Bey not aldı, ayrıldık.

O senenin Ağustosunda, nisbî seçim yapılıyordu.

Ben de parti divan azâsıyım. Mecliste, davet edilenlerle bir toplantı var. Sayın Bayar. Dahiliye Vekili Cemil Necati Beyler filan da ordalar, ayaktayız... Ben Dahiliye Vekilini bir köşeye çektim. Meseleyi ve Ekrem Beyle konuşmamı anlattım. Cemil Bey de not aldı.

O senenin Kasımı geldi. Seçim yapılmış, Meclis açılıyordu.

Ben Grup Reisliğine seçilmiştim. Bir gün hafif yağmurlu bir havada öğleye doğru Meclisten çıkmış, o sıra da oturduğum, Sağlık Vekâleti binasının karşısındaki eve gidiyordum. Karaoğlan caddesine doğru ilerlerken, Kurşunlu camii önünde -şimdi Bursa pazarının bulunduğu yerde- bir hırdavatçı dükkanı vardı, işte onun önünde, karşıda sağdaki köşede, Ziya Hurşit, Karadeniz kıyafetli iki gençle, duvarın dibinde duruyor. Ben uzaktan bunları farkedince, hemen dalgın lakayt bir tavır alarak, ellerim cebimde ağır ağır yürürken, görmemezlikten geldim.

Fakat o anda tereddüdüm de kalmadı. Yine öyle görmemezlikten gelerek, dalgın dalgın fakat serapa kulak kesilmiş bir vaziyette hizalarından geçerken, Ziya Hurşid'in kulağıma gelen: «Onun da anasını belleyeceğiz...» sesi kanaatimi bütün bütün kuvvetlendirdi. İlk aklıma gelen şey, derhal Dahiliye Vekâletine gidip, Vekil Cemil Bey'i keyfiyetten haberdar etmek ve hükûmeti harekete geçirmekti. Fakat belki görürler de kuşkulanırlar diye böyle yapmadım. Aksi istikamette, İstanbul eczahanesine doğru yürüdüm.

Şimdi memurlar kooperatifin bulunduğu yerin karşısındaki sokaktan dönerek Hacı Bayram camii yanından sola saptım ve Vilayetin karşısındaki Dahiliye vekâletinin yerleşmiş olduğu binaya gittim.

Vekil Cemil Bey'i buldum. Yemek yiyordu:

— Ooo!. Refik Bey!. Hoş geldin!. İnşallah yemek yememişsindir... Sana bir ziyafet çekeyim, diye beşuş bir çehre ile karşıladı.

— Yemek yemedim amma... Asıl ben sana, hem de gör bak, nasıl bir ziyafet çekeceğim... dedim.

— Hayrola!. Ne ziyafeti? diye hayretle yüzüme baka kalınca oturdum.

Gördüklerimi anlattım ve dedim ki:

— Allah'a inandığım kadar artık tereddüdüm kalmadı. Bu herifler mutlaka bir suikast teşebbüsündedirler...

— Ne söylüyorsun? Nasıl olur? diye telaşla yemeği bıraktı. Kalktı, zile bastı. Yaveri Jandarma Mülâzimi Arif Bey'i çağırdı:

— Şimdi bana Polis Müdürü Dilaveri gönder! emrini verdi.

Dilaver geldi, Bermukad bulut gibi...

— Ziya Hurşit Bey burada imiş... Haberin var mı?.

— Hayır görmedim...

Bu cevap üzerine, Cemil Bey bana döndü: «İşte bak, ben böyleleriyle iş görüyorum. Anla halimi...» der gibi, dudaklarını bükerek, kollarını açtı ve tekrar Dilâvere hitapla:

— Şimdi!. Anlıyor musun?

Derhal Ziya Hurşiti takip edeceksin. Ne vakit Ankara'ya gelmiş, nerede oturuyor, yanındaki Karadenizli kıyafetliler kim, adları, işleri, Ziya Hurşit'le münasebetleri ne? Nerede yatıp kalkıyorlar, ne yapıyorlar, kimlerle temas ediyorlar? Yaz not et!.. Bütün vasıtalarını derhal seferber kıl ve bana her saat rapor ver!. dedi.

Geniş bir nefes aldım. Artık müsterihim. Ertesi gün yine aşağı yukarı ayni saatte ayni yerden geçiyordum. Baktım, Zira Hurşit'le Karadeniz kıyafetli arkadaşları yine oradalar... Bu sefer görmemezlikten gelmedim. Yanlarına yaklaştım:

— Merhaba Ziya Hurşid Bey!. Hoş geldin, nasılsın? diye hatırını sordum

— Hoş bulduk... demekle iktifa etti.

— Hayrola? dedim, neye geldin?

— İnsaf et Refik Bey! Ankara'yı gelmemizi de mi çok görüyorsun? deyince son derece samimî bir tavır takınıp gülümseyerek:

— Sen hâlâ akıllanmamışsın yahu... Birinci devrede, o ölüm dirim mücadelesi esnasında bunca zaman arkadaşlık ettik. Dünyada vefa kalmadı mı? Hükûmete, Mecliste bir işin varsa buraya kadar zahmete ne hacet bir haber gönderseydin kâfiydi... Elimizden gelen arkadaşlarımızdan esirgemiyeceğimizi bilmez misin? Gel, haydi seni Meclise götüreyim...dedim.

— Yook, ne yapacağım... Rahatsız etmiyeyim dedi ve ayrıldık.

Fakat ben, dediğim gibi, artık müsterihtim. Hükumet, zabıta işe el koydu, gayri endişeye mahal kalmadı...

Sonradan öğrendiğime göre meğer bu adamlar tamamen koyduğum teşhis gibi, Ankara'ya suikast için gelmişler.

Ziya Hurşid'in ağabeyi Ordu Mebusu Faik Beyle, Erzincan Mebusu Sabit ve İzmir Mebusu Şükrünün oturdukları yerde toplanıyorlar orada oyun oynuyorlarmış...

Bu arada Ziya Hurşid de, ağabeyinden habersiz, suikast işini hazırlıyormuş.

Ziya Hurşidi iki defa gördüğüm o Karaoğlan çarşısına giden köşede bir nirengi noktası imiş. Orada dolaşışlarının sebebi varmış...

O günlerde Gazi Bursa Mebusu Muhittin Baha'nın o civarda -şimdi yine ona ait sinema binasının bulunduğu yerde- açtığı (Şûle Kulübü) ne de uğrardı. Arkadaşlariyle buluşur, sohbet ederdi.

Zira Hurşid de onun buraya gelip gittiğini tesbit ettiğinden buralarda takibe koyulmuş...

Bu Şûle Kulubünün karşısında -şimdi İş Bankasının bulunduğu yer de- o zaman taş yığını bir harabe, âdeta tabii bir sper halinde idi.

Suikast için en münasip yer olarak burayı seçmişler.

Zira Hurşid, burayı münasip gördükten sonra Kulübe gidiyor, İzmir Mebusu Şükrüyü dışarı çağırıyor. Bu hareketi Erzincan Mebusu Sabit Beyi şüphelendiriyor. İkinci defa çağırışı üzerine, şüpheleri artan Sabit Bey, hemen dışarıya çıkıyor:

— Şükrü! diyor bir mel'anetiniz var! Ne oluyor? Nedir bu fiskoslar?

Şükrü de:

— Bu da nasıl hitap? Ne mel'aneti? Ne demek istiyorsun? deyince Sabit Bey kendini tutamıyor:

— Olmaya ki Gaziye bir suikast düşünülmüş olsun... Çoluk çocuğumuz mahvolur hanümanımız söner, felâkat olur... Sakın ha, dikkat edin!. diyor.

Şükrü hemen elini arkasına götürerek tehditkâr bir tavırla:

— Bunu bana nasıl söylüyorsun? Benden böyle bir mel'anet umar mısın? Mukabelesinde bulununca, Sabit Bey de işi uzatmıyor. İçeriye giriyor. Fakat şüphesi zail olmadığı için Ziya Hurşid'in ağabeyi Faik Bey'e:

— Bu çapkın, muhakkak bir mel'anet düşünüyor. Halini beğenmiyorum. Şimdi git nerede ise bul, getir ve yarın hemen buradan defet gitsin... diyor.

Meğer o gece Gazi geldiği takdirde, Ziya Hurşid suikast yapma kararı vermiş.

Faik Bey gidiyor. Zaten nerelerde bulunabileceğini bildiğinden. Ziya Hurşidi alıp getiriyor ve bütün gece uyumuyorlar. Yanlarından ayırmıyorlar. Ertesi günü de trene bindirip defediyorlar.

Ziya Hurşid'in bu arada Eskişehir Mebusu Arif Bey'in evine de giderek civarını tetkik ettikten sonra orayı da suikast için münasip gördüğü bilahare anlaşılmıştı. Fakat Ankara'dan bu şekilde uzaklaştırıldıktan sonra Ziya Hurşid de, Şükrü de mel'anetlerinden vazgeçmiyorlar ve İzmir Suikastı teşebbüsünü hazırlıyorlar.

Ben o sene yaz tatilini Büyükadada Kâzım Şinasinin şimdiki evinin bulunduğu yerdeki -yanan- evde geçiriyordum.

Bir sabah balık avına çıkmıştım. Saat bire doğru eve döndüm. Arkadaşlar gelmiş, ev dolmuş... Bu arada eski sınıf arkadaşım, Haydarpaşa Demiryollarını kuran Muammer Bey, pür heyecan koştu:

— Haberin var mı? diye beni karşıladı;

— Hayrola?. Ne haberi?

— Gaziye suikast olmuş...

— Neee?. diye olduğum yere yığılır gibi oldum.

— Aman dedim, inşallah selâmettir.

— Merak etme selâmet... dedi.

İçeri girdik. Eski müstantik Hikmet, Kavaklı Hüsamettin filan on on beş arkadaş var. Oturduk, aynen bu hikâyeyi orada da anlattım ve: «Göreceksiniz, bu suikastçılar arasında mutlaka Ziya Hurşid de çıkacak» dedim.

İkindiye doğru, gazetelerin ilaveleri geldi. «Suikastçılar yakalanmış, başta Ziya Hurşid var...» haberini veriyorlar.

Akşam üstü Yat Kulübe gittim. Yunus Nadi Adliye Vekili Mahmut Esat filan oradalar. Biribirimize geçmiş olsun dedik ve karar verdik. Ertesi günkü Hidiviye kumpanyasının Famaka vapuru ile İzmir'e gidiyoruz. Hemen biletlerimizi aldırdık. hazırlandık.

Ertesi sabah hareket ettik. Vapurun salonunda kahvelerimizi içerken, zaten aklımızda, fikrimizde başka şey olmadığından, yine suikast meselesini konuşuyoruz. Ben malum hikayeyi anlattım. Hayretten hayrete düştüler.

— Nasıl olur? Dahiliye Vekili bilsin, Polis Müdürü haberdar olsun da takip edilmesin... Bu derece ihmalkârlık olur mu? diye üzüntü duyulurken ben dedim ki:

— Olmuş bir kere... Şimdi bunu Paşa'ya söylemeyin... Hiç bir faydası yok. Dahiliye Vekilini de müşkül vaziyete sokmayalım. Aramızda kalsın...

Söz verdiler.

Ertesi günü İzmir'de Naim Palas otelinde Gazinin huzurundayız. Başvekil İsmet Paşa Dahiliye Vekili Cemil Bey de orada... Yunus Nadi dayanamadı:

— Paşam dedi, Refik Konya'da neler var... diye çıtlattı.

Paşanın: «Ne var, neymiş?» diye soruşu üzerine büs bütün açıkladı:

— Bütün bu işleri aylarca evel keşfeden bir kâşif!. Bu mel'anetleri keşfetmiş...

Gazi bana bakıyor.

Fakat nasıl söyliyeyim? Dahiliye vekili de orada...

Nihayet:

— Paşam, dedim, Allah'a şükür suikast muvaffat olmadı Hamdolsun sağ salim aramızdasınız...

— Olmaz... Merak ediyorum... Şu keşfini anlat!.

Hâlâ çekiniyorum. Paşa da ısrar ediyor. Baktım olmıyacak bütün tafsilatiyle anlatmağa başladım. Ben söylerken, Dahiliye Vekili Cemil Bey renkten renge girerek beni tasdik ediyor. İsmet Paşa ellerini başına vurarak:

— Paşam! Paşam!. Öyle bir tokat yiyecekmişiz ki, tesirinden asırlarca kurtulamıyacaktık... diyor.

Bu arada Gazi de beni tasdik eden Dahiliye Vekiline sordu. O da:

— Ben Polis Müdürü Dilaveri ikaz ettim. Ziya Hurşidin Ankara'da bulunduğunu bilmiyordu. Söyledim ve takibi için icap eden talimatı, emirleri verdim... deyince;

— Dilaver burada mı, çağırın!. dediler.

Dilaver geldi. Yine sarhoş...

Gazinin ona hitapla:

— Cemil Bey sana Ziya Hurşidin Ankara'da bulunup bulunmadığını sormuş. Ne cevap verdin? deyişi üzerine Dilaver: «Evet bilmiyorum, burada... demiştim» cevabını verince Cemil Bey dayanamadı:

— Paşam! Yalan söylüyor. Katiyen haberi yoktu ve bana bilmediğini söylemişti.

İş bu safhaya girince, Gazi yine büyüklüğünü gösterdi. Onları bıraktı. Bana döndü, olanca samimiyetiyle:

— Kardeşim... Teşekkür ederim... dedikten sonra İsmet Paşa'ya baktı:

— Paşam, görülüyor ki benim hayatımla yalnız bu kardeşim meşgul olmuştur. Onun için kendisine teşekkür ediyorum.

Ve tekrar bana hitapla:

— Tebrik ederim. Bu müstesna bir kabiliyettir. Milyonlarda bir görülmez. Ancak (gülerek) mağrur olma! Bu kabiliyet bu öngörüş seziş hassası bende de var. Eğer olmasaydı. Perşembe günü yoluma devam ederek gelir, suikastın içine düşerdim. Halbuki yolda kaldım... Demek ki bu seziş, bu kabiliyet bende de varmış...» dedi.

SONSÖZ

Sizlere İzmir Suikastı olayını derli toplu olarak sunmaya çalıştık buraya kadar anlattıklarımızla...

Amacımız, daha önce de söylediğimiz gibi, birilerini suçlamak, bunun yanında birilerini de temize çıkarmak değil. Asılanlar zaten asılmışlar, onları ipten kurtaracak şansımız yok. Ama tarihî gerçeklerin yanlış bilinmesine de gönlümüz razı olmuyor. Yeni nesillerin tarihî gerçekleri doğru bilmesi geleceğimizi inşâ etmede çok önemli bir avantaj sağlayacaktır kuşkusuz...

Kazım Karabelir Paşa'nın İstiklal mahkemelerine karşı verdiği cesur ve yiğit mücadelenin tüm boyutlarını ilk kez bu kitapta okudunuz. Başka yerde yayınlanmamış savunması, ilk kez bu kitapla birlikte gün ışığına çıktı. Aynı şekilde İzmir Suikastıyla ilgili resimler de ilk kez burada yayınlanan orjinal resimler...

Tarihe küçük de olsa bir katkı sağladık ise, ne mutlu bizlere... Kendimizi bahtiyar sayarız.

Gönlümüz yine de açılmayan arşivlerde toz içinde duran mahkeme zabıtlarının bir an önce açıklanmasını istiyor. Mahkeme zabıtları kamuoyuna açıklanırsa karanlıkta kalan perçok tarihî olayın aydınlanacağını sanıyoruz.

Araştırmamızda elimizden geldiğince objectif olmaya gayret ettik. herkese hakkını teslim etmeye özen gösterdik. Umarız bunu başarabilmişizdir...

Karanlıkta kalan gerçeklerin aydınlanmasına katkıda bulunmak için bir mum yaktık, dileriz faydalı olur...

KAYNAKÇA

— İzmir Suikastı ve İstiklâl Mahkemeleri, Azmi Nihat Erman, Temel Yayınları, İstanbul.

— İzmir Suikastının İçyüzü, Feridun Kandemir, İstanbul, 1931.

— Atatürk'e İzmir Suikastının İçyüzü, Pakize Sönmez, Detay Yayıncılık, İstanbul, 1994.

— Gazi Paşa'ya suikast, Uğur Mumcu, Tekin Yayınevi, İstanbul, 1994

— Cumhuriyet Dönemi Din-Devlet İlişkileri, Hasan Hüseyin Ceylan, Risale Yayınları, 1989.

— Amerikan Gizli Belgeleriyle Türkiye'nin Kurtuluş Yılları, Orhan Duru, Milliyet Yayınları, 1978.

— Cehennem Değirmeni, Rauf Orbay'ın Siyasi Hatıraları, Emre Yayınları, İstanbul, 1993.

— İdama Beş Kala, Cavit Bey'in Hatıraları, Emre Yayınları, İstanbul, 1993

— Teklif Dergisi, 6. sayı, 1987.

— Dün ve Bugün, Mecmua, 44. Sayı, 1956.

Kâzım Karabekir Paşa'ya yöneltilen İddianame'nin Orjinali...(Altı çizili yerleri özellikle Paşa kendisi çizmiştir.)

«ادعانامه»

تورکیه افکار عمومیه سندن آلدیغی فیض الهام ایله دولت مفهومنك افاده و احتوا ایتدیکی ساحه داخلنده مملکتك اجتماعی، اقتصادی و مدنی انکشافنه صرف مساعی ایتمکدن بر آن فارغ اولمیان جمهوریت و انقلاب حکومتیله دموقراسی اصول اداره سنك حاکم اولدیغی هر مملکتده استعمال ایدیلان سیاسی و مدنی مجادله دائما ممکن و هیچ بر قید قانونی ایله محدود دکل ایکن اساسیی زیرده مذکور اشخاصك منفی و قراکلق بر روح طاشیان زمره دن آلدقلری و تلقین دائره سنده جهان تاریخنده وجوده کتیردکلری چوق ایکرنج و قاتلی لوحه لر دولاییسیله دائما بشریت متفکره طرفندن لعنت و نفرتله قارشیلانان غیر مشروع و جانیانه تشبثات ایله حکومتی ییقمق و منفور غایه لرینه واصل اوله بیلمك ایچون تورك جمهوریت و انقلابنك بحق ممثلی بولنان رئیس جمهور حضرتلرینه سوء قصد ایقاع ایتمك صورتیله مملکتده بو کون وسعت و دهشتك تقدیری ممکن اولمیان بر فلاکت احضاری تشبثنده بولونمشلردر.

چوق قیرلی و لئیم افکارك اطرافنده برلشن و تمعی ایدن و تورك انقلابی تاریخنده ابدیاً مشئوم بر سیاه لکه اولەرق قاله جغی محقق بولنان بو زمره نك ترتیب و احضار ایتدیکی تشبثات لئیمه یی تفصیلاً عرض ایده جکم.

شهر حالك اون یدنجی چهارشنبه کونی ازمیره سیاحت طریقیله مواصلت ایده جك اولان رئیس جمهور حضرتلرینه بر سوء قصد یاپیله جغندن بحثله واقع اولان معلومات و استخبارات اوزرینه تاریخ مذکوردن ایکی، اوچ کون اول کل جمال واپوریله ازمیره کلمش اولان لازستان مبعوث سابقی ضیا خورشید و لاز اسماعیل و کورجی یوسف، ملازم اولمقدن متقاعد چولاق [illegible] جامی نام کیمسه لر آیری آیری محل اقامتلرنده محلی پولیسنجه دردست و توقیف ایدلمشلردر. بونلرك اوزرلرنده ایکی انکلیز بومباسی و محدد درت، مستعمل ایکی پاچیقا پولیس رووولورلری و فشنکلری بولنمشدر. علی الاصول عریض و عمیق اجرا قلنان تحقیقات و مواجهه لر نتیجه سنده بونلردن ضیا خورشید ۳۴۱ سنه سی اواسطندن اعتباراً رئیس جمهور حضرتلرینك امحاسی ایچون بر سوء قصد شکلیله علاقه دار بولندیغی و اولاً اسبق آنقره والیسی عبدالقادر بکله و بونك واسطه سیله ده ازمیت مبعوثی و ترقی پرور فرقه اعضاسندن شکری بکله آکلاشدقلری و بو خصوصده متعدد دفعه لر مختلف زمان و مکانلرده اجتماع و مذاکره ایتدکلری و بو مقصدك استحصالی ایچون مارالبیان لاز اسماعیلی و بالاخره کورجی یوسفی تدارك ایله شکری بکه طانیتدیردیغی و کچن سنه کانون اول آیلرنده شکری بکك آنقره ده بولنان سوء قصدجی آدملریله برابر اشبو سوء قصد فعلی اجرا ایده بیلمك اوزره لاز اسماعیل ایله کورجی یوسفی برابرنده آنقره یه کوتوردیکنی و ایکی اوچ کون صکره ده کندیسنك آنقره یه کتدیکنی و ترقی پرور فرقه قلوبنده مسافر قالدیغنی و لاز اسماعیل ایله یوسفك شکری بکك آنقره ده کی خانه سنه کیدرك شکری بکله کوروشدکلری و ینه لاز اسماعیلك بر کیجه شکری بکك توصیه و دلالتیله اسکیشهر مبعوثی عارف بکك چانقایا یولی اوزرنده کائن کوشکنه کوتوردیکنی و چانقایا یولی اوزرنده سوء قصد اجراسنه مساعد یرلرك تدقیق ایدلدیکنی و بوندن بشقه برلکده محاسبه کیردکلری و آقشامدن صکره هیئت و کلانك اجتماع ایتدکلری بنانك وضعیتی و آنقره قلوبنك اطرافنی تدقیق ایتدکلری و هر نصلسه سوء قصد اجراسنی اثناده مناسب کورمیان قره حصار صاحب اردو مبعوثی فائق و دیکر ترقی پرور مدیرانك ممانعتیله قوه دن فعله اخراجه مقتدر اولامادقلرینی و استانبوله عودت ایتدکلری و شکری بکك استانبولدن آنقره یه قدر ارقداشلرینك عزیمت

وعودت واحتياجات سائرەلرينه مدار اولمق اوزره مقتضى مبالغى تأمين واعطا ايلديكنى و متعاقباً سنهٔ حاضره ظرفنده
رئيس جمهور حضرتلرينك بروسه‌يه سياحتى دولاييسيله يكيدن فعاليته كچەرك بنه لاز اسماعيلى نعمت ناجيه نامنده بر قاديني
بانيه ترفيق ايدرك تدقيقات اجراسى ضمننده بروسه‌يه كوندردكلرينى ولازاسماعيلك يايمش اولديغى تدقيقاتك غير مساعد
بولنمسنه بناءً ازميره واقع اوله‌جق سياحت اثناسنده يائمقانى تصور وتصميم ايتدكلرينى وبوسياحتى ايچون دنى شكرى
بك طرفندن كافى مقدار پاره ويرلديكنى ورئيس جمهور حضرتلرينك ازميره سياحتى تقرر وآكلاشلمسى اوزرينه يكيدن
شكرى بكله وضعيتى تدقيق ومطالعه ولاز اسماعيلك وكورجى يوسفك دخى آيروجه شكرى بكله كورشملرندن صوكرا
ازميره حركتلرينى تثبيت ايتدكلرينى وازميرده دها اول شكرى بكله بوخصوصده آكلاشمش اولان صارى أفه اديبه
ضيا خورشيده‌ده اعتماد ايدلمسنى وبرابر مصمم سوءقصدك ياپيلماسنى اشارت صددنده كنديسنك ادب بكك اكينجى ومحرم
آرقداشى اولان متقاعد سطر مير آلايى راسم بكك امضاسيله بر مكتوب وبو مقدارده مبالغه مقدار كافى روولور
وجبخانه‌سنى شكرى بكدن آله‌رق ازميره حركت ايتدكلرينى وازميره بلامعارضه چيقدقلرنده ضيا خورشيد بكك غفار
زاده اوتلنده وديكرلرينك راغب پاشا اوتلنده نظر دقتى جلب ايتمه‌مك ايچون آيرلدقلرينى ودرحال صارى أفه اديبى بوله‌رق
اوتلدكى ارطه‌سنده مذكور مكتوبى برلكده اوقويوب درعهده ايتدكلرى وظيفه‌نك اجراسى اطرافنده قونوشدقلرينى
وادب بكك كندى آدملريله برلكده قارشوياقاده اديبك باغچه‌سنده كوروشمك اوزره حاضرلقده بولنه‌جقلرينى
سويلديكنى وفى الحقيقه يوم مذكورك ايرتسى كون آقشامى اديب بكك آرقداشلرى اولمق اوزره بولندرديغى كريدلى
شوقى ايله چفتلكنده مدير اوله‌رق استخدام ايتديكى جوبور حلمى نام كمسه‌لر برابر اولديغى حالده مذكور باغچه‌ده
اجتماع واديب بك طرفندن آرقداشلرينه تقديم اولونان صكره مصمم سوءقصدك شكل ومحل وصورت اجراسى
اطرافنده اوزون اوزادى‌يه مطالعه‌لر درميان اولوندقدن صوكره سوء قصدك غفار زاده اوتلى يقيننده دار سوقاقده ٣
دونديج نقطه‌سنده اجراسنى قرارلاشديردقلرينى و ضيا خورشيدك آرقداشلرى اولان لاز اسماعيل و كورجى
يوسفك‌ده ايرتسى كيجه شوقينك خانه‌سنده اجتماع ايده‌رك طانيشمق و سوء قصدك اجراسى و متعاقبى
آنلرده‌كى هربرينك عهده‌سنه ترتب ايده‌جك وظائفك ترتيب و تقسيمى ايچون اجتماع ايتمكله قرار ويردكلرينى
وفى الحقيقه ايرتسى كونى اديبدن ماعدا اوله‌رق ضيا خورشيد و آرقداشلرى لازاسماعيل، يوسف، حلمى وشوقينك
اجتماع ايتدكلرى واولصورتله مذاكره‌ده بولوندقلرى وصوكاولمق اوزره غفارزاده‌اوتلى جوارنده سوءقصدك لازاسماعيل
وكورجى يوسفله ضيا خورشيد طرفلرندن اولا روولورله وايجاب ايدرسه بومبالرله اجراسى و اورادن فرارلريله شوقى
وجوبور حلمينك كريده حاضر بولنديره‌جغى اوطوموبيله اركاب وقارشو طرفنه ايصال ايدلدكدن صوكره شوقينك
موطوريله ساقز آطه‌سنه كچيرلمسى خصوصنك تحت قراره آلنديغى وآيرلدقدن صوكره محل اقامتلرنده اشياى جرميه‌لريله
برر برر دردست اولندقلرينى وسوءقصد حركت وفعاليتك شخصاً دكل شكرى وعبدالقادر بكلرك منسوب اولدقلرى
بوزمرهٔ سياسيه‌نك نام وحسابنه اولديغنى افاده وبيان ايتمشدر . مظنون عليهك كرك ازمير سوء قصدينه وكرك بوكا
متقدم زمانلرده سوءقصد شبكه‌سنك اجرات سابقه‌لرينه متدار على الدرجات ويردكلرى افادات پك شايان دقت وعبرت
كورولمش وبونلردن كورجى يوسفك افاده‌سنه نظراً يدى، سكز ماه مقدم بركون كنديسى پاسته‌خانه‌ده اوطورويوركن
لاز اسماعيلك كله‌رك بر آرقداشى آنقره‌يه كوتورمك ايستديكنى ومقصد سياحتده آنقره‌ده زنكين بر شخصك
خانه‌سنك صويولمسى مسئله‌سى اولديغنى ومنفعتى اولديغندن بوايشه داخل اولمسنى تكليف ايتمسى اوزرينه پاره ونفوس
تذكره‌سى اولمديغنى درميان ايلسنه قارشو بومسئله‌نك قابل حل اولديغنى افاده ايتمش وبر قاچ كون صوكره يكرمى بش

لیرا ایله حلیم نامنده شخص آخره عائد برنفوس تذکره‌سیله کله‌رك ایرتسی کونی هر ایکیسنك حیدر پاشادن آنقره‌یه حرکت ایدن تره‌نله برلکده حرکت ایتدکارینی وعین تره‌نده ضیا خورشیدك موجود بولندیغنی وفقط آنقره‌یه ورود ایتدکاری، کونه قدر ضیا خورشیدك تره‌نده تماس ایتمدیکنی وتره‌ندن چیقدقلری آنده یانلرینه ضیا خورشیدك کلدیکنی وهراوجنك ده برلکده قره دکز اوتلنه کیتدکارینی واوچنجی کونی اسماعیل واسطه‌سیله ازمیت مبعوثی شکری بکك خانه‌سنده تماس ایتدیکنی وشکری بك سلاحلرك احضار ایدلدیکنی ولازم اولدیغی وقت ضیا خورشید بکه او کلز ایسه اسماعیله خطاباً سکا ویریرم دیدیکنی وبومکالمه‌دن خانه‌سندن چیقارق استانبول صالون پاستاخانه‌سنه کلدکارینی وبونی متعاقب ضیا خورشیدده کله‌رك کندیلرینه خطاباً بن مجلسه کیدیبورم ایستره‌کز سزده بر قارت تدارك ایده‌یم دیه‌رك پاسته‌خانه‌دن چیقدیغنی وبرمدت صوکره کله‌رك کندیلرینه ایکی قارت ویردیکنی واسماعیل ایله برلکده مجلسه کیتدکاری وآیری آیری یرلرده اوطوردقلرینی ومجلسدن چیقدن صوکره اسماعیل کندیسنه خطاباً بورایه کلمکدن مقصدمز رئیس جمهوری اولدیرمکدر ، بزه ایستدیکمز قدر پاره ومأموریت ویره‌جکلردر ؛ شکری بك رئیس جمهور اوله‌جقدر ، دیدیکنی وآقشامی میرآلای عارف بکه کیده‌جکز غازی پاشانك کوشکنی وجوار یوللری کشف ایده‌جکز دیه‌رك یانندن آیرلدیغنی وکندیسی‌ده اوتله کیده‌رك یاتدیغنی صباحلاین اسماعیلك کلدیکنی اوکیجه عارف بکك اونده سفر اولدقلرندن کلدیکنی وبالکزجه اسماعیل ، پاشانك کوشکی جوارنده تدقیقات وکشفیاتده بولنمش ایسه‌ده بورالرك سوٰقصده مساعد اولمدیغنی وآنجق آنقره قلوبنك بو ایشه دها مساعد بولندیغنی وقلوبك اطرافنی ضیا خورشید ولاز اسماعیلله برلکده برابر هر اوچنك کشف ایتدکارینی وفرارلرینی تأمیناً اوطوموبیل وحتی طیاره بیله حاضرلاندیغنك ضیا بك طرفندن افاده ایدلدیکی وبوارده کیدرلرکن اورته بویلی شیشمانجه برذاتله ضیا خورشیدبکك کوروشدیکنی وضیا خورشیده صوردیغندن کاظم قره بکر پاشا ایله کوروشدم دیدیکی وموعی الیهك جوق قزغین ونفوذلی اولدیغنی وبوترتیباتدن معلوماتدار بولندیغنی بیان ایلدیکنی وایرتسی کونی اسماعیل کله‌رك ضیا خورشید بکی کوردیکنی وقرداشی فائق بکك ترتیبات واقعه‌دن خبردار اولدیغندن دولایی همان استانبوله حرکت ایده‌جکلرینی بیان ایتسی اوزرینه ایرتسی کونی تره‌نله آنقره‌دن حرکتدن مقدم شکری بکك کندیلرینه الایشر لیرا ایله یا ایللوم سیستمنده بر رووولور ویردیکنی لاز اسماعیل ایسه یوسفك بیانات مسروده‌سنی تماماً تصدیق ایلدکدن ماعدا بر کیجه ضیا خورشیدله اسکیشهر مبعوثی عارف بکك خانه‌سنه کیتدیکنی وعارف بکك سوء قصدی اشراب ایدهر شکلده «حقك کتم ایدلمش اولدیغندن ویاسلان غدرلردن وبوندن صکره» اسماعیله خطاباً «سنك کبی آدملره احتیاج واردر» کبی الفاظی صرف صورتیله سوٰقصدی تشجیع وتحریك ایتمش اولدیغی حالده هیئت وکیله‌نك اجتماع ایلدیکی بنایی کشف ایتدکارینی وفقط کندی مطالعه‌سنه نظراً محافظه ترتیباتنك مکملیتنه بناءً بورادهه هیچ برشی یاپیله‌میه‌جغنه قناعت کتیردیکنی وبوصفحه‌یه عائد اولان ضیا خورشیدك بالاده سرد وتعداد اولنان جمله بیاناتندن بشقه عارف بکك خانه‌سنه لاز اسماعیلی کتوردیکنی مصراً وبالمواجهه بیان ایلمك صورتیله عارف بکی صیانت ایده‌جك بر وضعیت کوسترمك ایسته‌مش وهراوچی استانبوله عودت ایله‌مشلردر .

آنقره‌ده بعض اسباب وموانع طولاییسیله عقیم قالان سوٰقصدك رئیس جمهور حضرتلرینك بروسه‌یه واقع سیاحت اخیره‌لرنده تطبیق واجرا ایتمك اوزره لاز اسماعیل بر کون یوسفی بوله‌رق بروسه‌یه سوٰقصد ایچون کیده‌جکلرینك مقرر بولندیغنی سویلمش یوسف بوتکلیفی قبول ایتمدیکندن لاز اسماعیل ینه شکری وضیا خورشید بکلرك تحریکیله مقصد لیمانه‌سنی تطبیق ایتمك اوزره شکری بکدن آلدیغی پاره ایله ورفاقتنه ناجیه نام قادینی زوجه‌سی صفتیله آله‌رق بروسه‌یه حرکت ایتمش ایسه‌ده بالاده ذکر ایلدیکی وجهله آمال جنائیه‌سنه موفق اوله‌میه‌رق تکرار عودت ایتدیکنی

بیان ایتمشدر .

ناجیه نعمت خانم بروسه‌یه تداوی ایچون کیده‌جکی اثناده مقدما چالیشدیغی لوقانطه‌ده طانیدیغی اسماعیله تصادف ایتدیکی و اسماعیلك مقصد و آمال جنائیه‌سندن خبردار اولمدیغی اثبات ایلمشدر . لاز اسماعیلك افادات متباقیه‌سنه نظراً بروسه‌نك سوءقصدك اجراسنه غیر مساعد اولدیغی خبریله اسماعیلك عودتی اوزرینه جنایت واقعه‌نك مبعوث شکری ، ضیا خورشید ، عبدالقادر ، بیطر متقاعدی میرالای راسم و صاری افه ادیب شکری بکك خانه‌سنده یاپدقلری اجتماعده ازمیرده اجراسی تقرر ایتدیرلمش و بونك اوزرینه شکری و عبدالقادر و ضیا خورشید آره‌سنده سلاح تدارکی دخی موضوع بحث اولمش و پاره‌لری شکری بك طرفندن ویرلمك اوزره تدارکنك ضیا خورشیده تودیع ایدلمش و مرقومه بو وظیفه‌یی درعهده ایده‌رك فی الحقیقه سوءقصده استعمال ایدیله‌جك سلاحلری تدارك و احضار ایلمشدر . بو ترتیبات آلندقله برابر ضیا خورشیدکرك عبدالقادر و کرك شکری بکله تکرار تکرار کوروشه‌رك اك زیاده اجتماعلرك شکری بکك خانه‌سنده عقد ایدلمش و عبدالقادر بك سوءقصدك اجراسی ایچون واسع و شمولی تشکیلاته احتیاج کوریلمدیکنه دائر بسط ایتدیکی مطالعات هیئتجه موافق حال و مصلحت کورلمش و اك اول رئیس جمهور حضرتلرینه سوءقصد اجراسی بنایه‌لرینك ایلك قدمه‌سی اوله‌رق قبول ایدلمش و متعاقباً تقابیب حکومت ایچون متعدد سوءقصدلر اجراسنی تصمیم ایتمشلردر .

بالاده مفصلاً عرض و تشریح ایدلدیکی وجهله ازمیرده‌کی تحقیقات حقنده ضیا خورشید و لاز اسماعیل و کورجی یوسفك افاده‌لری بعض تفرعاته عائد خصوصات مستثنا اولمق شرطیله اساس وقعه و صورت اجراسنده یکدیکرینه تطابق تام ایله مطابقت ایتمکده‌در .

ازمیر حادثه‌سنه متعلق چوپور حلمی و مخبر صفتیله استماع ایدیلن شوقینك افاده‌لری محتویاتی چوپور حلمینك شخصی مدافعه صددنده ذکر و درمیان ایتدیکی خصوصات مستثنا اولدیغی حالده اساسه متعلق افاده‌لری عین مآل و روحده کورلمشدر . مدافعه حلمینك شوقیده‌کی بومالری ضیا خورشیده کتیردیکی اعتراف ایلدیکی وادرینك بفنجه‌سنده و شوقینك خانه‌سنده‌کی اجتماعلرده اثبات وجود ایتمسی کندیسنك ذاتی اصلا میانده بولندیغنه شك و شبهه براقمامقده‌در . ازمیرده‌کی حادثه‌نك صورت ترتیب و اجراسنه متعلق صوك درجه جالب دقت افادات مقابله‌ده بولنان صاری افه ادیبك بو خصوصده‌کی معلوماتی هیئت جلیله‌لرینه تفصیلاً عرض و ایضاح ایده‌جکم : صاری افه ادیب ضیا خورشیدی غفارزاده اوتلنده مدیر عبدالله افندینك اوطه‌سنده کوردیکنی و او وقته قدر ضیا خورشید بکی طانیدیغی و عبدالله افندینك ضیا خورشیدی کندیسنه تقدیم ایتدیکنی و مرقوم ضیا خورشید سزه آرقداشلریکزدن سلام کتیردم . صورت خصوصیه‌ده کوروشمك ایسترم دیدیکنی و کیجه اوتلده کوروشدکلرینی ضیا خورشیدك جیبندن بر مکتوب چیقاره‌رق ویردیکنی و مکتوبك میرالای راسم و مبعوث شکری بکلرك امضالریله ممضی اولدیغی ، ظاهراً بر توتون ایشندن باحث بولندیغنی و توتون ایشینك نه اولدیغنی ضیا خورشیده صوردیغنده بو ، توتون ایشی دکلدر دیدیکنی بعدالقرائه و مکتوبی الندن آله‌رق یرتدیغنی و تکرار مسئله‌یی صوردیغنده غازی پاشانك احیاسنی عهده‌سنه آله‌رق ازمیره کلدیکنی و یانده شایان اعتماد اشخاص بولندیغنی و سوءقصدك کندیسی طرفندن اجراسنه هیئت عمومیه‌جه تحت قراره آلنمش اولدیغنك و بو هیئت عمومیه‌دن مقصد ترقی پرورلرك هیئت عمومیه‌سی بولندیغنی دیمسی اوزرینه کندیسیده مرقومه خطاباً بو ایشی بو راده یاپه‌بیله‌جکمیسکز و نه صورتله بر پلانکز واردر و آرقداشلریکز کیملردر دیدیکنده آرقداشلرینك سوءقصدی یاپه‌بیله‌جك اقتدارده مجرب و متین اولدقلرینی افاده ایلدیکنی و کندیسیده بونلری بر جرم مشهود حالنده یقالامق ایچون ظاهراً ترتیبات واقعه‌یه موافقت ایتدیکنی و سوءقصددن صوکره فرار ایچون بر موطور تأمیننك لازم

کلدیکنی سویلیه‌رك وتزدندن آیریله‌رق کربدلی شوقینك موطوری اولدیغنی بیلدیکندن شوقی‌یی بولدیغنی وموطورك
نزده اولدیغنی صوردیغنی مرقوم شوقی‌ده موطورك ساقزده اولدیغنی و آلتی یوز لیرایه مرهون اولدیغندن مبلغ
مذکورك تأمینیله موطورك کتیریلمسی سهیل اوله‌جغنی افاده ایلمسی اوزرینه ضیاخورشیده‌کاوب پاره مسئله‌سنی بالسؤال
اوزرنده موجود نقد اولمدیغنی آکلادقدن‌صکره صاروخان مبعوثی عابدین بکدن (٦٠٠) لیرا ایستدیکنی ومومی‌الیهك
اوزرنده شمدی بوقدر پاره اولمدیغندن آقشامه تدارك ایده‌بیلکنی افاده ایله آیرلدیغنی و آقشام اوزری عابدین بك
کله‌رك پاره‌یی بوله‌مدیغنی سویلمسی اوزرینه ضیا خورشیدله تکرار ، سه کله‌رك ایرتسی کیجه ادریسك بغچه‌سنده ضیا
خورشید ، جوپور حلمی وشوقی ایله اجتماع ایتدکارینی وسوء قصدك محل اجراسنی مذاکره ایتدکارینی واك نهایت
مناسب محلك کر آلتی موقعی اولدیغنی سویلدیکنی وشوقی‌بعدها اول ویردیکی ایکی بومبانی سوء قصدده استعمال‌ایدلمك
اوزره وحلمی واسطه‌سیله ضیا خورشیده ویردیکنی وایرتسی کونی ارتق نتیجه‌یه انتظار ایتمه‌رك محمود شوکت پاشا
واپوریله استانبوله‌کیتدیکنی وواپورده عابدین‌بکه تصادف ایتدیکنی‌وعابدین‌بکك بریستول‌اوتلنه نازل اولدیغنی وکندیسنك
قاین برادری دیش طبیبی مصطفی شوکت بکك اوینه کیتدیکنی بر کون صوکره بریستول اوتلنه کیتدیکندن عابدین بکه
بالتصادف ازمیرده نه خبر وار دیه صوردیغنده مومی‌الیهك صباح غزته‌لرنده برشی اولمدیغنی و آقشام غزته‌لرنده برحوادثه
انتظار ایتمك لازم کلدیکنی بیان ایلدیکنی وبووقوعاته متقدم کونلرده راسم بکله برلکده شکری‌بکك خانه‌سنه کیتدکارینی
شکری بکك آغزه‌ده سوء قصدی تشبثاتندن بحث ایتدیکنی و ارقداشلرینك بحریکسزلکندن ، قورقاقلقندن بردرلو
موفق اوله‌مدقلرینی حتی بردفعه ایی بروضعیت تأمین ایلدیکنی ادملری عارف بك کوشکنه آلوب اوراده کذکاهده
ایی بروقعده بوصورت روالش وه‌قصدده حاصل اولمقده بولنمش اکن وضعیتی کندیلرینه احساس ایتدیکی رشدی پاشا ،
ثابت بك کبی ارقداشلرك بیله توحش ایده‌رك کیفیتی رؤف بکه ابلاغ ایتدکارینی ورؤف بکده کویا شکری بکه‌کاوب
ضربتی ایضاح ایتمزسه کنز کیفیتی تلفونله غازی‌یه اخبار ایده‌جکم دیمسی اوزرینه ایشت بوزولدیغنی سویلمش اولدیغنی
وکندی قناعتنه کوره شکری بکك سوء قصد اوزرنده کمال قطعیتله یورویه‌جکنی آکلادیغنی وشکری بکك النده‌بوایشی
ایجون غایت امین ایکی اوج آرقداشنك دها بولندیغنی شکری بکدن ایشتدیکنی وحتی حرب عمومیده صاباً اعدام‌ایدیلان
بیروز یارانندن جرکس احمدك مخدومی و آرقداشلرینك ازمیرده اولوب اولمدیغنی وبونلرله اوراده بر ایش یاپیلوب
یاپیله‌میه‌جغنك تأمینی ممکن اولوب اولمدیغنی سویلدیکنی وکذالك کندی قناعت قطعیه‌سنه نظراً ترقی پرورلرله اسکی
مجلس بقیه یکنجی غروبك تشکیلاتی عینی اولدیغنی وترقی‌پرورلرك اکثریسی اولوب برنجی قسمی سوء قصدجیلر
اولدیغنی وبونلرك باشنده‌شکری بك ، رشدی پاشا ، خالت ، حالص طورغود ، نجاتی بکلرله عسکری زمره‌دن عارف بك ،
کاظم قره‌بکر ، علی فؤاد ، رأفت ، جعفر طیارپاشالرله رؤف بك وایکنجی غروبدن قره‌واصف ، عبدالقادر ، سابق اردهان
مبعوثی حلمی بولندیغنی وبونلرك مقصدلرینی ساحه‌ٔ فعله ایصال ایجون رأس کارلرنده اتحاد ترقی کاتب مسئولی سابق
اعاشه ناظری قره کمال بولندیغنی وراسم بك دلالتیله ترقی‌پرورلرك بو غروپله محافظهٔ تماسده بولندیغنی وبو غروبك
قره‌واصف وعبدالقادر کبی نفوذلی وجرأتلی اشخاصك وبونلرك تدویر ایتدیکی شرکتلردن وآره صره اسکی
مالیه ناظری جاوید بکدن معاونت مالیه تأمین ایتدکلرینی سویلمشدر .

مظنونلرك وبالخاصه صاری أفه ادیب بکك بالاده مذکور افادات مفصله‌لرندن بك بارز اوله‌رق تبین ایتدیکنه
نظراً اشبو تشبث جانیانه ترقیپرورفرقه ایله بوفرقه‌نك تشکلنده پك‌زیاده عامل اولمش اولان فعالیتجی اونکه حال تماس

مملکتده دیکر مترقب فرصت وقتیله مملکتك ادارەسنه حاکم ومحکم اولمش اولان بغیر معروف وجهله اعاشەوینماجی بوزمرهٔ قلیلەنك اثر ترتیب وتضییق اولدیغی آکلاشلمش وشو حاله نظراً ترقی پرور فرقه ارکان واعضاسنك بو مسئلەده قرق بشنجی مادەنك فقرهٔ اولاسنده تعریفات قانونیەیه توفیقاً وهلهٔ اولاده فاعل اصلی صفتیله دخل و اشتراکلری بولندیغنی قبول ایتمك ضرورت قانونیەسی واردر .

اشبو تشبثات جانیانەنك قانون جزانك اون بشنجی مادەسندەکی صراحت قانونیەیه توفیقاً برجرم مخصوص تشکیل ایدیکنه واشبو جرمك ارتکاب ایدلمکده بولندیغی بر آن وزمانده الده ایدلدیکنه نظراً اصول محاکمات جزائیه قانوننك اوتوز سکزنجی مادەسندەکی تعریفاته نظراً برجرم مشهود جنائی بولندیغی نمایان بولنقدەدر .

بناءً علیه تشکیلات اساسیه قانوننك اون یدنجی مادەسنده محرر اولان صراحت قانونیەیه توفیقاً بو مسئلەده علی الدرجات علاقەلری کوریلن وبیوك ملت مجلسنده اعضا بولنان منسوخ ترقیپرور فرقه اعضاسنك توقیفلری سوء قصد وتقلیب حکومته متعلق ترتیبات وتشکیلات واجرا آتی بر وجه بالا عرض اولندقدن صکره ازمیت مبعوثی شکری بکك مضبوط افادەسنك خلاصەسنه نقل کلام ایتمك ضرورتندەیم . مبعوث مومی الیه توجیه ایدیلن سؤاللره جواب ویرمکدن استنکاف ایتمش وضیا خورشید ، لاز اسماعیل ویوسفك شکری بك علیهنده سرد و بیان ایتدکلری تشکیلات واجرا آته متعلق بیاناتلری رد وانکار ایلمش وافترا اولدیغندن بحث ایلمشدر . وبالکز ضیا خورشیدله خصوصی مناسبتده اوراق اوزره برقاچ کره تماس ایتدیکنی وعبدالقادرلەده تماسده بولندیغنی سویلمشدر . اسکیشهر مبعوثی عارف بکك ضبط اولنان افادەسنده لاز اسماعیلی آنجق شخصاً طانیدیغنی و اسماعیلك مجادله زماننده‌کی خدمته مقابل وثیقه آلمق اوزره خانەسنه کلدیکنی واسماعیلك اودن چیقدقدن صکره شکری بکك وآنی متعاقباً اردو مبعوثی فائق بکك کلدکلرینی ضیا خورشیدی علی فواد پاشا طرفندن برمزانته ایدلمك صورتیله طانیدیغنی وسوء قصده متعلق برکونه بیاناتده بولنمدیغنی ، هویتی طانیمدیغی کیمسەلرله بویله عظیم برمسئلەیه اشتراك ایدمیەجکنی بیان ایتمش ومومی الیه عارف بکله لاز اسماعیلك مواجهەلری بالاجرا آنقرەده‌کی قلوبك اوکنده عارف بکك اوطوموبیلیله مومی الیهده حاضر اولدیغی حالده خانەسنه کیتدیکنی وایرتسی کونی عارف بکك خانەسنه تکرار کیدەرك شکری بکك ده کلوب اوطوردیغنی وصکره اوطوموبیل ایله طانیمدیغی برشخصك کلمسی اوزرینه کندیسنی بشقه براوطەیه قویدقلرینی عن مواجهه اسماعیلك بیاناتنه قارشی عارف بك مذکور اجتماعلری انکار ایتمش وصاروخان مبعوثی عابدین بك دخی غفار زاده اوتلنده ضیا خورشیدله طانیشدیغنی وادیب بکك سوء قصد ایچون کندیسندن بشیوز لیرا ایستدیکنی وکندیسنده کوتو برایشدر بویله شی اولماز دیدیکنی و آقشامه قدر صاوصاقلادیغنی و آقشام اوزری پاره یوقدر جوابی ویردیکنی وعین کونده محمود شوکت پاشا وپوارده استانبوله کیتدیکنی وبیطرمیر آلایلقندن متقاعد راسم بك دخی برکیجه ادیب بکده حاضر اولدیغی حالده شکری بکك خانەسنده سوء قصده متعلق [illegible] کرەده بولنمق اوزره اجتماع ایلدکلرینی شکری بکك حسیات وطنپرورانەلرینی تحریك ایدەجك سوزلر صرف ایتدیکنی کرك ادیب بکك کرك کندیسنك نیم موافقت ایتدکلرینی سویلدیکنی وشکری بکك [illegible] بولندیغی بو آدملری بکا کوندرمه دییه تنبیه ایلەدیکنی و کندیسیده آدملری کوندرمامك تشبثنده بولنەجغنی وشکری بکی بو ایشدن منع ایدەجکنی وضیا خورشیده ادیب بکه خطاباً شکری بکله مشترکاً امضا ایلدکلری وسوء قصدك اجراسی ایماء یازلمش مکتوبی ویرکن دخی شکری بکه « ادیب بك بو ایشه طرفدار دکلدر » دیمش ایسەده شکری بك

حالنامه ضیا خورشید بك یاپه‌جقدر دییه مقابله‌ده بولندیغنی وضیا خورشیدك هیچ بر مطالعه بیان ایلدیکنی و یالکز بوایشی یاپه‌جغنی سرد واتیان ایلمشدر .

تحقیقاتك صفحات عمومیه‌سندن ملهم اولدیغی وجهله سوء قصدك برنجی درجه‌ده عامل ومرتبی ازمیت مبعوثی شکری بك واسکیشهر مبعوثی عارف بکارله آنقره والیء اسبق عبدالقادر در . ادیبك افادهٔ مضبوطه‌سنه نظراً ترقیپرورلرك سوء قصدجیلری اولمق اوزره ذکر ایتدیکی اشخاص میاننده ازمیت مبعوثی شکری ایله اسکیشهر مبعوثی عارف وصاروخان مبعوثی عابدین بکلری ارائه ایتمش وشکری بكك فی الحقیقه مختلف زمان ومکانده یالکز باشنه قالنجه بیله بهمه‌حال رئیس جمهور حضرتلرینه سوء قصد ایتمك ارزوسنی علناً احساس واظهار ایلمشدر . شکری بك علیهنده تجمع ایتمش اولان دلائله وبراهین قطعیه‌یه قارشی مومی الیه کلیاً انکار جرم ایلمش و کندیسنه قارشو مظنونلرك بیاناتی افترا ماهیتنده کوسترمش ومع هذا وجه خصومتی وافترایی تثبیت ایده‌مامش واسباب مقبوله ومعقوله‌یه استناد ایتدیره‌مامشدر .

وکذلك سوء قصدك اجرا قومیته‌سی ارکانندن اسکیشهر مبعوثی عارف بك حقنده لاز اسماعیلك بیاناتنه قارشی مومی الیه عارف بکده برکونه اسباب مقبوله سرد ایده‌مامش وانکار جرم ایتمك صورتیله مضمرات خائنه‌سنی پردهٔ خفا ایله ستر ایتمك ایسته‌مشدر .

اردو مبعوثی فائق بكك افادهٔ مضبوطه‌سی وسوء قصده متعلق قناعت وملاحظاتی کاملاً اسکیشهر مبعوثی عارف وشکری بکلرك علیهنده تجلی ایتمش وبنابرین عارف بكك آنقره سوء قصدینی تعقیب ایدن ازمیر سوء قصدنده دخی مدخلدار ومشارکتی اولدیغی قناعت وجدانیه‌سی دخی حاصل اولمشدر .

ازمیر حادثه‌سنده ادیبك تماماً وقعه‌نك مرتب ومحرکی اولدیغی حقنده موجود دلائل وبیاناته قارشی افادهٔ مضبوطه‌سنده مومی الیه تأویلاً اقرار جرم ایلمکده وضیا خورشید ایله لاز اسماعیل ویوسفی بر جرم مشهود حالنده حکومته تسلیم ایلمه‌مك اوزره حرکت ایلدیکنی سرد ایتمکده ایسه‌ده ترتیبات واقعه‌دن علاقه‌دار مقاماتی خبردار ایتمکسزین استانبوله صوووشدیغی وفعلك ایقاعنده‌کی درجهٔ علاقه‌سنی تم ابتدارك سرد ایلدیکی اشبو مدافعه ایله رد وشرحه چالیشمش ایسه‌ده مدافعات وقعه دلائل حاضره وبالخاصه مظنونلردن ضیا خورشید، لاز اسماعیل ویوسف وحلمی وشوقینك قوتلی اعترافات واخبارات صریحه‌لری قارشوسنده قاطع وقیمت قانونیه‌دن عاری بولنمشدر .

صاروخان مبعوثی عابدین بكك ازمیر سوء قصدنده تماماً علاقه‌دار ووقعه‌یی احضار ایدنلرك میاننده بولندیغی ادیبك افادهٔ مضبوطه‌سنده وجنایت ترتیباتك احضارندن صوکره علی العجله استانبوله کیتمسی وبریستول اوتلنده ادیب ایله وقعه حقنده کوروشمسی وصباح غزته‌لرنده حادثه‌نك وقوعنه دائر نشریاته تصادف ایده‌مه‌مسی اعتباریله آقشام غزته‌لرینك کیفیتك تفصیلاتنه انتظار ایدلمك لازم کلدیکنی درمیان ایلمسی وازمیرده ایکن حادثه ایچون لازم اولان وتدارکنك تأمینی اقتضا ایدن بشیوز لیرانك تدارکی چاره‌سنه توسل ایده‌جکنی ادیبه بیلدیرمسی ونهایت وقعه‌یی حکومته وعلاقه‌دار مقامه اخبار ایتمه‌مسی کبی دلائل واماراتدن مستبان اولمش ودلائل قطعیه قارشوسنده‌کی مدافعه‌سی ده مردود بولنمشدر .

اسباب ودلائل قانونیه‌یه بناءً رئیس جمهور حضرتلرینك عزیز وقیمتدار اولان وجودلرینك ازاله‌سی ایله اجرا وکیللری هیئتی اسقاط وتقلیب حکومت حرصلریله فعل جنایی ترتیب وفعلاً تحریك واسباب حصولنی تهیه واحضار ایتمش ومجتمعاً حرکته کلمش اولان ازمیت مبعوثی شکری واسکیشهر مبعوثی عارف وصاروخان مبعوثی عابدین ومیر آلای متقاعدی راسم بکلرك ولارستان مبعوث سابق ضیا خورشید ولاز اسماعیل ویوسف وصاری افه نامیله معروف ادیب

وحلمی ونعمت ناجیه و ادریسك واحتیاط ضابطی بهاءالدین وادیبك آدملرندن اولوب اخیراً آتنه‌دن عودت ایدن طوربالیلی امین وجفتلکده مستخدم شاهینك وجاهلرنده وحالا دردست ایدیلمه‌سی حسبیله غیر موقوف آنقره والی سابقی عبدالقادر بكك غیابنده اجرای محاکه‌لریله بونلردن ازمیت مبعوثی شکری و اسکیشهر مبعوثی عارف وصاروخان عابدین ومیرآلای متقاعدی راسم بكلرله لازستان مبعوث سابقی ضیا خورشیدولاز اسماعیل ویوسف وساری افه نامیله معروف ادیب وحلمی وعبدالقادرك ثبوت جرملری تقدیرنده قانون جزانك الی‌بشنجی ماده‌سنك صوك فقره‌سی دلالتیله قانون مذکورك الی یدنجی ماده‌سنك فقره اولاسنه وادریسك کذلك مادۀ مذکوره‌نك فقرۀ مخصوصه‌سنه توفیقاً تعیین مجازاتلری ونعمت ناجیه خانمك کرچه لاز اسماعیل ایله بروسه‌یه سیاحت ایتدیکی آکلاشیلیور ایسه‌ده مزبوره‌نك اسماعیلك سوء قصد ایچون بروسه‌یه عزیمت ایتدیکنه واقف اولدیغی واسماعیلك قصد جرمیسیله علاقه وارتباطی کورلمه‌دیکی جهتله مزبوره‌نك وسوء قصده علاقه وتماسلری موجود بولونمادیغی آکلاشیلان دیکر مظنون علیهم طوربالیلی امین ، احتیاط ضابطی بهاءالدین وشاهینك برائتلرینه قرار اعطاسنی طلب ایدرم ترقی پرور مبعوثلردن برقسم مهمی کرك اسکیشهرده توقیف ایدیلان اشخاص سائره حقلرنده تحقیقات قانونیه‌یه دوام ایلمکده اولدیغنه مومی الیهك جلسات متعاقبه‌ده بالادعانامه محکمۀ جلیله‌لرینه سوق ایدیله‌جکلری مطالعه‌سیله اوراق دعوا طاقیله آنقره استقلال محکمه‌سی ریاست جلیله‌سنه عرض و تقدیم اولنور افندم .

(Ek İddianame)

ذیل ادعانامه

٢٦ حزیران ٩٢٦ تاریخلی ادعانامه‌مزده مفصلاً عرض ایدلمش اولدیغی وجهله ازمنهٔ مختلفه‌ده رئیس جمهور حضرتلرینه سوء قصد اجراسیله اجرا وکیللری هیئتنی اسقاط وتقلیب حکومتی غایه اتخاذ ایده‌رك مجتمعاً ایقاع جرم ایچون حرکته کلمش واسلحه وبومباریله دردست ایدلمش اولان ضیا خورشید ورفقاسی کبی، جنایت واقعه‌نك اجرا هیئتنی امرلری تحتنده مشئوم حادثه‌لره سوق ایدن وجنایتك تأمین اجراسیچون پاره وسلاح واشیای سائره‌یی تأمین واحضار ایتمش اولان ملغا ترقی‌پرور فرقه‌سنه منسوب مبعوثلرله بولاوغورده‌کی مقصدك استحصالنده اتحاد تام ایله متحد بولنمش اولان ووقتیله مقدرات مملکتده کیف‌مایشاء تصرف ایدن اعاشه‌جیلرك سر کرده‌سی قره‌کمال، وجاوید بکلر کبی اشخاص معلومه‌نك جرمك تصور وتصمیمه مستنداً ترتیب واحضاری کبی مقدماتنده دخل واشتراکلری و صورت ایقاعنده معلوماتلری بولندیغی اجرا قلنان تحقیقات ایله آکلاشیلمش وسوء قصدك ایقاع ایدلمکده اولدیغی برصره‌ده بتون دلائل ووسائطی ایله الده ایدلمسی وبناءً علیه قانوناً جرائم مشهوده‌دن معدود اوله‌جغی اعتباریله اصول موضوعه‌یی دائره‌سنده تحت توقیفه آلنمش اولان بویوك ملت مجلسی اعضاسندن جعفر طیار، علی فؤاد، رأفت، کاظم قره‌بکر ورشدی پاشالر، ثابت، خالص طورغود، احسان، اسماعیل جانبولات، منیر خسرو وفائق بکلرله مالیه ناظر اسبقی جاوید وارده‌هان مبعوث سابقی حامی وحالاً تغیب ایتمش اولان اعاشه‌جی کل بکلرك وضعیت ووصف جرملرینده بروجه زیر عرض ایدیورم.

ادیب بکك «سوء قصدك اجراسی هیئت عمومیه‌جه تقرر ایتدیکنه» دائر بیانات وافشاآت مسروده‌سی وشکری وعبدالقادر بکلرك بوجنایتده فردی وشخصی حرکتلرینك عدیم الامکان بولنمسی کبی دلائل ایله واصل مرتبهٔ ثبوت اولمقده‌در. انقره‌ده مبعوث شکری وعارف وضیا خورشید ولاز اسماعیل وکورجی یوسفك اجرا ایتمك ایسته‌دکلری سوء قصددن اول امرده خبردار اولان ارزنجان مبعوثی ثابت بکك ودیکر رفقای معلومه‌سنه اخبار ایده‌رك انقره‌ده جنایتك اجراسندن صرف نظر ایتدیرلدیکی اوراق تحقیقیه‌ده افاده‌لری مضبوط مبعوثلرك بیانات وافاده‌لرندن وضیا خورشید وادیبك بیطرف اولیان افاده‌لرندن عیان بولنمش اولدیغی وبونی متعاقباً جنایتك اجرا هیئتنك لاز اسماعیلك بروسه‌یه سوق واعزامی ونهایت ازمیر صفحه‌سنده هیئت جانیه‌لر مجدداً معلوم اولان وضعیت جنائیه‌دن بالاده اسملری محرر مبعوث بکلرله دیکر ذواتك معلوماتدار بولندقلرینك وهلهٔ اولاده قبول ایدلمه‌سنك ضروری اولدیغی کبی انقره سوء قصدینی حکومته بیلدیرمه‌ملری جهتندن‌ده جرمده‌کی علاقه وارتباطلرینی اثبات ایتمش اولدقلرندن دولایی مظنون علیهم جعفر طیار، علی فؤاد، رأفت، کاظم قره بکر ورشدی پاشالرله ثابت، خالص طورغود، احسان، اسماعیل جانبولات، منیر خسرو مملکتك امنیت داخلیه‌سنی فعلاً تهدید ایتدکلری حسبیله وقتیله فسخ ایدیلن ترقی‌پرور فرقه‌سنه منسوب اعضالرله مشئوم برعاقبت تاریخیه نتیجه‌سی سینهٔ ملتده، آرتق حکماً موجودیتلری قالمامش اولان اتحاد وترقی اعضالرندن بعضیلرینك کزلی سیاسی بر قومیته حالنده اتفاق خفی ایله چالشدقلری وصرف منفعت واحتراصلرینی تأمین ایتمك وتکرار حکومتی اله کچیرمك ایسته‌دکلری وبونك ایچون اول امرده رئیس جمهور حضرتلرینه قارشو بر سوء قصد اجرا ایتمك ایچون برلشدکلری وشو مرتبه‌له سوء قصدله تقلیب حکومتك هیئت ترتیبیه‌سندن اولدقلری اجرا قلنان تحقیقاتك بالاطراف وکمال وضوح ایله تبارز ایتمش اولان وضیا خورشیدك افاده‌سنه عطفاً مظنونلردن فائق ومالیه ناظر اسبقی جاوید و ارضروم مبعوث سابقی نجاتی، وارده‌هان مبعوث سابقی حامی بکلرك وجاهلرنده وقره‌کمالك غیابنده اجرای محاکمه‌لریله بونلردن قره‌کمالك قانون جزانك ٥٥نجی ماده‌سی دلالتیله ٥٧نجی ماده‌نك فقرهٔ اولاسنه توفیقاً تعیین مجازاتلرینی طلب ایدرم افندم.

٣٠/ حزیران/ ٩٢٦

(Kitapta iki defa peşpeşe verilen Ek İddianamenin Karabekir Paşa'ya verilen kısmı)

ذیل ادعانامه

(İkinci Ek İddianame)

ايكنجى ذيل ادعانامه

٣٠ حزيران ٩٢٦ تاريخلى برنجى ذيل ادعانامه‌ده عرض ايدلمش اولديغى وجهله رئيس جمهور حضرتلرينه طرفنى سوء قصد اجرا ايده‌جكلرى صوكره اجرا وكيللرى هيئتى اسقاط وتقليب حكومت ايچون اتحاد ايتمش اولان بيوك ملت مجلسنه منسوب ملت‌لرينه(?) واعضالرينه اتحاد وترقى‌يه منسوب اشخاص حقلرنده اجرا قيلنان تحقيقات ابتدائيه اوزرينه توقيفلرى اجرا قلنمش ووياده بكر سامى، كامل، ذكى، نجاتى بروسه، فريدون فكرى، بسيم حسين، سابق ارضروم مبعوثى نجاتى، صلاح الدين، احمد نافذ، حالت، قره واصف، حسين عونى، رؤف، عدنان وازمير والى اسبقى رحمى بكلرله مرسينلى جلال پاشانك جرم واقعك تقريباً برسنه‌دن برى تهيه واحضارنده مدخل وشاركتلرى وسوء قصدك اجراسنده‌ده معلوماتلرى بولنديغى اجرا قلنان تحقيقات ابتدائيه مفادندن ومضبوطاتدن برقسمنك على الحروجه اخبارات واقعه‌لرندن آكلاشلمقله برابر سوء قصدك عقيم قالمسى وازميت مبعوثى شكرى بكك توقيف ايدلمسى اوزرينه اسملرى آنفاً البيان ذواتدن اشقيانك وضعيتى تدقيق ايتمك اوزره رأفت پاشانك خانه‌سنده ومتعاقباً بك اوغلنده شهلده(?) اجتماع ايتدكلرى كبى دلائل ونهايت محكمهٔ جليله‌لرنده تكميل ايتمش اولان حقائق ايله واصل مرتبهٔ ثبوت بولنمشدر. بناءً عليه ... عزيمت ايتمش اولان رؤف وعدنان وازمير والى اسبقى رحمى بكلرله غيابنده وبكر سامى، فريدون فكرى، كامل، ذكى، نجاتى بروسه، بسيم حسين، سابق ارضروم مبعوثى نجاتى، صلاح الدين، احمد نافذ، حالت، قره واصف وحسين عونى بكلرله مرسينلى جلال پاشانك وجاهاً اجرالرى محاكملرى جنايت واقعه‌نك يكى قانون جزاده دها آغر جزايى مستلزم بولنمسنه بناءً تاريخ ايقاع جرمده معمول به اولان قانون جزانك اللى بشنجى ماده‌سى دلالتيله اللى سكزنجى ماده‌سنك فقرهٔ اولاسنه توفيقاً تحديد مجازاتلرينى طلب ايده‌رم.

كذلك سوء قصددن دولايى تحت توقيفه آلنمش اولان سابق طرابزون مبعوثى حافظ محمد بك حقنده اجرا قلنان تحقيقاتده ضيا خورشيد بكك طوف(?) وشكرى وعبدالقادر بكلرله بالتصميم موسى اليه‌دن ضيا خورشيدك لازاسماعيل وكورجى يوسف ايله سوء قصد ايچون آنقره‌يه عزيمتلرندن وبووقوعاتك بوصورتله ترتيب واحضارندن مقدم شكرى وعبدالقادر بكلرك معلومات وترتيبلرى داخلنده رئيس جمهور حضرتلرينه سوء قصد اجراسى مقصديله ضيا خورشيدك حافظ محمد بك ايله تماس ايده‌رك موسى اليهك اقرباسندن وحاب اسمنده ايقاع جنايته مستعد اوچنجى بر آلتك تأمين وبونك واسطه‌سيله‌ده كاتب محمد نامنده ديكر برشخص احضار ايدلمش اولديغى وضيا خورشيد طرفندن وحابه بو مقصدله ١٠٠ ليرا ويرلديكى وكاتب محمدك سوء قصده قطعياً موافقت ايلمسى ووحابكده برده‌ا كورونمسى حسبيله سوء قصدك عرض اولنان بوصفحه‌سنك بوصورتله عقيم قالديغى وبووقوعاتدن برمدت صكره وبروسه - ازمير سياحتلرينك موضوع بحث اولديغى ايامده ضيا خورشيد بركون استانبولده حافظ محمده بالتصادف موسى اليهك بيك بشيوز ليرا قدر برپاره موجود اولديغندن ومبالغ مذبوره‌نك براوغورده صرف ايده‌جكنه دائر بيانلرندن قصد جرمينه مطلع اولمش ايسه‌ده كنديسى بروسه وازمير وقعه‌لرينه دائر حافظ محمد بكه برمعلومات ويرمديكى آكلاشلمشدر. احوال مسروده‌يه نظراً حافظ محمد بك ايله وحاب وكاتب محمدك دخى داخل محاكمه ايديلرك اسكى قانون جزانك ٥٧ نجى ماده‌سى دلالتيله ٤٥ نجى ماده‌نك فقرهٔ مخصوصه‌سنه توفيقاً تعيين مجازاتلرى طلب ودعواسيله آنقره استقلال محكمه‌سى رياست جليله‌سنه عرض وتقديم قلنور افندم.

- تموز - ٩٢٦

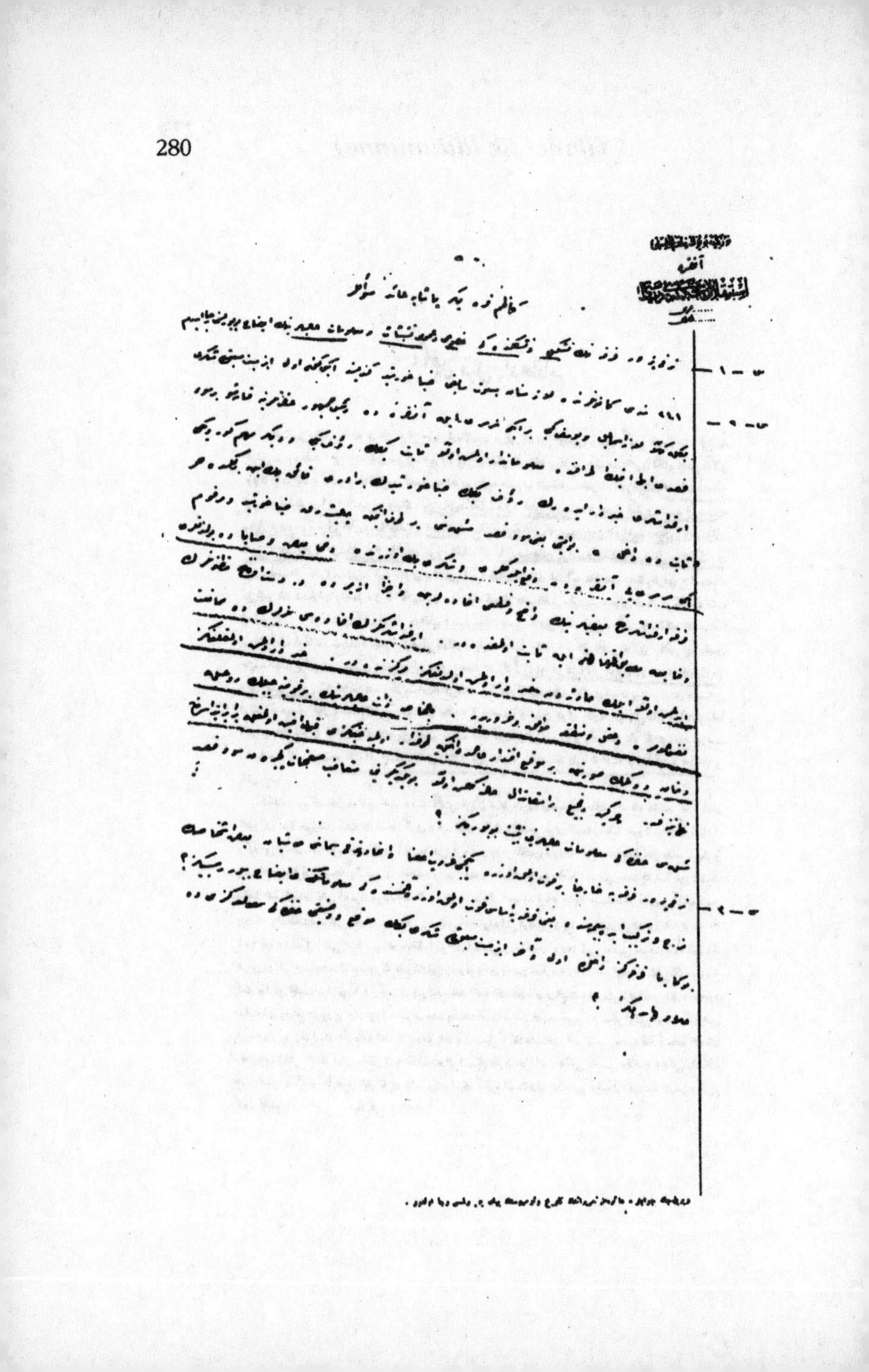

آنقره

[illegible]

(Karabekir Paşa'nın kendi el yazısıyla savunması)

٢-٤

٢٨/٦/١٩٢٦

٢- چته یا قاتلار یا قاتلات . بزم [illegible] و تقلیب حکومت قلبنده [illegible]

« سوء قصد و تقلیب حکومت هیئت ترتیبیه » وار . چته‌یه اسلحه [illegible]

مقصد [illegible] طبیعی برشکلده [illegible] یا قاتلار [illegible] مسلح و مرتب [illegible]

جنایت [illegible] مقصد تلقیه اولنسه [illegible] منظم [illegible]

[illegible] حادثه‌لره کیدیر ؟ بو آرام غازی پاشا [illegible] سوء قصد [illegible] ؟ مسئله‌نک جوابنه [illegible]

بر نقطه‌سی وار . حادثه [illegible] مصطفی کمال پاشانک [illegible]

وقت وقت [illegible] مصطفی کمال پاشانک غازی [illegible] بر آرام اولدیغی

آنقره [illegible] . بر زمانلر [illegible] پاشا [illegible]

[illegible] عکسی [illegible] اولدقلری [illegible] انقره‌یه کلدیکه بو آرام

بر کیمسه کمال پاشانک غازی [illegible] تحقیقه [illegible]

بویله بر آرامک غازی پاشا [illegible] حقیقت سوء قصد کلی [illegible] ؟

نقطه بو قاعده [illegible] بو آرام کورور حادثه [illegible]

اول استانبول پولیسنده [illegible] ساخته [illegible]

مسئله [illegible] بو [illegible] استعمال [illegible]

[illegible]

بو آرامه بو نقطه [illegible] استانبول

[illegible] نظاره [illegible]

بر [illegible] جمهوریت [illegible]

آنقره حادثه‌سی کلی [illegible]

[illegible] انقره [illegible] انقره [illegible]

[illegible] حکومت [illegible]

[illegible] سوء قصد و تقلیب حکومت ، قلب [illegible]

[illegible] ؟

[illegible]

[illegible]

[illegible]

[illegible] انقره [illegible] حقیقت [illegible]

[illegible]

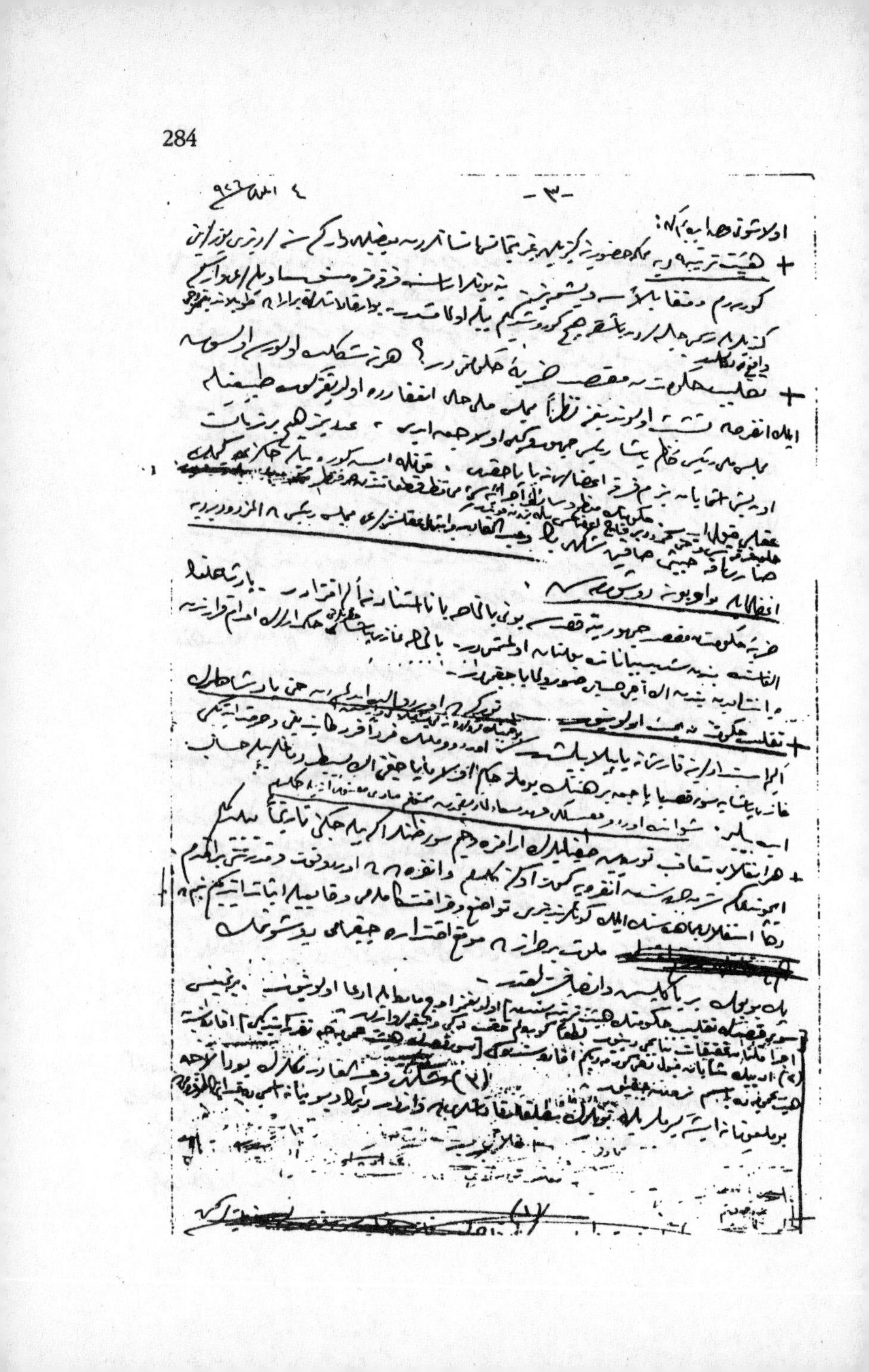

-٣-

٤ ايلول ٩٢٦

[illegible]

— ٤ —

احمد !

(۱) عسکری احتیاجلره مبنی سیمالدن منقول عسکرلرک کوندرلدیکی نظراً ایشبو ترتیبدولری نه
قادرت بیلرم قرارلرینی بربریله جابجا ایدیوب بو ترتیبه صوک برآده استعفا ایده بیلر.
(۲) ترتیبدولرک محوایتمه ایشنه بعضه طفیلی ایستادلک [illegible] بریشنک
امداد تکرارله افزایی افکار عمومیه یابدیرمه مکرا احتیاجلری مستعجل استعمال
سیمالی مضح بر [illegible] اجمالی مقصدیه مواصل اولنمیدی.
ترتیبدولرک سوزده [illegible] هیچ بر متقی شغلی ایده میه جکلری دیسلدم
کیمسه تقلیب حکومت اولسمایا جنین اوقاتل [illegible] ایدکه حسابیتم احمد
اوستنه گیره [illegible]
ایشته سوز قصد و تقلیب حکومت قالیش [illegible] سیمه اولیشه ،
دقتلرله شکلاً [illegible] یبینده فرقلی مقصدلره جالیشانه
ایکی زمره انسانلره قائز [illegible] سوز قصد یا یاقوز [illegible] ترتیبدولرک
نمونه یورو دکلی اوهیچ شکلی قرار قبل ایمیدم.
[illegible] حکمدارلک مشنه محافظه ایسیم داستقلال حریسه ال حارجیلات بر اتحادیه
نظراً اولیرسم [illegible] سوز قصد [illegible] ومتهم بر دعواده اوزریه آلم
بر افترا اتیلیغنی کورمکله بک متأثرم.
[illegible] ملتک دکل انقلابلری و [illegible] تاریخلرینه کورمین متعجب
ملتکده [illegible] اشیکی برحاله تاریخ ایجنده یز.
تجلیسنی استطرا ایده بیلیرم افندم.

بب

۱۳۴۱ سنه‌سی کانون ثانیده تورکستانده سیمنه سابقی ضیا خورشید کسوفنده ایکی کمره اول الاذیت سیمق
شکلنده بکله کلاوبه تورنا اسپانیاده دیوز فقدکی برایکی کره ایله آنقره‌ده رصد ثبت جمهور حضرتلرینه
قارشی برسی قصه باجرا ایتدک اطرافنده شعله‌لی قصه ادامه ایدیور ثابت یلدیزلر کوکنده بکلر
ویکرملی کورلدیکی ارتقای شدید خبر اینه زده کسوف بکله ضیا خورشیدک برادر
دائره بکله ایله برکلشه تا ثابت دور افق و مواقیتی یعنی هر قصه مسئله‌سی نظر قناعتکارلیه
ضیا خورشید دوره‌سنی ایکی سی آنقره‌ده رصد ایدلکلرینی و شکلینی ایله اوزنینده ترجیح ایتمه
ضیالیه پروسه‌قان خرج استفاده ایتدکنده سطحلرینکه وآجر موقطعی افاده رسمی ایدرم
از ییر و موسی . اوده ملحوظ‌لریله موقعیت مطالعه اشتغالیله تاثیر اولنقلوبی . ارقادشلرکزه
ایا ده‌می پرلرک ده پایتخت اوله‌جق ایله ایلک خارجده . اوستیلرینک مرکزنده ده .
حیدر اولمسیله اولمقلقکز . نظرا و عقل و منطقه ظن اولنور . یاخی حیث
عالملر بیلک جناب سوطیه و قاینده کلکسیون اقتدار ایکه طرفدار
اولیه حقکزی قبول ایتمه‌سی اولمادر استانبولده یاجیکه و فحصور ال
حالده کلمسی اولانه برابر مضاعف کرده قصه حقنده ک
معلومات عالیه‌لرینه ثبت نوتوریعه؟

سؤال :

شرقده روس فرقه‌سی خارجاً بر قوت اولمقسزین [illegible] اکثریت اوزون افعال و ایجادات [illegible] سبب‌لری
منع و ترکیب ایدیلمسنه یعنی فرقه‌یه [illegible] اولمسنده [illegible] تکرار ایقاع
بویورسیکز . بوکا فرقه‌کز واقف اولمدیغی اثبات منسوبیتکز ایله [illegible] و حقیقتی
حقیقتاً مطالعه‌کز [illegible] علاوه ایدیکز . .

جواب — اوزن ناله [illegible] فرقه‌یه یازیلمدیغمی تشکیلات خارجیه ایله
فرقه‌نک [illegible] مشغول ایدیلمسی . الاجرا [illegible] حقیقت [illegible]
معلوماتم یوقدر . [illegible] ایکی فرقه [illegible] و جیلر [illegible] اشتیدم .
فرقه [illegible] تشکیلات [illegible] بیلدم . ایکی [illegible] و اتحاد و جیلر [illegible] فرقه‌نک [illegible]
[illegible] اوزلرینی [illegible] اولدیغنی [illegible] و حتی [illegible]
[illegible] حقیقت اکلاییورم . [illegible] اتحاد و جیلر جانبنه خشیه معامله [illegible]
بالذات [illegible] بولنان [illegible] . [illegible] حقیقتی اکلامیورم . فرقه‌ده
بنا علیه [illegible] ایکی فرقه و اتحاد و جیلر [illegible] مطالعه‌م : [illegible] . بالجمله
اثبات منسوبیت شکلنده [illegible] بر فکر صاحبی
معارف ناظرلغی [illegible] اولمدیغم [illegible] دوام ایتمه‌
کورمدیکمدن [illegible] بیلدم . [illegible]
بو نقطه‌یه [illegible] .

٢٨/٦/٩٩

[illegible]

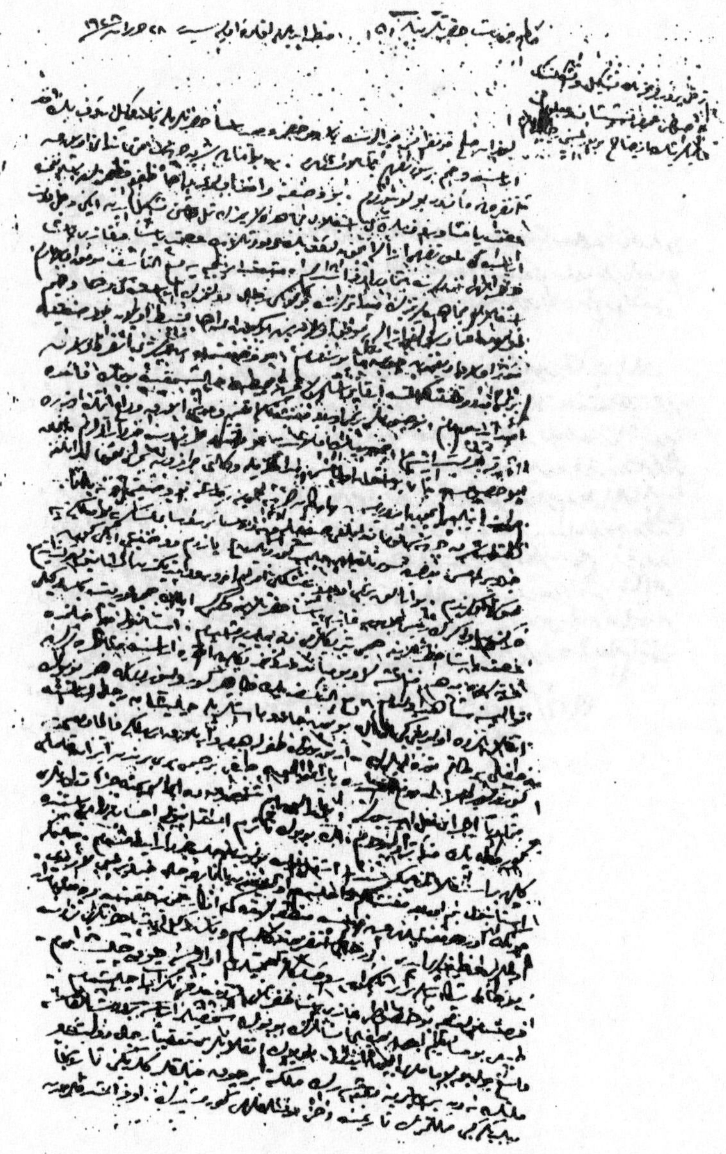

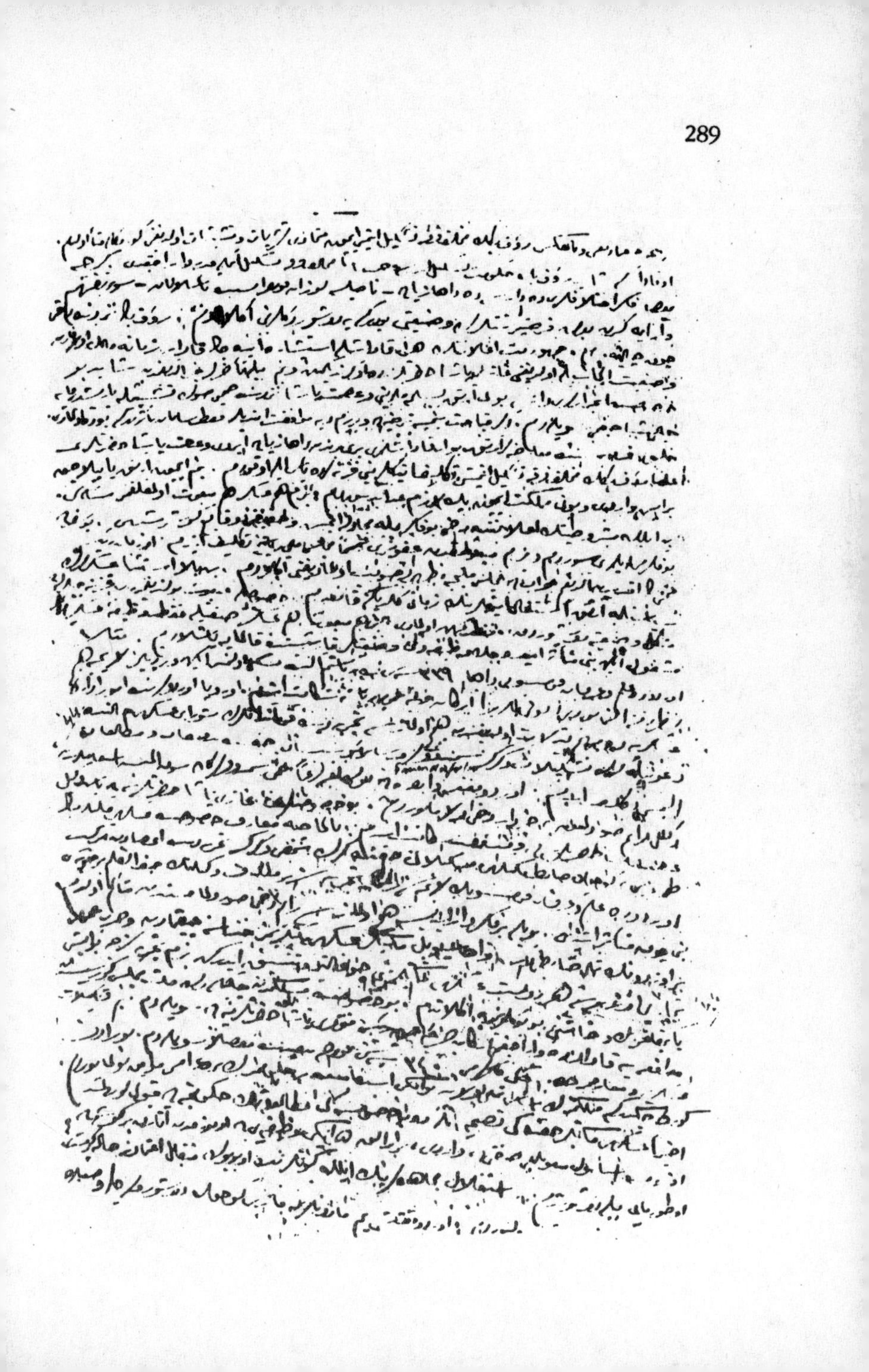

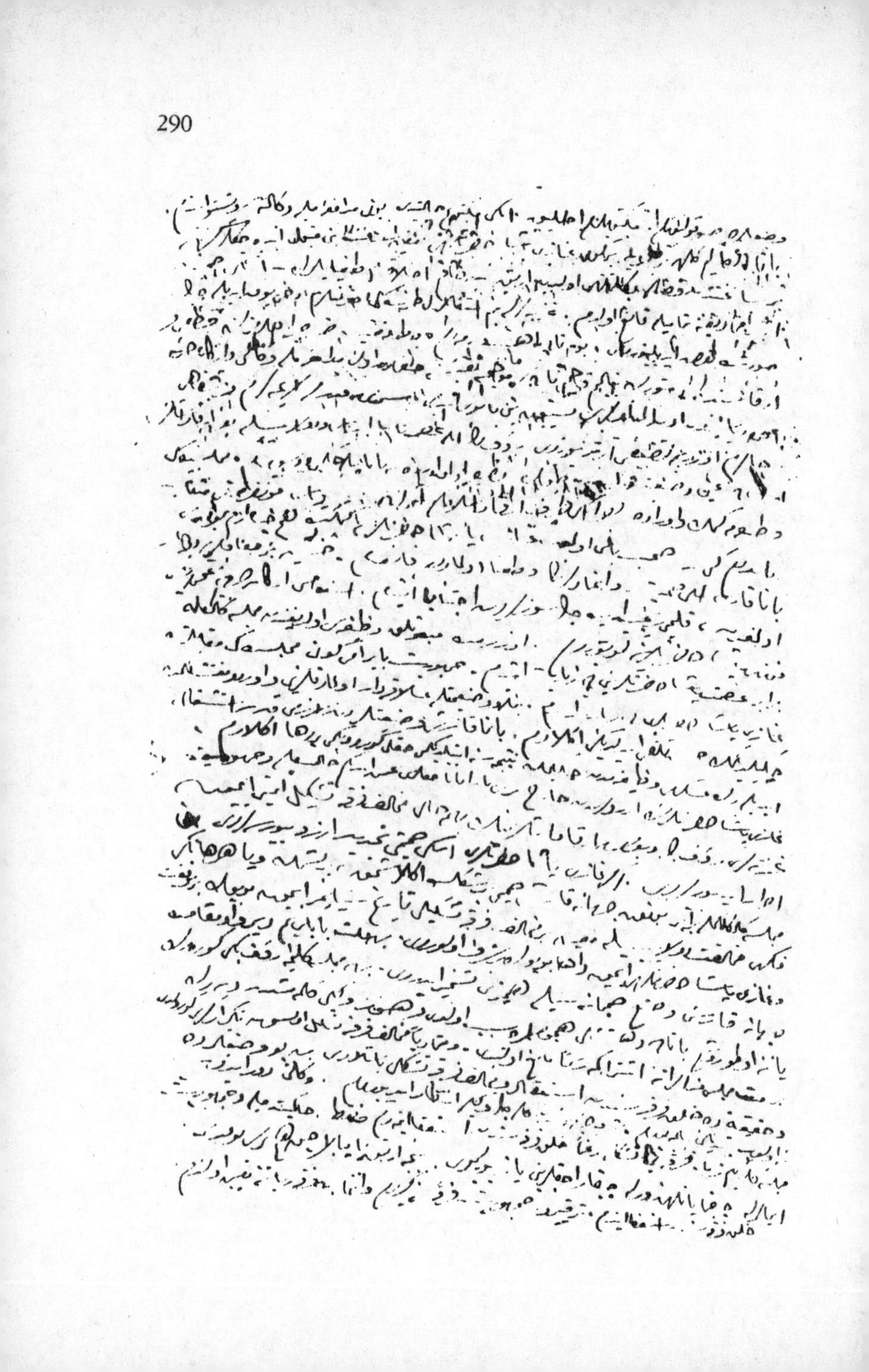

[illegible] مقاله جمعیت [illegible] تا [illegible]
[illegible] مقابل [illegible]
[illegible] حکومت [illegible] جمهوریت [illegible]
[illegible]
[illegible] بالاجماع [illegible]
[illegible]
[illegible] جمهوریت
[illegible] سلطان [illegible]
[illegible] زماننده [illegible]
[illegible]

5

[illegible]

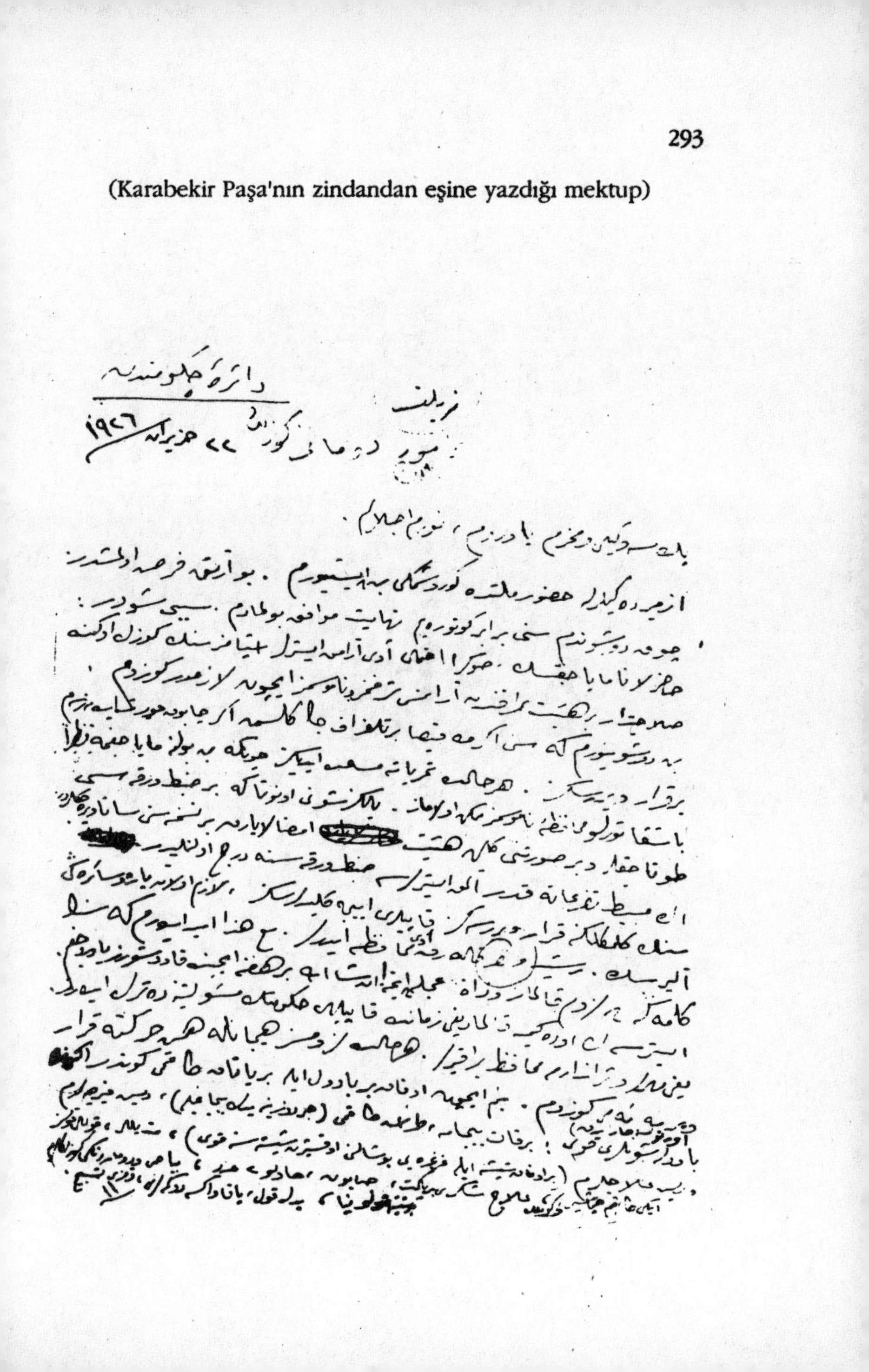

(Karabekir Paşa'nın zindandan eşine yazdığı mektup)

[illegible]

بابا اوجوز کراسته ده بر پارا کوندر . بله ده سایره ترسنه دار . بر نی بو قصله کیسه جک

بانیه تریه (۹) ی (۴۰) کجدر . بعضی بیلمن ترندر . سکوتنی محافظه ایتک

شرطیله استابدینه کلیرسک موافقت ایدرم فقط عینه زمانده بر عسکر [illegible]

سکوت دائما [illegible] محافظه ایده مه جکلی دوستلرک کلمه ایدیکه [illegible] .

[illegible] مسئله آجیقدر . مملکته بو قدر

خدمت ایتسه [illegible] برلکده [illegible] . وجدانه [illegible]

[illegible] ازم آجیقدر . [illegible]

کتاب [illegible] الزمدر . ۹۱ [illegible] . [illegible]

[illegible]

[illegible] . بو خطالی

[illegible]

[illegible]

[illegible]

[illegible] آجیق [illegible]

[illegible] ۱۳۲۶ [illegible]

[illegible]

(Karabekir Paşa'nın zindanda çizdiği resimler. Resimlerin altına şu notları düşmüştür.)

2/7/1926 İzmir Polis Kısm-ı Adli odasında tevkifim hali...

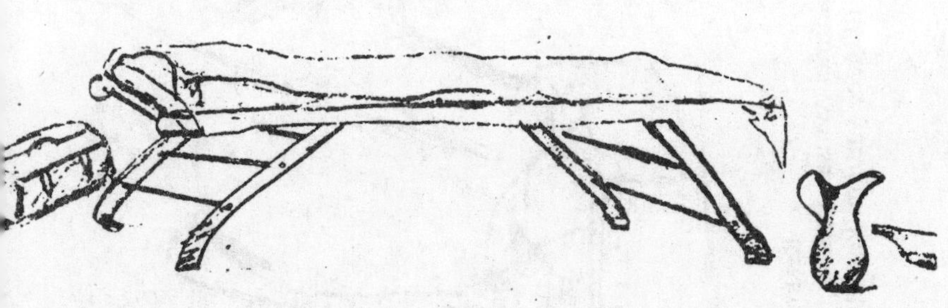

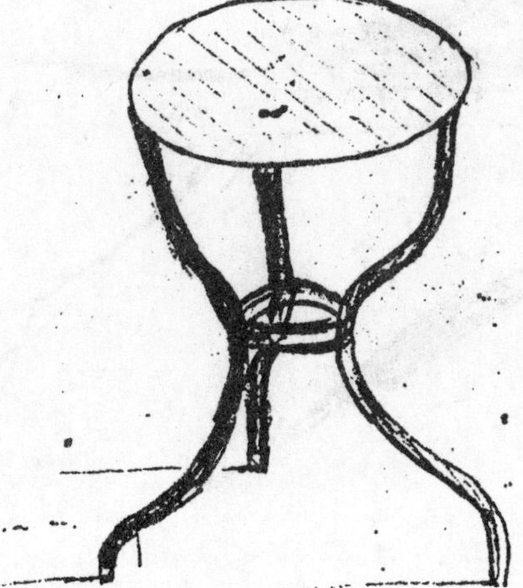

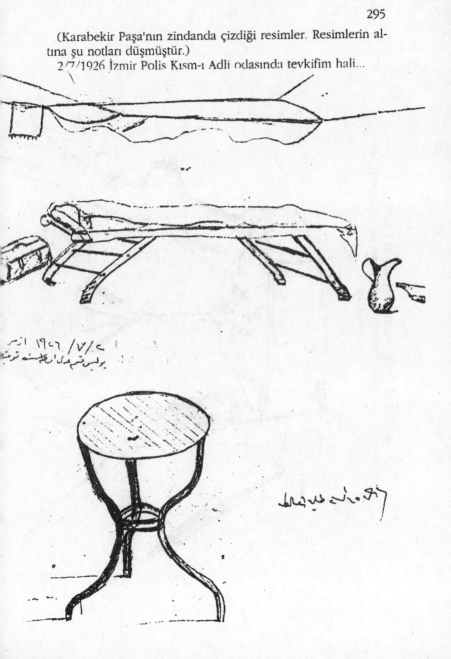

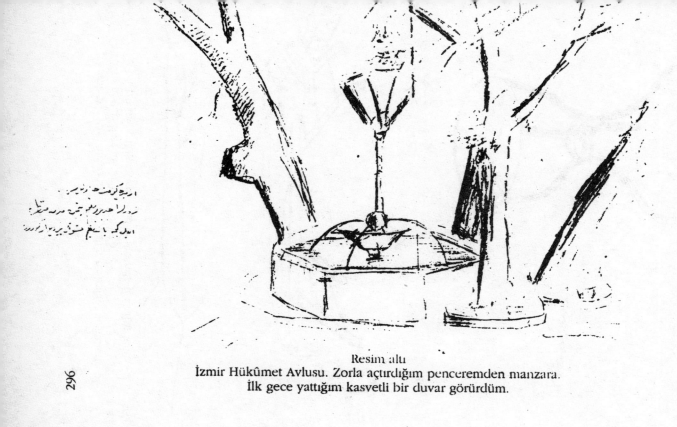

Resim altı
İzmir Hükûmet Avlusu. Zorla açtırdığım penceremden manzara.
İlk gece yattığım kasvetli bir duvar görürdüm.

İzmir İstiklâl Mahkemesi Heyeti
(Meşhur Üç Aliler)

Kâzım Karabekir Paşa İstiklâl Mahkemesinde

Mahkeme Salonundan Bir Görüntü

Kâzım Karabekir Paşa ve Sabit Bey İzmir İstiklâl Mahkemesinde

Kara Vasıf Bey Mahkemede

Refet Paşa Mahkemeden Çıkarken

Gürcü Yusuf ve Laz İsmail Mahkemede

Saruhan Mebusu Abidin Bey Mahkemede

Sarı Efe Edip Bey Mahkemeye Çıkarken

Saruhan Mebusu Abidin Bey Mahkemeye Çıkarken

Maarif Nazırı Şükrü Bey Mahkemeye Çıkarken

Erkan-ı Harp Miralayı (Kurmay Albay) Ayıcı Arif Mahkemeye Çıkarken

Laz İsmail Mahkeme Huzuruna Çıkarken

Maliye Nazırı Cavit Bey

İsmail Canbolat Bey Mahkemede

Sivas Mebusu Halis Turgut İdam Sehpasında

Halis Turgut karar açıklandığında: "Çocuklarıma söyleyin kesinlikle siyasete bulaşmasınlar. Okusunlar, çalışsınlar, fikir adamı olsunlar. Yaşasın idealim, Yaşasın Türklük! Bir Türk Türklüğe kötülük yapar mı!.." demişti.

Batumlu Gürcü Yusuf İdam Sehpasında
Karar açıklandığında "Yazık değil mi bana!..
Niçin böyle yapıyorsunuz." demişti.

Laz İsmail İdam Sehpasında

Eskişehir Mebusu Arif İdam Sehpasında

İstanbul Mebusu İsmail Canbolat İdam Sehpasında

Eski Lazistan Mebusu Ziya Hurşit İdam Sehpasında
Karar açıklandığında: "Şu ikiyüz liramı ağabeyim Faik'e verin. Kabrime şerefime uygun bir mezar taşı yaptırsın" demişti.

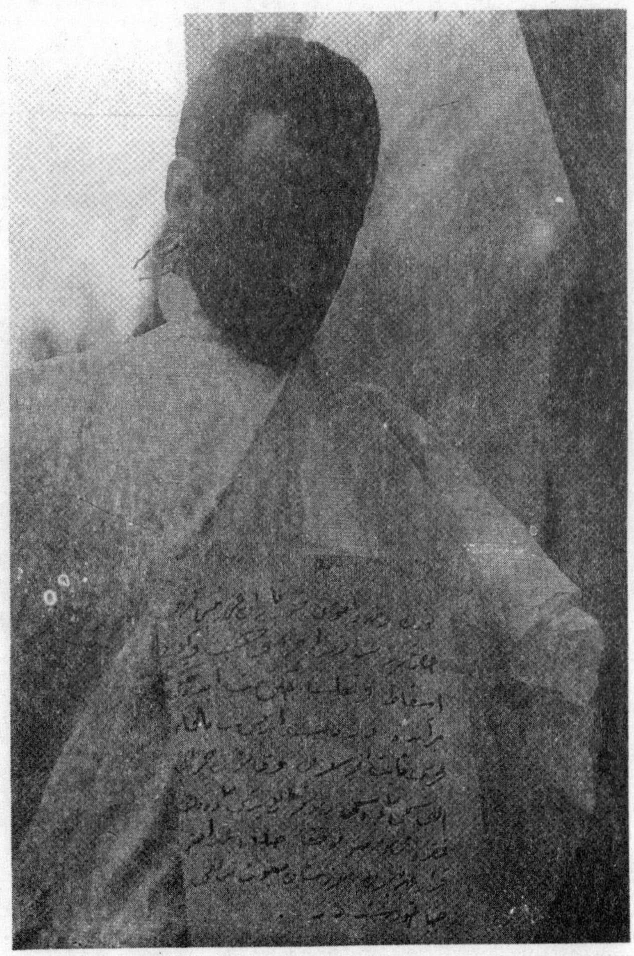

Ziya Hurşit, İdama Sehpasında çıkarken de "Ben zaten başka birşey beklemiyordum. Ama bu da bir zevk. Hürriyetsiz bir memlekette yaşamaktansa, namusuyla ölmek daha hayırlıdır" demişti.

Trabzon Eski Mebusu, Hafız Mehmet İdam Sehpasında
Karar açıklandığında: "Zulüm...Zulüm...Zulüm... zulümle yapılan bina sağlıklı olmaz" demişti.